KU-190-675

Carna

Cill Chiaráin

...a hAirde

Muínis

Cuan
Mhuínse

...Bán

Fínis

...achan

An tOileán
Iarthach

Inis Múscraí

Inis Bearachain

Daighinis

Foirinis

Inis Oírc

...eacan

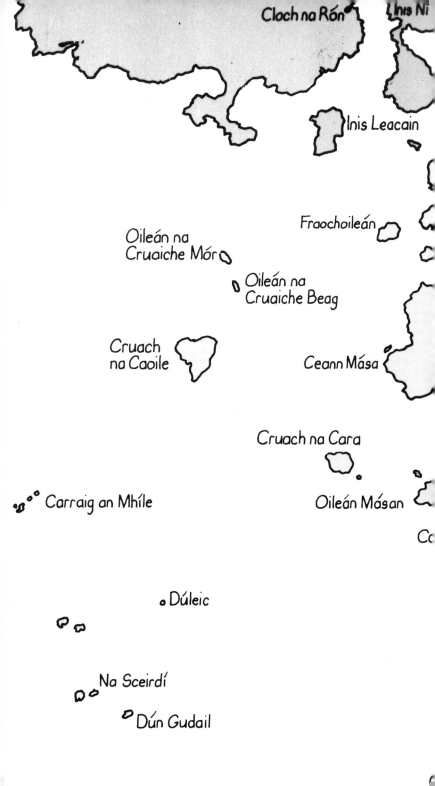

CLADAÍ CHONAMARA

Séamas Mac an Iomaire

TOMÁS Ó MÁILLE Ph.D., D. Litt.
a scríobh an Réamhrá

AN GÚM

Baile Átha Cliath

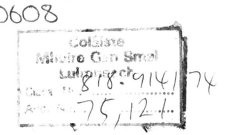

An Chéad Chló 1938
Eagrán Nua 1985
© Rialtas na hÉireann 1938

ADMHÁIL

Tá buíochas ag dul dóibh seo a leanas as ucht cead a thabhairt dúinn léaráidí agus grianghraif dá gcuid a atáirgeadh sa leabhar:— An Bord Iascaigh Mhara (BIM) as ucht cuid de na léaráidí pinn; Roinn Bhéaloideas Éireann, An Coláiste Ollscoile, Baile Átha Cliath 4 as ucht roinnt mhaith de na grianghraif a sholáthar dúinn agus dóibh sin a ghlac na grianghraif sin, i.e. D. Ó Cearbhaill (lgh. 12, 15 (barr), 191 agus 196), Caoimhín Ó Danachair (lgh. 15 (bun) agus 27), Leon Ó Corduibh (lgh. 238 agus 259), T. H. Mason (lgh. 203 agus 262), Tomás Ó Muircheartaigh (lch. 31), Bord Fáilte (lch. 258); Richard J. Scott as ucht na ngrianghraf ar lgh. 11, 179, agus 188 agus as ucht an léaráid phinn ar lch. 7 a sholáthar dúinn. Léaráid phinn Jack B. Yeats le cead ó Anne agus Micheál Yeats.
I gcás cúpla grianghraf níor éirigh linn teacht ar na grianghrafadóirí ach beimid sásta réiteach a dhéanamh leo a luaithe is féidir é.
Chuidigh Coimisiún na Logainmneacha linn chun logainmneacha a réiteach agus an léarscáil a chur le chéile.
Táimid faoi chomaoin ag an Ollamh Máirín de Valera, M.Sc. Ph.D. (nach maireann) agus ag Pádraig de Bhaldraithe, M.Sc. as ucht a gcuidiú fial.
Peter Haigh a rinne cuid mhaith de na na léaráidí pinn agus a tharraing an léarscáil.
An Clúdach: Sarah Roberts a ghlac an grianghraf.
Arna fhoilsiú i gcomhar le hOifig an tSoláthair
Arna chlóbhualadh i bPoblacht na hÉireann ag John Augustine Ltd.

Le ceannach díreach ó
    Oifig Dhíolta Foilseachán Rialtais,
    Sráid Theach Laighean,
    Baile Átha Cliath 2,
    nó ó leabhardhíoltóirí.

An Gúm, 44 Sráid Uí Chonaill Uacht., Baile Átha Cliath 1.

IV

CLÁR AN ÁBHAIR

RÉAMHRÁ

Is maith liom go bhfuil an leabhar seo Shéamais Mhic an Iomaire ar fáil, mar, ó thosaigh an saol nua, níor cuireadh aon leabhar i gcló atá in ann cinnt air.

Iascaire a bhfuil seaneolas aige ar iascaireacht agus bádóireacht a scríobh é. Ní mheasaim go bhfuil aon iascaire in Éirinn a bhfuil a eolas aige ar Ghaeilge, agus is cinnte nach bhfuil aon fhear ag scríobh Gaeilge atá in ann a ghabháil chun céimíochta leis maidir leis an iascaireacht. Fear a chuir trí cinn is daichead d'ainmneacha cineálacha feamainne le chéile agus a thug sampla de gach ceann acu ní beag a eolas ar chladaí. Insíonn sé sin freisin go raibh Gaeil na seanaimsire grinn le rudaí a bhí faoina súile a thabhairt faoi deara agus ainm a chur orthu. Leabhra móra éargna beodhúilíochta na Gearmáine agus cuir ar fáil iad agus ní bhfaighidh tú aon liosta mar sin iontu – ná mórán lena leath. Ní dóigh liom go bhfaighidh tú bádóir in aon ríocht in iarthar domhain ná in oirthear domhain a scríobhfadh leabhar mar é ina theanga féin.

Níor chuidigh an t-eolas seo le Séamas le slí bheatha a fháil ina thír féin. B'éigean dó Meiriceá a thabhairt dó féin, an áit a gcaithfeadh sé ó bhliain go chéile gan grian an lae a fheiceáil, go ndeachaigh sé faoina shláinte. Míle buíochas le Dia, tá a shláinte aríst ar ais aige.

Seo é an rud a scríobh Séamas é féin ag cur síos dó ar an gcaoi ar scríobh sé an leabhar:

"Sa leaba a scríobh mé formhór na ndréachtaí sin mar ní raibh aon chead agam éirí. Dúirt an dochtúir nach raibh aon dochar trí nó a ceathair de leathanacha mar seo a scríobh sa ló – is é sin tar éis mé a bheith sé mhí i mo luí ar fhleasc mo dhroma gan cor ná car a chur asam. Tar éis an achair sin – ab fhacthas dom a bheith chomh fada le dhá bhliain – ba mhór an caitheamh aimsire dom a bheith ag scríobh na ndréachtaí ar chlár a bhí trasna ar mo ghlúine. Is minic a scríobhainn ocht leathanach sa ló, gí nach bhfuil a fhios ag an dochtúir sin fós — ach deirtear nuair a thugtar banlámh don bhodach . . . D'athscríobh mé cuid acu; mar bhí an chéad iarracht rófhada, ghiorraigh mé iad. Murach sin bheadh tuilleadh faid sa scríbhinn, ach níor fhág mé aon ní amuigh, sílim, a d'fhágfadh aon bhearna mháchaileach sa tuairisc. Lean mé chomh dlúth is ab fhéidir liom don mhéid eolais a bhí agam féin i mo cheann."

"Bhí orm a ghabháil siar sna blianta go dtí an t-am a raibh mé deich mbliana nó mar sin; is ea, ansin bhí mé mar a bheinn ag féachaint isteach i scáthán le súile m'intinne. Bhreac mé síos, ansin, chomh mionchruinn is ab fhéidir liom na pictiúir ab fhacthas dom a chonaic mé sa ngloine sin. Is minic a bhínn chomh domhain ar chosán na smaointí mianúla sin is go ndéanainn dearmad glan go raibh mé i dtír choimhthíoch i mo luí ar shlat mo dhroma leis an eitinn. Is minic, freisin, a bhínn ag caint trí mo chodladh. Nuair a dhúisínn, bhíodh an té a bhíodh ag freastal orm ag briseadh a croí ag gáirí; is é mo thuairim nár thuig sí mé is dóigh, mar gur thiar i gConamara a bhínn ag tógáil potaí nó spiléid nó líonta, agus b'fhéidir ag mallaíocht ar fhíogaigh, nó ar chrosáin! Is maith an scéal nár thuig. Thagainn ar ais de phreab as na smaointí sin nuair a dhearcainn amach tríd an bhfuinneog ar na carranna, agus ar na soilse aibhléise ag iompú dearg is uaine ó am go ham. Fothram agus gleo na cathrach á dhearbhú dom cá raibh mé. Dhaingnigh mé cúpla adhairt le mo dhroim, chuir mé an píosa de chlár trasna ar mo ghlúine, rug mé ar an bpeann agus cheap mé dréacht eile, le dearmad a dhéanamh ar an mí-ádh. Is mar sin a chuir mé isteach an aimsir ar feadh bliana."

"Táim le trí bliana anseo agus cheithre mhí, is

níor chuala mé focal Gaeilge ar feadh an achair sin. Bhí seans eicínt í a chloisteáil i Nua-Eabhrac."

Cén fáth, a déarfadh duine, nach ndeachaigh Séamas Mac an Iomaire ag múineadh Gaeilge anseo sa mbaile? Má chuaigh, is cosúil nach raibh sé in ann na húdair a shásamh, nó, má bhí, ní hé seo an cineál eolais ná an cineál Gaeilge a bhí ag teastáil uathu. Más linn Gaeilge rathúil a chur ar bun ba cheart dúinn Séamas agus a leithéidí a thabhairt ar ais go hÉirinn agus a gcoinneáil in Éirinn nuair a bheas siad ar fáil. Tá go leor daoine lántsásta leacht a chur os cionn duine nuair atá sé marbh nach gcuirfeadh greim ina bhéal nuair atá sé i riocht leas a bhaint as.

Tomás Ó Máille

AN tEAGRÁN NUA SEO

Foilsíodh *Cladaí Chonamara* den chéad uair i 1938. San eagrán nua seo tá caighdeánú ar an litriú agus ar roinnt foirmeacha; maidir leis an deilbhíocht is caighdeánú scaoilte canúnach atá déanta uirthi, rud a fhágann go bhfuil blas Ghaeilge an cheantair ar an leabhar. Ní tuairisc ar an gcanúint an leabhar áfach. Is léaráidí agus grianghraif nua ar fad atá san eagrán nua seo agus tá léarscáil curtha ann mar chuidiú don léitheoir.

Máirtín C. Ó Cadhain

IX

MUÍNIS

Is mór an lán oileán atá i gCuan na Gaillimhe in iarthar na hÉireann, agus tá fúm cur síos beag a dhéanamh ar cheann de na hoileáin seo a raibh mé i mo chónaí air tráth den saol. Feicim le súile m'intinne anois féin na botháin úd, agus na hoileáin agus na radharcanna áille a bhí i mo thimpeall an t-am úd i Muínis. Is maith a fheileas an t-ainm Muínis, i.e. maigh (má) + inis, mar is má bhreá chothrom réidh atá i go leor de agus an fharraige mórthimpeall. Tá sé tuairim dhá mhíle ar fhad agus míle go leith ar leithead. Má tá dumhach nó má féin ann, ní fhágann sin nach bhfuil go leor áiteacha achrannacha garbha ann, ardáin agus ísleáin, ailltreacha móra agus beaga, agus clochar cloch go mírialta anseo is ansiúd.

Ar an taobh ó dheas agus thiar is fiáin garbh an t-imeallbhord é. San áit a raibh an talamh bog tá sé ite isteach ag oibriú na farraige. Aircíní a thugtar ar na mantanna sin atá ag síneadh isteach tríd an talamh mar a bheadh géaga ón muir agus fiacla dalba dána crua de mhulláin mhóra eibhir ag síneadh amach agus ag tabhairt dhúshlán na mbristí. Is cosúil le calaí i gcomhair bád na haircíní céanna. Cúng go maith sa mbéal isteach, agus fairsing taobh istigh, ailltreacha arda ar gach taobh le foscadh a dhéanamh, agus áiteacha anseo is ansiúd le theacht i dtír. Níl an t-imeallbhord ar an taobh thoir ná ó thuaidh chomh fiáin sin. Tá roinnt dídine ann ó aghaidh na teiscinne móire.

In aice na mara is líonmhaire atá na tithe, mar is ón bhfarraige is mó atá cothú na ndaoine. Saothraíonn siad a mbeatha go crua le hiascach is ceilpeadóireacht, go moch is go mall le soineann is doineann, amuigh

.

1

ar ucht ard na dtonn, agus a gcois go minic ar bhruach na huaighe.

Maidir le talamh, níl sin acu ach an fíorbheagán, na garranta beaga líonta le clocha, agus in áiteacha gan troigh ar domhain sa bhfód. An talamh gainimh, níl mórán brí ná maitheasa leis le haghaidh barr ar bith. Ach mar sin féin bliain chóiriúil fásann na fataí go maith. Feamainn atá mar ábhar leasaithe agus deirtear gur maith an leasú í freisin.

Níl mórán de mhaoin shaolta ag an dream seo ach ag stracadh leis an saol go hanróiteach. Ar feadh an tsamhraidh agus an fhómhair saothraíonn siad beagán ach is gearr le ghabháil é an chuid eile den bhliain. Drochdhlíthe agus tíorántacht, a bhí á n-imirt orthu leis na céadta bliain, a d'fhág go dona iad.

Maidir le cíos is cáin, níorbh fhiú trácht orthu ar ghualainn na ndrochghníomhartha eile. Bánaíodh an áit tráth, dála mar a rinneadh le go leor áiteacha eile ar fud na hÉireann. Díbríodh na daoine amach as a gcuid gabháltas agus leagadh a gcuid tithe. D'fhulaing siad a lán pionós agus céasadh ó bháillí an tiarna agus ó bhuíon na ngróití iarainn, a bhfuil lorg a láimhe le feiceáil go soiléir go fóill; seanbhallaí loma uaigneacha a bhfuil an t-eidheann agus an caonach ag fás taobh amuigh, agus neantóga taobh istigh. Rinneadh feall mór, ach deir an seanfhocal "go bhfilleann an feall ar an bhfeallaire."

Timpeall le cheithre fichid teach atá ar an oileán seo agus iad suite go deas te teolaí cois na mara. Tithe ceann tuí a bhformhór. Cuirtear díon nua orthu i gcónaí faoi Shamhain, nuair a bhíos an geimhreadh agus an drochaimsir ar ghoirt an bhaile mar "ní hé lá na gaoithe lá na scolb." Tá suim blianta ó shin, cuireadh droichead ag greamú an oileáin le talamh na tíre. Roimhe sin b'aistreánach an áit é, mar chaití iomlacht a dhéanamh le báid le rud ar bith a chur amach ná a thabhairt isteach.

In aimsir an Chogaidh Mhóir tháinig go leor earraí luachmhara áirgiúla isteach i dtír ann ó loingseacha tráchtála a chuir an Gearmánach go grinneall amuigh ar an aigéan mór. Rinne muintir na háite go maith san am sin ar na hearraí a tháinig isteach. Níl cuntas ar bith ar an méid adhmaid a sheol isteach, bairillí rum agus gach saghas ola, geir, blonag, pacaí cadáis agus mar sin. Nuair a bháití na soithí siar ó Cheann Léime, go hiondúil bhíodh an ghaoth thiar agus thiar aneas, agus thagadh an méid a bhíodh sa long aniar ar dhroim na bóchna le sruth agus gaoth. Deir an seanfhocal féin "nach bhfuil olc a thig nach fearrde duine eicínt."

Ní hé amháin an méid a thagadh isteach i dtír ar chladach an oileáin, ach bhíodh na báid amuigh gach lá ar an bhfarraige ar lorg na n-éadálacha luachmhara. Is minic a chastaí earraí leo nárbh fhéidir leo a thabhairt ar bord. Bhíodh orthu iad sin a cheangal le ceann téide agus a dtarraingt i dtír. Bhíodh saol deas acu ag seoltóireacht, ag imeacht le cóir agus uaireanta eile ag tornáil, nó go mbíodh sé in am a theacht abhaile le titim dhubh dhorcha na hoíche.

Is aoibhinn an áit é sa samhradh nuair a bhíos an mhuir ina clár cothrom agus mar a bheadh scáthán mór airgeadach timpeall na n-oileán, na tránna míne gainimh go drithleach dealraitheach faoi thaitneamh na gréine, borradh agus fás faoi gach ní, éanacha an aeir go meidhreach ag ceol is ag ceiliúr thuas i mbuaic na spéire goirme, faoileáin gheala bhána agus éanacha eile na mara ag soláthar agus ag snámh i mbéal na toinne, gach ainmhí, gach feithide agus gach aon rud, gan buaireamh gan eile, lántsásta leis an saol, daoine anseo is ansiúd ar na tránna ag snámh agus ag folcadh sa seansáile folláin.

Nuair a thagas an geimhreadh, bíonn a mhalairt de scéal le n-aithris. An ghaoth aniar agus aniar aneas ag séideadh ina cuaifeacha uafásacha isteach ar chrioslach na mara móire dubhuaine; dath dubh dúr agus cosúlacht ghruama ar na hoileáin bheaga; an fharraige ina praiseach agus ina cosair chró, ag at is ag borradh, ag éirí ina meallta bána, ag lúbadh is ag cúbadh faoi neart agus smacht na gaoithe móire; thart faoi gcuairt le ciumhaiseanna na n-oileán lom uaigneach ní bhíonn le cloisteáil ach clamhsán is crónán is glúscarnach na mbruthanna fíochmhara, borba agus iarsmaí na feirge ag imeacht agus ag eiteall ina coipeadh cúir suas ó bharr an tsnáithe mara, le foscadh is dídean a fháil ar scáth na n-ailltreacha agus na gcnocán. Ní bréag a rá nach lom uaigneach an radharc é sa ngeimhreadh. Coinníonn na daoine an tinteán ar feadh an lae; anois is aríst ag tabhairt súil amach ag iarraidh a bheith ag féachaint tríd an tsíon siar ar dhroim na haibhéise coimhthí, a bhíodh mar a shílfeá go bun na spéire, ina bainne bhán. Chuirfeadh an radharc i gcuimhne is i gcosúlacht duit na Beanna Beola is a ngleannta faoi bhrait gheala de bharr sneachta aon oíche. Mura mbíonn garraí an iascaire faoi bhláthanna bána níl faocha ar thrá. Bruthanna móra ag éirí ina gclaíocha arda ag staonadh is ag cúbadh, ag borradh is ag rith is ag coimhlint le sála a chéile ag umhlú a gcíríní bána ag druidim le cladach, ag pléascadh is ag titim i mullach is i mbun a chéile, ag meascadh, ag coire guairdill agus ag fiuchadh in aon rírá amháin, go mbíonn a neart is a dteannadh féachta is ídíthe acu ar cholbha crua eibhir an oileáin, a sheas an fód go dána ina n-aghaidh leis an tsíoraíocht aimsire. Fuaim is búireach agus glúscarnach na toinne gach ala gan stad ná cónaí, fite fuaite is measctha trí ghlór agus scréachalach ardchrua ghéar na gaoithe — an toirneach mhór an t-aon torann nádúrtha a sháraíos garbhghlór na mara.

Is minic nuair a bhíos an aimsir ina círéibeacha go mbíonn na néalta dubha ag athrú dathanna mar a bhíos siad ag seoladh isteach, ag gabháil i nduibhe agus i ngoirme, solas na tintrí ag scaladh gach re nóiméad, is ag déanamh corrán is crosóg ar na néalta dúghorma. Tagann clocha sneachta a bhíos chomh mór le huibheacha eireoige. Éiríonn ciúineadas is ní bhíonn a fhios cén cheard a mbíonn gaoth. Scalann an tintreach chomh gorm le plúirín; pléascann an toirneach; shílfeá gur clochar cloch is duirlingeacha a bheadh á ndoirteadh is á gcartadh trína chéile sna néalta os do chionn. Is comhartha doininne í a bheith sa bhfarraige an t-am sin de bhliain; is iontach an tsíon í. Cuireann sí eagla ar gach ní beo ar chonablach na cruinne.

Is ann a chaith mé tamall gan brón gan duairceas gan mairg, agus b'aoibhinn liom fanacht ann go deo. Feicim anois os comhair shúile m'intinne an bothán cois cladaigh, lán mara na rabhartaí móra ag cur aighnis orm ag leic an dorais, súiteáin ag ruatharúch is ag leagan a chéile ar an scaineamhán amach ó thaobh an tí. Boladh goirt folláin na gaoithe ón bhfarraige ag séideadh i mo thimpeall is síorphreabadh chuisle na mbristí ag teacht ar mo chluasa ar feadh an gheimhridh chrua fheannta. Cheap mé nach raibh aon áit ar chonablach na cruinne a bhainfeadh an barr de le maise is le háille, agus maidir le sult agus caitheamh aimsire ba dheacair é a shárú. Feicim os mo chomhair anois na bóithre fada bána, na daoine sna goirt ag obair, na báid ag seoltóireacht is ag tabhairt a n-aghaidh amach ar an teiscinn mhór le linn an tráthnóna, is an ghrian ag maolú siar is ag cur lonrú órga ar na beanna. Cloisim ar gach taobh glórtha binne óg is aosta sa teanga ársa a cheap is a chas Gael; d'ainneoin ar fhulaing siad in aimsir Chromail is roimhe agus ó shin i leith choinnigh siad beo a dteanga agus a nósanna. Níor ghéill siad riamh fós don namhaid, agus tá súil agam nach ngéillfidh nó go mbí "Éire saor chomh maith le bheith gaelach, is gaelach chomh maith le bheith saor."

5

IASCAIREACHT

Is fada óna chéile an bealach agus an chuma a mbíonn na daoine sa gceantar seo ag iascaireacht anois agus a bhíodh siad fadó. Timpeall le céad bliain ó shin nó mar sin, ní bhíodh mórán báid seoil ann. Báid iomartha a bhíodh ag formhór na ndaoine, agus ag iascaireacht le doruithe a bhíodh siad go háirid, ach go mbíodh píosa nó dhó d'eangach ag corrdhuine acu. Is iad na mná a bhíodh ann san am sin a níodh agus a dheisíodh na líonta.

Le linn thitim na hoíche is ea a d'imíodh na báid amach go dtí bainc an éisc, le haghaidh a gcuid líonta a chur faoi chomhair na hoíche. "Cor seasta" ab iondúil leo a dhéanamh san am sin – is é sin na líonta a chur ar muráite le cloch mhór fhada cheithre choirnéal a mbeadh eang gearrtha thart timpeall ina lár i riocht is go mbeadh áit na rópaí inti. Bheadh ansin timpeall le deich bhfeá fichead de rópaí láidre as an gcloch eangaí agus an ceann eile di ceangailte de chluais na heangaí. D'imíodh na báid abhaile ansin agus d'fhágadh siad a gcuid eangach ansin go dtí maidin lá arna mhárach nuair a thagadh siad aríst le hiad a thógáil, agus súil acu go mbeadh glac ronnach nó scadán iontu. Is minic a bhíodh. Uaireanta eile ní bhíodh a shúil acu tar éis a gcuid anró ag iomramh ar feadh na hoíche, mar is minic a bhíodh na líonta curtha i bhfad i bhfarraige agus is minic freisin a bhíodh a gcuid eangach stiallta ó chéile ag fíogaigh. Níorbh fhéidir leo ansin a ghabháil amach nó go gcuirtí cóir orthu leis an mbiorán eangaí.

B'anróiteach crua fliuch fuar an obair iascaireacht san am sin. Iascach a bhíodh i gceist go mór sa tseanaimsir, iascach cnúdán. Le doruithe ab iondúil a bhíodh na cnúdáin á marú, i ndiaidh an bháid le beagán siúil. Nuair a tharraingítear isteach sa mbád iad ní féidir breith orthu den duán go mbuailtear faoin seas iad agus go bhfaighe siad bás. "A tharraingt isteach agus a bhualadh faoin seas — sin é a mharaigh an cnúdán." Is é an t-ábhar é sin, mar tá an oiread dealg as an gcnúdán nuair atá sé beo agus go speirfeadh sé duine; agus nuair a bhíos sé caillte ní bhíonn aon bhrí ann. Is iasc an-deas, blasta, milis é. Ní mharaítear mórán acu anois ar chor ar bith.

Is mór an t-athrú atá ar an saol ón aimsir sin go dtí an aimsir láithreach. Tá trí chineál báid ag muintir na háite seo anois, is iad sin nabaíos, gleoiteoga, agus púcáin. Tá go leor cineálacha iascaigh á dhéanamh ann freisin. Tá iascach á dhéanamh ann le líonta, le spiléid, le traimeanna agus le doruithe. Ag iarraidh ronnach agus scadán go hiondúil a bhíos na nabaíos.

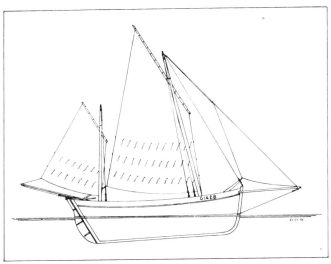

AN NABAÍ

Daichead píosa eangach ronnach a bhíos ag gach bád acu agus deich bpíosa fichead de líonta scadán. Bíonn

bád acu sin agus an dá thraim líonta an-daor — suas le
dhá chéad déag punt. Tá difríocht mhór idir na líonta
ronnach agus na líonta scadán. Tá na líonta ronnach
dhá fheá dhéag is fiche ar fhad agus trí feá go leith ar
domhain. Tá dhá rópa lena ndroim, a dtugtar rópaí na
gcorc orthu. Bíonn na coirc an-ghar dá chéile ar an
droim — i bhfoisceacht troigh dá chéile. Bíonn dhá
rópa eile sínte leis an íochtar, a dtugtar na rópaí
íochtair orthu. Coinníonn na rópaí íochtair sin an
eangach rite síos ón droim, mar a bhíos na coirc ar
an droim ar bharr na farraige. An snáth a bhíos sna
líonta ní mór é a bheith go maith. Cuirtear faoi
tharra agus ruaim iad freisin sa gcaoi nach nglacfadh
siad an t-uisce, mar lobhfadh an snáth dá dtéadh an
t-uisce isteach ann. Orlach go leith nó mar sin a bhíos
sna mogaill san eangach ronnach. Fiche feá a bhíos
na líonta scadán ar fhad agus ocht bhfeá ar domhain.
Bíonn rópaí lena ndroim agus lena n-íochtar, mar an
eangach ronnach, ach go mbíonn na coirc níos faide
ó chéile ar an eangach scadán. Is é an t-údar a bhfuil
an eangach scadán chomh domhain sin, mar go
mbíonn na scadáin ag snámh domhain síos sa bhfar-
raige, agus bíonn na ronnaigh ag imeacht i mbarr
uisce. Na mogaill a bhíos ar na líonta scadán, timpeall
le horlach a bhíos siad ar méid.

Isteach i gCuan na Gaillimhe a bhíos na báid ag
iarraidh na scadán; agus i mbaile mór na Gaillimhe a
cheannaítear na scadáin seo. Siar agus amach ó Oileáin
Árann a bhíos na báid ag iarraidh na ronnach. San
Aibreán is ea a théas siad amach. Bíonn mórsheisear
d'fhoireann i ngach ceann acu. Tráthnóna ag a
ceathair a chlog a fhágas siad an caladh cuain, agus
bíonn siad ag seoladh ansin go mbí an ghrian ag
gabháil faoi. Ansin stríocann siad an seol mór agus
imíonn siad sa jib agus sa seol beag. Tosaíonn an
fhoireann ansin ag cur na n-eangach amach ar bhord
na heangaí, agus ní mórán achair a bhíos siad á gcur.

Bíonn rópaí ansin as cluais na heangaí ceangailte de cheann an bháid. Agus is deas a bhíos na coirc le feiceáil in aon líne dhíreach amháin amach ón mbád ar feadh d'amhairc. De réir mar a bhíos an sruth ag imeacht ansin, más siar nó aniar a bhíos sé ag gabháil, is amhlaidh a bhíos an bád ag imeacht, mar dá mhéad an gála tá na líonta in ann an bád a tharraingt ar aghaidh leis an sruth. A chomhuain is a bhíos na líonta curtha bíonn an crann mór leagtha anuas, le leisc é a bheith ag gabháil gaoithe ná ag corraí anonn agus anall sa mbád, mar amuigh san aibhéis choimhthíoch sin bíonn bun ag an bhfarraige i gcónaí agus de réir na síoráile bíonn an bád ag luascán. Nuair a bhíos drochaimsir ann agus oibriú farraige ní mór duit a bheith cliste agus cosa báid a bheith agat nó a bheith cleachtach go maith le siúl ar léibheann, mar dá mbeadh duine aineolach ann bheadh sé á leagan agus á chaitheamh ó thaobh go taobh agus bheadh sé i gcontúirt freisin a ghabháil thar bord amach agus a bhá.

I rith an ama sin a mbíonn na líonta curtha bíonn duine den fhoireann ag faire, duine ar gach oíche ar a shea, le faitíos go n-athródh an ghaoth agus go rachadh an bád isteach sna heangacha nó go dtiocfadh aon bhád eile salach orthu. Ní dhéantar dearmad freisin gan an lampa a bheith lasta ar an gcrann beag.

Ag a haon a chlog a thosaíos siad ag tarraingt suas. Bíonn an rópa mór láidir sínte le híochtar na n-eangach agus is air a bhíos meáchan an bháid. Bíonn ceann an rópa seo ar an gcapstan agus bíonn dhá láimh iarainn ar an gcapstan a mbíonn beirt fhear á gcasadh; agus de réir mar a bhíos siad á gcasadh, bíonn an rópa ag teacht isteach agus an bád ag gabháil chun cinn suas ar na líonta. Bíonn fear thíos faoin léibheann chun cinn sa mbád ag coinneáil an rópa rite, beirt fhear eile ag tabhairt isteach na n-eangach, agus beirt eile á stuáil. Nuair a bhíos an

píosa deiridh istigh acu, ardaíonn siad an crann agus
déantar seol agus imíonn siad isteach go dtí an áit a
gcuirtear an t-iasc chun an mhargaidh as. I gCloch na
Rón nó i gCill Rónáin is ea a chuirtear an t-iasc i
mbosca agus leac oighir orthu le hiad a choinneáil
úr go dté siad go Sasana.

BÁID Á nDÍLUCHTÚ

Bíonn na gleoiteoga agus na púcáin ag siúl ar
mhórán aon chineál amháin iascaigh. Timpeall is aon
mhéid amháin iad freisin — in ann ceathair nó a cuig
de thonnaí meáchain a iompar — agus beirt fhear
d'fhoireann a bhíos i ngach ceann acu. Báid bhéalos-
cailte iad agus trí cinn de sheolta atá ar na gleoiteoga
— an seol mór, an seol tosaigh agus an jib; dhá sheol a
bhíos ar an bpúcán — an seol mór agus an jib. Le
spiléad agus le traimeanna go hiondúil a bhíos siad ag
iascach. Is é an bealach a mbíonn an spiléad déanta de
dhorú fada a bhíos suas le céad feá ar fhad. Is é an
t-ainm a ghlaoitear ar an dorú fada seo droim an
spiléid, agus ceangailte den droim, trí feá ó chéile,

AN GHLEOITEOG

bíonn féa go leith de shnúda a dtugtar foirtéim air,
agus duán ar a cheann. Bíonn baoite ar an duán sin de
scadán gainimh, nó de phíosa éisc mar ronnach,
mangach, glasóg, iascán, ronnach Spáinneach nó
péiste eile a bhíos sa trá a dtugtar lugacha orthu. Is
mall an obair spiléad a bhaoiteáil. Nuair a bhíos an
bhaoiteáil déanta, tosaíonn tú á chur amach as an
mbád.

Ní mór duit a bheith stuama go maith ag cur an
spiléid. Ligfidh tú amach an chloch chinn ar dtús,
mar tá cloch den tsórt sin ar chaon cheann den
spiléad a bhfuil dorú fada aisti agus baoi os cionn na
farraige uirthi. Beidh an spiléad ansin sínte ar íochtar
na farraige, thíos le ciumhais na stopóige. Fágtar
curtha ansin é ar feadh cúpla uair an chloig. Tógtar
isteach ansin sa mbád é agus, de réir mar a bhíos fear
á tharraingt, bíonn fear eile ag baint an éisc de agus
fear eile á socrú síos i gciseán agus ag socrú na nduán
thart i gcoirc atá ar bhéal an chiseáin.

Is iomaí cineál éisc a mharaítear le spiléad: eascanna,
roic, scolbaird, leathaí, turbaird, bóleathaí, langaí,

AN PÚCÁN

troisc, colmóirí, cadóga agus freangaigh agus go leor
eile. Sna stopóga agus ar an fuarleacracha is ea a
chuirtear na traimeanna. Ballaigh agus mangaigh agus
bric gheala a thógtar leis na líonta seo. Thíos ar
íochtar na farraige a bhíos na traimeanna curtha.
Bíonn luaidhe lena n-íochtar le hiad a choinneáil
thíos ar íochtar agus coirc ar an rópa uachtair leis
an eangach a choinneáil rite ón íochtar.

Is minic a bheifeá ag iascach ar feadh an lae agus
gan a bhurail a mharú; "má mheathann tú téirigh ag
iascach."

Bíonn laethanta áirid a mbíonn iasc le fáil níos
fearr ná a chéile. Níl an aimsir fhuar go maith, agus go
mór mór gaoth aduaidh ná gaoth anoir. Ní raibh aon
lá molta riamh ag na seandaoine a mbeadh an ghaoth

ag séideadh as ceachtar den dá cheard sin. Tá sé ráite gurb í an ghaoth aneas agus an ghaoth aniar is fearr. Dúirt an seanfhocal freisin i dtaobh na gaoithe aniar: "gaoth aniar bíonn sí fial agus cuireann sí iasc i líonta," agus is dócha gur fíor an rá é. Lá mín, bog, cineálta nach mbeadh aon oibriú damáisteach sa bhfarraige, sin é an lá le haghaidh a ghabháil ag iascach. Freisin, tá sé le tuiscint ag duine ar bith, ar nós chuile rud eile, go mbíonn snamhach faoin iasc sa bhfarraige leis an lá taitneamhach seachas lá fuar mínádúrtha a chuirfeadh fuairnimh i do chuid méaracha mura mbeifeá ag obair go crua. Lá a bhfuil sórt goimhfhuaicht ar bith ann ní lá iascaigh é.

AG IASCACH AS CURACH

Tá áiteacha thíos ar thóin an phoill is mó a thaithíonn an t-iasc ná a chéile, sa gcaoi go bhfuil sé le creidiúint go bhfuil áit chónaithe áirid, thíos sna stopóga, agus ar an ngaineamh, ag slua na n-eití atá ag maireachtáil riamh thíos sa tír faoi thoinn.

Tá páirteanna go leor sa bhfarraige agus dá mbeifeá ag iascach choíche, ní aireofá a shúil ach an oiread agus dá mba i bportach móna a bheadh do dhorú agat, agus ar an mbealach eile, b'fhéidir i bhfoisceacht dhá fhad maide rámha den gheadán sin go mbeadh muráite thar cionn le haghaidh iascaigh. Sin é a fhágas go gcothaíonn an t-iasc le chéile sa teiscinn mhór, ar nós mar a chothaíos gach tréad ar chonablach na cruinne, agus go bhfuil sórt foirginte déanta acu sna stopóga agus sa ngairbhéal leis an drochaimsir a chaitheamh. De réir mar a bhíos an bhliain á caitheamh agus an aimsir bhreá ag imeacht, bíonn an t-iasc ag druidim ar an domhain, agus is dócha gur ansin a fhanas sé ar feadh an gheimhridh agus an chéad mhí d'earrach, mar i rith an ama sin ní bhíonn mórán éisc le fáil, ach cúpla cineál ar nós eascanna, roic, scolbaird, agus amanta a dtagann corrchluiche scadán agus ronnach isteach.

Iascach eile atá ar bun go mór san áit seo gliomadóireacht. Le púcáin, gleoiteoga agus curacha a dhéantar an t-iascach seo. Caithfidh na daoine a mbeidh dúil acu a ghabháil leis an obair imeacht leo sa ngeimhreadh agus a ghabháil ag baint slatracha coll nó saileachán, le haghaidh potaí gliomach a dhéanamh. Ní mór do chuile fhoireann báid ábhar deich gcinn fhichead de photaí gliomach de shlatracha a bhaint, sin é t-alúntas potaí le haghaidh gach bád.

Nuair a bhíos na slatracha bainte, tosaítear orthu ar an bpointe boise á ndéanamh, agus is mór an obair sraith potaí gliomach a dhéanamh. Timpeall le trí phota a bheadh déanta sa lá ag fear a bheadh ábalta á ndéanamh; tá siad déanta ar nós ciseáin, mór go maith, timpeall le dhá throigh ar airde, agus dhá throigh ar leithead, ach gur cruinn atá siad ar nós ceaig. Tá tóin shocair orthu le hiad a shuíomh i gceart sa stopóg, agus baithis a bhíos os a gcionn ansin. I lár na baithise tá an bearach, poll cruinn i riocht agus go

POTAÍ GLIOMACH

rachadh do láimh síos ann. Síos an bealach sin a
théas an gliomach, agus nuair a bhíos sé thíos níl sé
éasca aige a theacht aníos, mar tá an bearach déanta
ar chuma nach bhfaighidh sé amach é.

15

Ní mór don ghliomadóir téadracha pota a fháil, agus coirc le haghaidh na dtéadracha. Timpeall le hocht bhfeá déag de théad chaol rua atá ag teastáil ó gach pota. Ceann den téad seo a cheangal faoi dhá easna le taobh an bhearaigh mar tá an bearach i lár bhaithis an phota sa mbealach is nuair a ligfear síos an pota sa bhfarraige go mbeidh a thóin faoi go deas socair sa stopóg. Tá slám beag cloch ann freisin le hé a choinneáil socair. Ní mór coirc a bheith ar an téad i bhfoisceacht feá go leith dá chéile, timpeall le sé chorc lorgan agus ansin an bhaoi atá ar cheann na téide. Tá ceathair nó a cúig de choirc ag déanamh na baoi. Tá na coirc seo a bhfuil mé ag caint orthu suas le hocht n-orlaí ar leithead agus orlach go leith ar airde.

I mí na Bealtaine a thosaíos na gliomadóirí ag réiteach le ghabháil chun farraige lena gcuid potaí. Caithfidh siad ar dtús a ghabháil lá ag iascach le haghaidh baoití mar ní mór gach pota a bhaoiteáil go cúramach. Tá gach sórt breac ceart le haghaidh baoití. Deánann siad píosaí beaga den bhreac le scian, chuile phíosa timpeall chomh mór le do bhois. Crochtar na baoití taobh istigh sa bpota le géagáin bheaga de shlatracha a bhfuil frídín ar cheann amháin díobh, leis an mbaoite a choinneáil gan titim síos, agus daingnítear an ceann eile den ghéagán i mbaithis an phota.

Ní mór an pota a bheith sa stopóg nuair a bhíos sé curtha agus é a ligean síos i bpoll sa stopóg dá mb'fhéidir, mar is in aice na scailpreacha a bhíos an gliomach go háirid. Nuair a bhíos an gliomach ag gabháil thart san áit a mbíonn an pota curtha feiceann sé na baoití taobh istigh agus déanann sé iarracht ar dtús iad a fháil ón taobh amuigh ach ní bhíonn aon mhaith dó ann. Téann sé suas ansin ar thaobh an phota agus síos an bearach. Ní mórán cuimhne atá aige ansin go bhfuil sé i ngéibheann, agus tosaíonn sé ag ithe na mbaoití agus bíonn á n-ithe ar feadh na hoíche go maidin.

Is minic a bhíos níos mó ná aon ghliomach amháin i bpota, agus téann eascanna agus portáin rua isteach freisin. Sin í an uair a bhíos an obair chontúirteach ag an ngliomadóir, á dtabhairt sin aníos as an bpota, dá mbeadh i ndán is go mbeadh trí cinn de ghliomaigh, trí nó a ceathair de phortáin rua, agus eascann ann. Bíonn siad sin uilig ag sceanadh a chéile go fuilteach agus amanta b'fhéidir go mbeadh ceann de na gliomaigh marbh ag an gcuid eile. Go cinnte, má bhíonn níos mó ná cúpla ceann i bpota tá an tríú ceann le bheith réidh. Dá n-éiríodh le gliomach greim méire a fháil ar dhuine lena chuid ordóg, atá chomh géar le siosúr, bhainfeadh sé an mhéir de go tobann; agus tá an portán a dtugtar an luaineachán air chuile phioc chomh dona le gliomach ar bith mar tá sé chomh haclaí agus go bhfuil sé in ann a bheith ag imeacht ar mhullach a chinn, agus chomh luaineach agus go mbeadh greim aige ort ar iontú thart, agus deirimse leat nach greim gan é. Nuair a thagas an gliomadóir isteach ón bhfarraige ar maidin, cuireann sé na gliomaigh a bhíos aige de bharr na hoíche, más beag nó mór é, sa ríphota; sin é an stór atá aige le haghaidh na ngliomach ar ancaire i mbéal an chalaidh leis na gliomaigh a bheith beo ann go ceann coicíse nó míosa, nuair a thugas sé chun an mhargaidh iad beo. Má bhíonn aon cheann caillte ní ghlacfar uaidh é. Timpeall le punt an dosaen a fhaigheas sé ar ghliomaigh mhóra, agus de réir a méide ar an gcuid eile. Ní mór dó, nuair atá sé á gcur sa ríphota, bannaí a chur ar gach gliomach; mura gcuireadh mharódh siad féin a chéile. Is é an bealach a gcuirtear bannaí ar an ngliomach féith atá ina ordóig a ghearradh le scian bheag, agus ní bheidh sí i riocht aon dochar a dhéanamh ansin.

Sa samhradh agus sa bhfómhar a bhíos séasúr na

ngliomach ann, agus is í an mhí dheireanach de shamhradh agus an chéad mhí d'fhómhar is fearr le haghaidh gliomach timpeall an chósta seo. Ní hí an tanaí is fearr i dtús bliana, ach is í is fearr amach sa bhfómhar nuair a bhíos na gliomaigh ag gabháil isteach sa gcoirleach. Ina gcluichí a thagas na gliomaigh isteach ón muir mhór ar nós gach iasc eile, agus tá sé ráite go mbíonn scata mór acu in éineacht freisin.

TÓRAÍOCHT BAOITÍ

TRÁTHNÓNA breá i mí bhuí Bhealtaine a bhí ann, tráthnóna chomh breá grianmhar is a chonaic aon duine riamh. Bhí an lá brothallach go maith ó mhoch na maidine go headra, ach anois bhí fuarú agus fionn-uaras breá ann, cé is moite go raibh corrphlód de na cuileoga beaga suas agus deirim leat nár mhaith na cairde iad. A dhuine, bhí siad in ann thú a chur glan-oscartha as do chéill lena gcuid gathanna nimhneacha. Bhí an spéir bánghorm gan néal ná smúid ach go raibh roinnt ró samh thart le bun na spéire ó dheas, agus ó dheas siar aneas, comhartha teaspaigh agus dea-aimsire. Na Beanna arda gobacha Beola ó thuaidh agus iad ag crochadh a mullaí os cionn a chéile in aghaidh na spéire; ag athrú dathanna áille gach re nóiméad a chuirfeadh éad ar dhathadóir. An ghrian ina meall mór órga á hísliú féin go righin réidh síos ar chúla Chruach na Cora san iarthar, agus de réir mar a bhí sí ag ísliú bhí an spéir mórthimpeall uirthi ag athrú dathanna ó bhuí go crónbhuí agus go deargbhuí, ag tabhairt comhartha don saol Fódlach go raibh am dea-aimsire ar ghoirt an bhaile.

Bhí crónán uaigneach na mara le cloisteáil sa gcladach, ag lapadáil agus ag sclogaíl sna clochair aimhréiteacha chloiche agus ag rith isteach is amach na scailpreacha mírialta. Bhí fuaim cheolmhar na toinne ag briseadh go réidh mall isteach ar an Trá Mhóir; linnte de chúr mín bán ag bogadh i mbéal na taoille, ba ghile i bhfad ná an trá. Cheap filí na n-amhrán grá féin anallód nach raibh ní saolta ba ghile ná "cúr na toinne ar trá." D'fheil an tsamhailt dóibh agus iad ag moladh na hógmhná, "is gile a píob is a bráid ná cúr na toinne ar trá." Thaitnigh an tsamhailt sin leis na mná, ní nach ionadh, mar níl mórán ní faoin mbogha bán is gile ná é.

Ní raibh sé ina lán mara fós, mar bhí cúpla coiscéim idir snáithe mara na maidine agus an lása geal cúir a bhí le ciumhais na mara móire dubhuaine. Ní raibh aon deifir ag tuile air, tuige a mbeadh agus an rabharta ar hob a bheith caite agus é láimh le mallmhuir agus an ghaoth thoir thoir aduaidh le tuilleadh coisc a choinneáil air?

Bhí éanacha an chladaigh agus na mara go ciúin, gan gíog ná míog astu, cé is moite de dhá fhaoileán mhóra raice a raibh dromanna dubha orthu agus a bhí ina seasamh ar chírín Charraig na mBan agus iad go caointeach casaoideach. Ocras, b'fhéidir, ba chiontach lena gcuid clamhsáin agus iad ag smaoineamh ar shaol na bhfuíoll a bhí acu tráth. "Ní mhaireann an rith maith don each (ní hé amháin éan) i gcónaí". Nach iomaí maide farraige a bhfuair siad iomlacht riamh air aniar as an aibhéis choimhthíoch fhliuch thonnach. Más ea, ní le gaoth ón talamh é ach le croí gaoithe aniar agus aniar aneas. Nach acu a bhíodh an sult agus an tslamairt ar an saorthuras aoibhinn sin ar chrioslach na mara móire goirme, ag slogadh giúirlinneacha fada boga as na sliogáin agus iad á mbogadh is á luascadh le gargaint na toinne ar ucht ard na lonnaí righne fada guagacha, uaireanta thíos i ngleannta doimhne idir liagáin mhóra farraige agus iad ag scrogadh a muiníl agus ina seasamh ar bharra cos, ag iarraidh breathnú thar an gcéad tonn eile. Seo aríst iad ar chírín na toinne agus a gcuid sciathán oscailte amach acu, le farasbarr siúil a thabhairt dá n-athrach agus iad ag imeacht le cóir ghaoithe ar uachtar na linne dochuimsithe. Sin é an t-am a raibh siad ar sheol na braiche gan uile gan easpa agus má bhí brón agus díomá orthu anois ná tógtar orthu é.

Ag tóraíocht luathóg agus searróg a bhí mé féin an tráthnóna áirid seo, mar bhí intinn agam a ghabháil

LUATHÓGA AGUS SEARRÓGA

ag iarraidh mangach lá arna mhárach dá mbeadh an lá chun seoil. Chuaigh mé go dtí lochán fíoruisce i mbarr na duirlinge bige atá thíos faoin reilig. Bhí cúpla cloch mór go maith ann. Dhearc mé agus smaoinigh mé agus bhí mé cinnte óna dhealramh nach raibh sé dubhfholamh. Cheap mé go bhfaca mé le súile m'intinne na heascanna i suan casta ina bhfáinní lúbacha ar an scaineamhán faoi na clocha. Bhí boslach maith uisce ann, agus ó bhí buicéad agam, — cheap mé nach mbeinn i bhfad á thriomú. Thosaigh mé ag cur uisce as chomh tréan agus ab fhéidir liom ach ní raibh mé á laghdú mórán, mar bhí sruthán beag ag teacht anuas go dtí é. Bhain mé cúpla scraith agus chuir mé i mbéal an tsrutháin iad agus chuir sin stad leis go ceann tamaill. Thaosc mé timpeall lena leath agus nuair a bhí sin déanta agam bhuail saghas leisce mé agus dúirt mé i m'intinn féin go mbainfinn iompú as na clocha, go mbeadh a fhios brón nó bruscair agam. Bhí mé chomh santach chuig na heascanna is nach raibh agam fanacht níos faide. Rug mé ar an gcloch go maith alpartha, chuir mé barr mo mhéaracha isteach idir í agus an gaineamh rua a bhí ar íochtar an locháin, d'ardaigh mé suas í ar a coirnéal agus chaith mé siar í, ag meascadh agus ag corraí an uisce go mór ar ala na huaire. D'éirigh dhá eascann bheaga amach uaithi ach salaíodh an t-uisce chomh mór is go ndeachaigh siad amú orm. D'fhan mé tamall beag

21

ansin mífhoighdeach go leor go dtitfeadh sé. B'fhacthas dom go bhfaca mé rian eascainne ag lúbarnaíl ag ciumhais an locháin thall. Shíl mé an scian a bhí oscailte agam a leagan uirthi, (mar sin é an cleas is fearr le breith ar eascann), mar tá sí chomh sleamhain lena bhfaca tú riamh. Ach mo léan géar! níor éirigh liom; dheamhan blas a bhí faoi bhéal na scine ach gaineamh garbh. D'fhan mé tamall eile agus bruith mo ladhar orm, mo shúile ar bior ag breathnú i ngach geadán den lochán san am céanna. An t-uisce á chorraí aríst ag an mbruach thall; thug mé áladh naimhdeach ar an áit le mo scian aríst, ach ba é an scéal céanna é, bhí mo ghnótha in aisce.

Bhí an lochán salach go maith anois agus aiféala an domhain orm nár thaosc uilig ar dtús é. Ach, "ina dhiaidh a fheictear a leas don Éireannach." Ach leis an scéal a ghiorrachan, b'éigean dom é a thaoscadh in athuair is gan flip a fhágáil ann. Ach deirtear gur fearr deireanach ná ródheireanach. Ach anois ar a shon sin, bhí sásamh breá agam: bhí an báire liom mar bhí na luathóga le feiceáil ag déanamh fáinní díobh féin agus ag lúbarnaíl ar an scaineamhán agus ag iarraidh a ghabháil i bhfolach faoi na méaróga beaga a bhí ar thóin an locháin, á sníomh féin isteach eatarthu in aghaidh a ndriobaill. D'iompaigh mé an chuid eile de na clocha, gan deifir gan deabhadh, agus bhí sé nó a seacht de cheanna luathóga agam ag gabháil abhaile le fíor-dhúchrónachan na hoíche.

Lá arna mhárach go moch-maidneach, sula raibh an fáinne bán imithe den spéir san oirthear, bhí muid réidh glan le ghabháil chun farraige, Máirtín Mhicil Sheáin Phádraig as Bóithrín na Trá agus Labhcás Pháidín Ó Nia as Garraí na nGéabha agus mé féin.

"'Bhfuair tú mórán eascann tráthnóna inné?" a deir Máirtín.

"Go deimhin, ní mór é," a deirimse, "cúig nó a sé de cheanna. M'anam gur earraí ganna iad".

"Bhain mise glac scadán gainimh ar an Ard-Trá,"
a deir Labhcás.

"Fáinne óir ort," a deir Máirtín. "Tá ár ndóthain
mhór baoití againn má bhíonn aon cheo le déanamh."
Nuair a bhí na doruithe agus na baoití, trí cinn de
thraimeanna agus clocha muraite istigh sa mbád
againn agus na seolta déanta, bhí an ghrian ag gobadh
aníos san oirthear ó chúla Leitir Móir-nach-léitear, ag
taispeáint don saol Fódlach go raibh lá eile ar fáil. Bhí
an spéir gan scamall ná smúid, agus bhí an fharraige
mhór mar a bheadh scáthán gloine ann. Corrphlás
bruth faoi thír agus feamainn reatha ag imeacht síos
an cuan go righin leisciúil le taoille trá; faoileáin agus
geabhróga ag foluain agus ag eiteall anonn agus anall
faoi ghearradh ocrais ar lorg bhéile na maidine agus a
scáile le feiceáil thíos sa scáthán mór airgeadach. Le
barr maise a chur ar an áilleacht, thabharfá an leabhar
go raibh spéir eile agus éanlaith thíos ar íochtar na
farraige, macasamhail an chinn a bhí os do chionn.
An dathadóir is cliste a chas scuab riamh i mbaile
ná i gcéin, níorbh fhéidir leis cothrom na féinne a
thabhairt don radharc álainn aoibhinn úd i dtús an lae.

Corrbhád ag éirí amach as na glaschuanta ó scáth
na gceantar ard lom clochach agus na gcorrán guaireach
gainimh agus iad ag déanamh amach ar na carraigeacha
fiáine. Torann iomartha le cloisteáil i bhfad is i ngearr,
measctha le fuaim uaigneach cheolmhar na toinne ar
an seanchladach, agus de réir mar a bhí an taoille ag
ísliú agus an cladach á nochtú, bhí an fheamainn á
bogadh anonn agus anall is á cartadh trína chéile ag
lapaireacht bheag na súiteán. An fheamainn bhuí ina
lása órga ag lonrú go dealraitheach soilseach faoi
chosa na gréine; linnte de chúr mín bán le ciumhais
na mara glasuaine mar theorainn idir í agus an
fheamainn. Suas go barr an chladaigh bhí gach
cineál eile feamainne ag fás agus iad go hildathach
donn dubh agus mar sin go dtí an caisíneach casta

crua a bhí thuas in aice le snáithe mara na taoille mallmhuireach.

B'éigean dúinn na buillí a chur amach, mar ní raibh smeámh as neamh ann ach ba mhór an cúnamh an taoille trá. Bhí carraigeacha fiáine na farraige ag déanamh sondaí aisteacha. Carraig Iolra, agus Carraig na hEilite mar a bheadh soithí seoil idir muid agus béal Chuan na Gaillimhe. Bhí Oileáin Árann ó dheas agus iad chomh gorm le plúirín agus an linn dochuimsithe siar agus siar aneas gan deireadh ná teorainn, amach go himeall na spéire. Feachtaí móra troma ag teacht go righin réidh aniar i ndiaidh a chéile, trí liagán mhóra le sála a chéile agus sé fheacht eile ag méadú ar a chéile eatarthu. Nach iontach mar atá riail ag tonntracha na mara is go bhfuil droim na bóchna faoi ghéilleadh ag an nádúr, go díreach mar atá conablach na cruinne. Na Sceirdí mar a bheadh tithe móra ann ag bun na spéire thiar agus báid ghliomach agus iascaigh anseo is ansiúd ag déanamh amach orthu; na foirne ag iomramh i muinín a gcroí ag coimhlint, agus dóchas láidir acu ina gcroíthe, in aice chúnamh Dé, go mbeadh toradh agus tairbhe ar a saothar ag filleadh abhaile dóibh tráthnóna.

Nuair a bhí muid amach ó Leathrach na mBran, ag tarraingt ar Stopóg an Táilliúra, d'éirigh friota beag gaoithe aduaidh agus anoir aduaidh. "Cabhair ó Dhia chugainn," a deir Máirtín, ag tarraingt isteach a mhaide agus ag triomú an allais de féin le muinchille a léine, "is fearr go deireanach ná go brách."

"Deir tú é," a deir Labhcás, "an té a fhanas le cóir gheobhaidh sé í. Lag amach do scód."

"Sílim," a deirimse, "go bhfuil sé sách lagtha. Tá an ghaoth i bhfad soir, ag teacht ar do sheas deiridh."

"Má tá, bíodh," a deir Labhcás, "ar aon scór ní bheidh sé i bhfad go mbí muid ag ceann scríbe leis an smeadrán seo."

"Ná hith é," a deir Máirtín go searbhasach. "Ná labhair mar sin go bhfeice tú leat. Is beag an tsuim a bheadh aige leá amach aríst is tú a fhágáil i do staic i mbéal bearna."

"Tá tú ag caint anois," a deirimse. Ach leis an scéal a ghiorrachan ní raibh call maide a chur in ábhar aríst, gur bhain muid muráite amach.

"Bí ag caitheamh do chloch mhuráite," a deir Máirtín, nuair a bhí muid i bhfoisceacht fad maide rámha de Leic na bhFaoileán.

Bhreathnaigh Labhcás síos faoi, agus ó bhí an lá geal, b'fhéidir leis tóin an phoill a thabhairt faoi deara go soiléir agus nuair a chonaic sé áirse idir dhá mheall ceanna slat, scaoil sé síos an chloch a bhí idir a lámha. Ní raibh baol nach raibh greim aici anois. Lag sé scóp téide léi, ag baint cúpla tarraingt aisti le linn an cor a fháisceadh ar an mullard.

"'Bhfuil greim aici?" a deir Máirtín.

"Tabhair greim air," a deir an fear thuas.

"Caith di na seolta mar sin," a deirimse.

Scaoil sé anuas an jib, agus phléatáil sé ar an gcrann spreoide í agus chas sé an scód uirthi. Scaoil sé an láinnéar píce agus an láinnéar tróit den mhéir agus scaoil sé anuas an seol i mbéal an bháid; phléatáil sé ar an gcleith é agus chas sé an scód ina thimpeall go lách crua, d'ardaigh sé leis an trót cúpla troigh as béal an bháid agus cheangail sé na láinnéir faoin méir aríst.

"Meas tú cén áit, in ainm Dé, is fearr dúinn na líonta sin a chur?" a deir Máirtín, agus é thiar ar an seas deiridh ag feannadh eascainne le haghaidh baoite. "Céard faoi cheann acu a chur i nGlaise na bhFoiriún?"

"Níl mórán maitheasa le Glaise na bhFoiriún ar thaoille íseal mar seo," a deir Labhcás. "Ní hé sin amháin é, ach tá sé bánaithe ag báid na hAirde Móire. B'fhearr liom ceann acu a chur faoi chosa Mhaidhm Mhicil Bhuí in aice na mbreacpholl trá, agus ceann eile ag an Mullán Domhain, áit mhaith bhallach roimhe seo murar athraigh sé."

"Nach maith an áit bhallach amach leis na Mulláin Dubha?" a deir Máirtín.

"Idir iad agus Carraig na Meacan?" a deir Labhcás, ag féachaint amach i ndiaidh a leathghualann.

"Ní hea, baileach," a deir Máirtín, ag baint an phíopa a bhí faoi ghail as a bhéal agus ag síneadh chois an phíopa amach i dtreo na mullán a bhí á nochtú le taoille trá, "taobh thiar díobh."

"Tá ceart," a deirimse, "tá an méid sin socraithe. Cuireadh muid iad, bíodh iasc iontu nó astu. Ní féidir linn rith síos orthu agus a gcur sna mogaill."

Tharraing Labhcás suas an bád agus bhí Máirtín ag socrú na gcnogaí sna roilliceacha.

"Cuireadh muid an chéad cheann ag an Mullán Domhain," a deirimse. "Coinnígí léi suas ann."

Nuair a shroich muid an Mullán bhí píosa mór de leis. "Is gearr uainn tús tuile anois," a deir Máirtín, "agus ní mór é a fhágáil curtha go taca lán mara."

Mise a bhí ag cur agus bhí an bheirt eile ar na buillí. Chaith mé amach téad na baoi agus scaoil mé síos an chloch chinn ag bun an Mhulláin, an taobh ó dheas thoir aneas. Bhí mé á ligean amach beagán ar bheagán agus an bheirt eile ag iomramh an bháid soir soir aneas, nó gur lig mé amach an ceann eile de is gur scaoil mé uaim an scóp téide. Bhain mé cúpla tarraingt as an téad sular scaoil mé uaim í, i riocht is go mbeadh an líon ina claí díreach gan log ná lag, thíos ar grinneall.

"Ní ceart don bhreacthalamh sin a bheith folamh, agus níl ach oiread," a deir Máirtín, "agus tá sí curtha go díreach mar a d'iarrfá lena taobh sa sruth."

Chuir muid an ceann eile soir faoi chosa Mhaidhm Mhicil Bhuí.

"Tá an áit sin in aghaidh cosúlachta," a deir Labhcás, "nó tá corrbhallach ann."

"Is ceart dó mangaigh féin agus troisc a bheith ann," a deir Máirtín. "Ní raibh aon áit i gCarraig na Meacan sa tseanaimsir ab fhearr ná an geadán seo. Ach bhíodh an t-iasc fairsing chuile áit fadó. Ar aon chor, tá an lá inniu an-mharbhánta aoibhinn le haghaidh iascaigh." Nuair a bhí an traim curtha ag na Mulláin Dubha, bhí muid réidh glan le ghabháil ag iarraidh na mangach.

"M'anam nach bhfuil mórán cosúlacht éisc ar an áit seo," a deirimse. "Níl aon chailleach dhubh amháin ann. Mar sin féin, b'fhéidir go bhfeabhsódh sé le tús tuile."

"Bíonn an dá 'bh'fhéidir' ann," a deir Máirtín, agus é ag sceitheadh an dorú den ghlionda.

GLIONDA

"Tá sé chomh maith dúinn geábh a thabhairt amach anois le colbha na Leice Móire," a deir Labhcás. "M'anam go bhfuil stadhan éanacha amach ó Leic na bhFaoileán."

27

Nuair a bhí na doruithe rite i ndiaidh an bháid, arsa Máirtín, "is fearr dúinn gan mórán siúil a bheith againn go mbailí muid síos na Mulláin." Mise agus Labhcás a bhí ag iomramh an taca seo.

"Airím!" a deir Máirtín, "ná méadaigh an siúl."

"Coinnigh ort! Mangach mór. Cuir iarann ann," a deir Labhcás.

"Abair é," a deir Máirtín agus é á tharraingt ar a mhine ghéire gur thug sé thar bord é. "M'anam gur mangach cluiche é. Tá siad istigh."

Bhí Labhcás agus an maide rámha tarraingthe isteach trasna an bháid aige agus é féin agus mangach eile ag féachaint a chéile. Ar chasadh an bháid isteach ó ghualainn na Leice Móire, bhuail Máirtín mangach eile agus bhain muid cúig nó a sé de cheanna astu ar an mbord isteach.

"Tá roinnt éisc ansin," a deir Labhcás, "más féidir linn an cúrsa sin a choinneáil. Tá sé chomh maith dúinn comharthaí a thógáil anois as láimh air. Tá duirling mhór Oileán Lachan le feiceáil ar cholbha Dhúleic taobh thiar, agus nuair a bheas tú á casadh amach, beidh an teach geal úd thoir ar thaobh Leitir Calaidh ag teacht ar an mullán ard sin ar an bhFoiriúin ó thuaidh."

Ar chasadh an bháid amach aríst, bhuail Máirtín mangach mór agus nuair a bhí cúpla feá bainte aige de, b'éigean dó ligean leis; bhí sé ag ligean, is ag ligean leis gur thug sé an dorú sa stopóg agus i leanúint idir ceanna slat. B'éigean an bád a chúladh siar go raibh sí os cionn na háite a raibh an dorú i bhfostú sna slata mara.

"Go réidh aireach anois," a deir Labhcás. "Féacha an meallfá leat é. Cúl siar beagán an bád."

"Más ea féin níl aon mhaith dom leis; mothaím go bhfuil sé casta faoi fhadharcán slaite mara."

"Bí á bhogadh síos is aníos," a deirimse, "agus b'fhéidir go dtabharfá leat é."

"Ach níl aon 'bh'fhéidir' ann" — b'éigean dó a bhriseadh ó bhord. "Faraor géar nár chas muid amach roimhe seo í."

"Ní hé sin féin é," a deir Labhcás, "ach bíonn an iomarca dorú amuigh agat."

"Ní mór dom uilig é," a deir Máirtín, "is beag ar dhomhain mar seo cheithre feá déag, ach bhí muid rófhada isteach ar an tanaí."

"Tá sé in am againn na traimeanna a thógáil anois. Ní ceart dó a bheith i bhfad ó lán mara," a deir Máirtín. "Coinnigh léi suas go dtí an Mullán Domhain." Thóg sé isteach an chloch chinn agus bhí sé á tógáil isteach de réir a chéile. Amach in aice an domhain bhí roinnt ballach inti.

"Is mór an t-ionadh liom," a deir Máirtín, "nach raibh aon mhangach inti, ach níl siad isteach anseo fós."

D'iomair muid síos go dtí Maidhm Mhicil Bhuí, a chomhuain is a bhí Máirtín ag glanadh na heangaí.

"Nach fearr dúinn í seo a chur ar dtús?" a deir Máirtín, nuair a bhí an ballach deireanach bainte amach aige. "Ach níl a fhios agam cén áit? Cén locht a bheadh ar an Muráite Dhomhain, áit mhaith a bhí ann roimhe seo le taoille trá."

"Bíodh rud inti nó aisti, cuirfidh muid ann í; níl a fhios cén áit is fearr," a deirimse.

Scaoil muid amach ann í i gcóngar na mbreacpholl trá agus ghluais linn gur thóg muid an ceann a bhí ag Maidhm Mhicil Bhuí. Bhí glac mhaith mangach agus ballach inti, agus ó bhí is go raibh, shín muid i gcóngar an gheadáin chéanna aríst í. Nuair a bhí an traim a bhí ag na Mulláin Dubha tógtha againn, bhí píosa maith tráite aige, agus murab í ab fhearr, ní raibh sí níos measa tada, agus nuair a bhí sí sin curtha againn ar Maidhm an Urláir, chuaigh muid ag tóraíocht na mangach aríst san áit cheannann chéanna a raibh muid ar dtús. Ní raibh muid ag déanamh aon mhaith.

"M'anam," a deir Máirtín, "nach bhfuil mórán barúil agam d'iascach an lae inniu níos mó. Ach b'fhéidir go bhfeabhsódh sé iarnóin. Níl aon mharú orthu anois, tá sé rómheirbh." Bhí muid ag bordáil anonn is anall ar feadh tréimhse achair agus ár saothar in aisce. Is gearr gur éirigh friota beag gaoithe agus a chomhuain is a mhair sin, bhí tarraingt ar mhangaigh. Bhí sé ag éirí deireanach faoi seo, agus b'éigean dúinn an t-iasc a fhágáil ansin, i gcás go mba chrás croí linn imeacht. Mar sin féin, bhí na traimeanna le tógáil.

"Bígí ag gliondáil," a deirimse.

"M'anam go bhfuil sé in am a ghabháil abhaile," a deir siadsan.

Thóg muid na traimeanna ansin, agus bhí glac mhaith éisc iontu; níor chuir muid níos mó iad. D'ardaigh muid suas na seolta agus má d'ardaigh féin, b'éigean na maidí rámha a chur amach. Níor fhan fleaim as aer ann aríst, agus deirim leat nach mórán láimhe a bhí muid a dhéanamh in aghaidh cumhacht taoille trá.

"M'anam gur fada buan an píosa farraige atá idir muid agus gob Mhuínse is go gcaillfidh muid allas mura n-éirí aon smeadrán gaoithe," a deir Labhcás agus é in ascaill an tseas deiridh ag deargadh a phíopa.

"Ná bíodh faitíos ort," a deir Máirtín. "'Bhfeiceann tú an ghleoiteog sin isteach ó Dhún Ghudail? Nach dtabharfá faoi deara go bhfuil coinneáil amach an tseoil aici, agus tá freisin. An té a fhanfas le cóir gheobhaidh sé í; nach in friota gaoithe siar ó do cheathrú? Is gairid gur thosaigh an seol ag líonadh agus bhí lapadáil bheag le cloisteáil ó shrón an bháid, agus í ag sioscadh go righin réidh tríd an bhfarraige.

"Beir ar an halmadóir seo," a deir Máirtín, nuair a bhí na maidí istigh, "go gcuire mé gráinne sa bpíopa seo." Shuigh mise ar an locard agus tharraing seisean amach a dhúidín agus líon agus dhearg é. Is gairid go raibh púir dheataigh os a chionn agus nuair a bhí rug sé ar an ngalún agus bhuail cúpla galún sáile ar an mbád gur nigh sé is gur ghlan sé í.

Bhí an tráthnóna go hálainn, agus níor thóg sé mórán achair orainn ag gabháil isteach. Bhí an chóir go maith; gaoth aniar agus aniar aneas agus bhí an fharraige breá lom. Bhí an ghrian siar go maith faoi seo, agus an spéir thiar chomh dearg le hairne; comhartha tuilleadh soininne.

Shroich muid an chéibh le beagán gréine, agus nuair a bhí na seolta stríoctha pléatáilte againn chaith muid amach an t-iasc ar an gcéibh.

"Leag amach na traimeanna," a deir Máirtín liom féin, "agus cuirfidh mise ó chéile an t-iasc."

I bpáirt a bhí muid. Rinne sé trí roinnt chothroma díobh sa gcaoi is nach mbeadh a fhios agat cé acu roinnt ba lú ná ba mhó.

"Tóg crainnte, a Labhcáis," a deir Máirtín.

"Tá trí fhaocha agam ag méadú ar a chéile i mo dhá láimh," a deir Labhcás.

"Beidh an fhaocha bheag agam," a deirimse.

"An mheánfhaocha," a deir Máirtín.

"Tá an fhaocha mhór agam féin mar sin. Caith iad. Bíodh tús láimhe an dá chrann ar an roinnt seo is gaire dom, a deireadh ar an roinnt sin thall ag an dorú

IASC Á THRIOMÚ AR DHÍON TÍ

31

agus an láimh aonraic ar an roinnt láir a bhfuil an troscán stopóige inti."

D'oscail Labhcás a dhá láimh agus chaith sé an fhaocha mhór ar a roinnt féin agus dá réir an dá fhaocha eile. Bhí muid sásta mar bhí toradh a chrainn ag gach duine.

Nuair a bhí an t-iasc oscailte glanta againn, bhí néalta dorcha na hoíche ag titim agus an lá ag diúltú dá sholas. Scata faoileán ag foluain os ár gcionn agus iad go hardghlórach, clamhsánach ina gcomhrá ait féin. Ach nuair a d'imigh muid abhaile lenár gcuid éisc, bhí siad ar sheol na braiche, ag spaisteoireacht ar dhuirling bheag ar bhruach na mara, agus mura raibh sult agus slamairt acu, ag ithe phutóga agus gheolbhaí an éisc, níl gaineamh ar thrá.

Nuair bhí ár suipéar ite againne freisin agus an t-iasc scoilte agus saillte i mbairillí, bhí sé in am codlata go maith agus ó bhí, agus a chall orainn, chodail muid go sámh as sin go maidin.

IASCÁN TRÁ

AN LUGACH

Níl trá ar bith timpeall na n-oileán nach bhfuil druidte le lugacha. Ní mór nach cosúil leis na hangailteacha iad a bhíos le fáil sa gcréafóg. Níl baoite ballach ar bith chomh maith leo, agus le haghaidh spiléid leathaí a bhaoiteáil níl a máistir le fáil. Timpeall le troigh ar domhain a bhíos siad agus cothaíonn siad iad féin ar an ngaineamh, agus bíonn carnáin de mar chomhartha caol díreach os cionn na háite ina mbíonn siad. Is aisteach na péiste iad, ó leath-throigh go troigh ar fhad agus níl mórán áit ar bith ó leath-thrá go díthrá nach bhfuil siad le fáil — cuid acu dubh, cuid acu dearg, cuid acu buí agus cuid acu corcra. Is é an ceann dearg agus an ceann buí is fearr le haghaidh iascaigh. Níl mórán maitheasa sa gceann dubh mar tá sé lomlán le huisce. Cónaíonn sé láimh le lán trá.

AN LUGACH

Is minic le linn shéasúr na mballach sa bhfómhar a d'éirínn roimh an lá le ghabháil á mbaint, go mór mór ar mallmhuir mar is í an mhallmhuir is fearr le haghaidh ballach. Bhíodh suas le daichead fear ag rómhar na trá i ndeireadh na hoíche — iad ag obair ar a mine ghéire faoi chótaí boga allais. B'fhéidir go gceapfá, a léitheoir, nárbh fhéidir leo iad a fheiceáil an tráth sin, ach cár fhága tú na mearbhaill. Ba mhaith an píosa trá a bhíodh spréite againn freisin in aimsir scoir mar théadh muid di as éadan. Timpeall le huair go leith a thógadh sé orainn lenár ndóthain a bhaint. Ar aon chor, bhíodh muid réidh glan le ghabháil chun farraige le héirí gréine. Is minic a bhaineadh muid an oiread baoití aon lá amháin agus a dhéanadh ar feadh seachtaine — mar fanfaidh an lugach beo i smúdar tirim móna ar feadh coicíse má théann sé chuige sin.

Ní bhíonn mórán acu le fáil sa ngeimhreadh — cuireann siad iad féin go domhain sa trá — ach, go deimhin, bíonn siad le fáil fairsing go maith an chuid eile den bhliain.

AN RUARÁMHACH

CÓNAÍONN an ruarámhach faoi chlocha íochtaracha sa gcladach. Dath rua a bhíonn uirthi agus loinnir ghorm sna ribeacha a bhíonn ag fás uirthi. Is féidir léi snámh an-luath tríd an uisce le bheith ag corraí na ribeacha sin, mar éiríonn sí amach ó na clocha nuair a thagas an taoille isteach.

Is minic a d'iompaigh mé cloch a raibh ceann acu fúithi. Bhíodh sí á lúbadh agus á casadh féin go haclaí, ag crochadh a cinn anois agus aríst mar a bheadh sí ag iarraidh seasamh suas ar bharr a driobaill. Go deimhin, níl mórán feithidí eile i dtrá ná i gcladach chomh gránna léi, agus is féidir léi sníomhadh a chur uirthi féin nuair is mian léi é. Bíonn cuid acu timpeall le troigh ar fhad, agus bíonn cinn óga sa treibh, freisin, chomh maith le haon treibh eile.

Is minic a thug mé faoi deara ballaigh ag smúrthacht agus ag iarraidh a mbruasa a shá isteach faoi na clocha ag iarraidh a ghabháil chucu. Is féidir na héisc agus

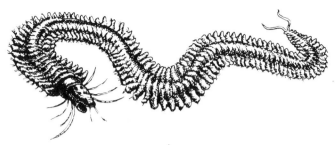

AN RUARÁMHACH

eile a fheiceáil ar thóin an phoill má bhíonn lá glan gréine ann.

Ní bhíonn mórán ar bith acu le feiceáil sa ngeimhreadh. Is cosúil go ndéanann siad imirce go háit eicínt eile.

Is maith na baoití iad le haghaidh ballach, is é sin an chuid acu nach bhfuil mór, ach mar sin féin ní dhéantar mórán úsáide díobh mar níl siad fairsing le fáil. Is fearr leis na hiascairí lugacha a bhaint ná a bheith meata leo; ní hé sin féin ach bíonn col agus coimhthíos acu leis na péiste gránna.

Ní hionadh gur smaoinigh an file féin uirthi, nuair a bhí sé ag déanamh an amhráin, agus gur chuir sé i gcomórtas leis an mbean gan slacht í a raibh maoin aici. Labhair sé borb agus mallaithe go leor ar aon chor, nuair a dúirt sé:

B'fhuras aithne ru, a Sheáin, gur de ghrá na hailpe
   a bhí tú,
Nuair a phós tú an ruarámhach agus d'fhága tú
   mise faoi chumha;
Ach nár ba túisce duit léine á déanamh ná do
   chaolchónra cláir;
Nach mbeidh cead ag síol Éabha ina dhéidh sin a
   rogha rud a rá.

Dúirt file eile a bhí ag tabhairt comhairle uaidh:

Má phósann tú an ruarámhach beidh aiféala go
   brách ort,

Beidh do mhalaí gearrtha is beidh tú i gcónaí i
  mbaol;
Ní bheidh cara sa tsráid agat a thabharfas cúnamh
  sa ngábh duit,
Beidh agat croí cráite más fada gearr do shaol.

AN CUÁN MARA

TÁ dhá chineál de na cuáin mhara le fáil ar imeallbhord
Chonamara, an ceann mín agus an ceann deilgneach.
Ní mór nach aon déanamh amháin atá orthu, déanamh
na huibhe. Bíonn cuid acu chomh mór le hubh ghé
agus cuid eile níos mó agus cuid níos lú. Tá brat de
dheilgíní ildathacha ar cheann acu agus an ceann eile
chomh mín leis an síoda.

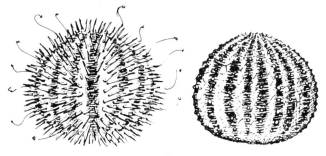

AN CUÁN MARA

Dá dtéiteá síos in íochtar an chladaigh ar thrá
mhór sa samhradh agus breathnú sna locháin i measc
na feamainne d'fheicfeá iad ag oscailt agus ag dúnadh
a mbéil ó am go ham ag soláthar dóibh féin i measc
na n-éisc bheaga bhídeacha. Go deimhin ní mórán a
ndóthain; is maith cliste atá siad ar a gcuid iascaigh a
dhéanamh le ribeacha beaga laga ildathacha atá
timpeall a mbéil agus a bhíos siad a bhogadh anonn

agus anall go síoraí leis an gcluain a chur ar na créatúir bheaga agus iad a mhealladh i mbealach a mbasctha.

Deirtear go bhfilleann an feall ar an bhfeallaire. Is é sin a fhearacht ag na cuáin mhara é, mar déanann faoileáin agus geabhróga greadlach orthu féin go minic, mar bíonn an-dúil acu sa mbia atá istigh sa mblaosc. Chuirfeadh sé buíocán uibhe i gcuimhne duit ach go bhfuil boladh trom láidir na farraige air.

AN CROSÁN LADHRACH

TÁ go leor den treibh aisteach seo le fáil sna stopóga doimhne in iarthar Chonamara. Tagann siad isteach ón domhain mhór ar nós gach cluiche eile i dtús an tsamhraidh agus fanann siad go deireadh fómhair nuair a thugas siad an aibhéis choimhthíoch siar dóibh féin aríst. Mar go bhfuil go leor eochraí sa gceann baineann síolraíonn siad go líonmhar, rólíonmhar dá mbeadh aon neart air, mar níl aon áirge iontu le haghaidh aon rud. Ní hé sin amháin ach déanann siad mórán scrios ar iascairí gliomach agus spiléid, mar déanann siad a gcuid féin de na baoití, is é sin le rá, clúdaíonn siad iad, faigheann siad barróg dhoscaoilte lena méaracha garbha agus bíonn siad ag diúl leo nó nach mbíonn fágtha ach na biríní loma sna potaí agus na duáin ar na spiléid. Ní féidir leis an ngliomach ná le haon iasc eile dá ghéire súil, aon steamar den bhaoite a fheiceáil a chomhuain is a bhíos an crosán i seilbh.

Chúig mhéir atá ar an gcineál seo ó thrí go dtí seacht n-orlaí ar fhad. Cheapfá nach bhfuil sé beo ar chor ar bith le breathnú air, ach, mo léan géar, is é atá agus má dhearcann tú go grinn feicfidh tú é ag dúnadh agus ag oscailt an bhéil atá ina lár ó am go ham. Amanta eile, bíonn sé ag lúbadh agus ag casadh na méaracha go haclaí, mar a bheadh sé ag iarraidh greim a fháil ar rud eicínt. Is minic a dhearc mé iad ar thóin an phoill ag gluaiseacht thart timpeall agus is maith tapa is féidir leo imeacht freisin.

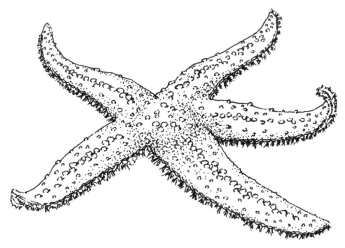

AN CROSÁN LADHRACH

Ar aimsir bhreá faoi Shamhain a mbíodh muid amuigh le spiléid ar an domhain, b'álainn an radharc iad le mearbhaill. Nuair a bhíodh ceann an spiléid crochta as uisce le fáinniú an lae, thabharfá an leabhar gur solas a bheadh le feiceáil fút síos amach ón mbád in aon líne dhíreach amháin ag glioscarnach ar nós na réaltaí a bhí os do chionn, na crosáin a bhí i ngreamú de dhroim an spiléid agus de na foirtéimeacha ag cuidiú leis na roic agus leis na heascanna agus leis na langaí agus leis na scolbaird agus leis na troisc a bhí ar na duáin, le haon lóchrann breá amháin a dhéanamh roimh éirí an lae – is ea, a léitheoir, b'fhéidir go raibh a fhios acu go raibh siad ag fágáil a ríocht féin ina ndiaidh aríst go brách.

AN CROSÁN FAOILEÁIN

B'FHÉIDIR, a léitheoir, go mbeadh sé chomh maith agam féachaint le sampla a thabhairt duit, sula seolfaidh muid níos faide leo seo, ar dhéanamh, ar mhéid agus ar dhath na gcrosán go hiomlán, is é sin chomh maith agus is féidir liom. Déanamh rónta ar nós rotha cairr a mbeadh an buinne easpach nó ar dhéanamh an rotha guairdill a bhíos ag fear na gcleas ar aonach agus ar mhargadh agus ar rásaí, atá orthu. Tá siad ar mhéid ó chnaipe léine go dtí méid parasóil, agus níl mórán dath faoin ngrian nach bhfuil iontu. Go deimhin, is álainn an radharc iad oíche ghlan réaltógach nuair a bhíos siad ag glioscarnach le draíocht na tine ghealáin. B'fhiú duit a ghabháil i bhfad ag féachaint ar an áilleacht an uair sin. Is minic a thug mé isteach ar dhorú ceann acu agus barróg chrua dhaingean aige ar an mbaoite, le géaga garbha féithleacha agus deirim leat nár mhaith leis scaradh lena ghreim nó go mbeadh a shútamas bainte amach aige. Níl aimhreas ar bith nach bhfuil an dearg-ghráin ag gliomadóirí agus ag lucht spiléid orthu, agus ní i ngan fhios dóibh féin a fuair siad an t-ábhar; ní dea-ghéaga ar bith iad. Is minic riamh nuair a bhínn ag gliomadóireacht a chluininn an dream eile ag caint le chéile nuair a bhíodh na báid ag scoitheadh thar a chéile mar seo.

"Nach álainn an mhaidin í, a Mhicil."

"Tá sí mar sin, moladh le Dia. An ndearna tú aon lot?"

"Ní mór é, mar bhí na potaí lán le crosáin."

"Nach fairsing na diabhail iad."

"Ó léanscrios orthu, dream mallaithe iad, a mhic ó," agus mar sin. Tá go leor méaracha ar an gcrosán faoileáin agus cineál scamaill i ngabhal na ladhracha ag gabháil tríú cuid bealaigh go barr, beagnach ar nós

an chrosáin ghrianta. Tagann siad isteach ón bhfarraige
sa samhradh ar nós aon chluiche eile, agus cuireann
siad fúthu sna stopóga san áit a mbíonn aon solamar
ná aon chnuasacht beadaí le fáil. B'fhearr le hiascairí
go mór fada gan a leithéidí a bheith sa linn dhochuim-
sithe ar chor ar bith. Ach ní acu atá ach ag Dia, atá
ag stiúradh gach ní faoin mbith.

AN CROSÁN MÍN (AN CROSÁN GRIANTA)

CÓNAÍONN na crosáin mhíne ar an domhain. An taobh
atá in uachtar díobh, tá sé mín seachas na cineálacha
eile ach tá an taobh eile garbh. Dath buí a bhíos
orthu. Níl siad chomh mór leis na cinn eile; mar sin
féin déanann siad scrios ar ghliomadóirí sa bhfómhar.

Aon lá amháin a raibh mé ag iascach ballach taobh
thiar d'Oileán Lachan, lá breá ciúin agus an spéir gan
néal i riocht agus go mb'fhéidir liom tóin an phoill a
fheiceáil go soiléir, chonaic mé an ceann a dtugtar an
crosán briosc air á lúbadh agus á chasadh féin chomh
tapa lena bhfaca tú riamh. Bhí sé i gcontúirt mar bhí
portán á sháinneáil, ach ba mhaith an mhaise don
chrosán é mar gur scaoil sé cúpla ceann de na géaga
agus bhailigh leis nuair a fuair sé an namhaid á n-ithe.
Bhí a fhios aige go bhfásfadh cinn nua ina n-áit
aríst. Ach ní scéal aonraic ag na crosáin é sin, ach
an oiread le go leor eile atá ina gcónaí sa teiscinn
mhór.

AN BUNDÚN LEICE

Ní mór nach cosúil le ceaig beag é an bundún leice, a
bheadh ina shuí ar an gcarraig, an t-éadan uachtair
bainte amach agus mar a bheadh ancard beag thíos

ann. Bíonn na carraigreacha fiáine druidte leo in aice
le lán trá, agus fásann siad ar áiteacha doimhne nár
thriomaigh riamh. Tá go leor cineálacha acu ann,
ach ní mór nach aon déanamh amháin atá orthu ar
fad, murach nach mar a chéile a ndath. Bíonn cuid
acu cúpla troigh ar airde, agus tuilleadh nach bhfuil
chomh mór le hubh dhreoilín, cuid acu a mbíonn
deilgne láidre bríomhara orthu agus cuid nach bhfuil
orthu ach cluimhreach lag.

AN BUNDÚN LEICE

Tá scoilteadh trasna a n-uachtar agus mar a bheadh
méaracha beaga, caola ag éirí amach agus ag sú isteach
ó am go ham. Is leo sin a mharaíos sé an dream beag
díchéillí nach bhfanann uaidh amach. Ar bhealach,
ní bhíonn neart acu air, mar meallann sé iad le saghas
loinnir álainn atá i mbarr a chuid deilgne. Ar oibriú
na méaracha beaga dó, bíonn sé ag stealladh amach
agus ag sú isteach uisce go mear, agus nuair a thugas
sé a shúiteán tarraingíonn sé chuige bulc beag feithidí
a bhíos ag dearcadh air agus ag déanamh iontais de,
agus an méid acu nach slogann sé den iarraidh sin
téann siad i ngreamú i mbraonacha beaga soilseacha
ramallae atá ar a chuid féasóige ribeach gearr.

Laethanta glana gréine a mbínn ar mhuráite éisc, an spéir gan néal i riocht agus go mbeadh tóin an phoill le feiceáil go soiléir, bhíodh sé mar chaitheamh aimsire agam a bheith ag dearcadh síos faoin mbád ar ghrinneall, ag machnamh agus ag déanamh staidéir ar shaol na n-iasc. Cheapainn go mba fhealltóir ceart é an bundún nuair a d'fheicinn na créatúir bheaga bhídeacha á gcroitheadh agus á gcasadh féin ag iarraidh fáil as géibheann uaidh. Ní mórán ar bith d'fheithidí na trá agus an chladaigh nach bhfuil cleas cliste eicínt acu le dallamullóg a chur ar an gcuid úd eile acu féin atá lag díchéillí.

Sa samhradh agus sa bhfómhar is fairsinge iad. Is cosúil go dtagann siad aniar leis an aimsir bhreá ar nós na gcluichí eile. Bíonn an-tóir ag faoileáin ar an gcuid bheag acu; crochann siad suas sa spéir leo an ceann a bhaineas siad den chloch, agus scaoileann siad anuas ar mhullach crua carraige é le hé a bhriseadh i riocht is gur féidir leo a ngreim a ithe gan aon trioblóid. Má fheiceann an faoileán nach n-aimseoidh sé an charraig is maith cliste uaidh breith air sula mbí sé sa bhfarraige, agus turas eile a dhéanamh in airde. Déanann sé dearmad go minic nuair a bhíos an ghaoth ag séideadh láidir; ní théann sé ina bun sách géar.

Tá go leor seomraí beaga taobh istigh sa mbundún, agus ballaí tanaí sliogánacha á ndealú óna chéile; scamaill laga le craiceann, na blaoscanna, na geolbhaí, stéigeacha agus eile ina n-áit féin. Ach is cineál bog de mhangarae buí is fearr leis an bhfaoileán.

Níl aon mhaith in aon chineál acu le haghaidh baoite iascaigh, ná mar bheatha duine; rudaí gan mórán ar bith úsáide iad. Ní hé sin a fhágas nach bhfuil siad chomh hálainn le haon rud eile sa gcladach maidir le bheith ildathach agus lonrach dóibh. Bíonn cinn bheaga chorcra le fáil i locháin agus i mbarr an chladaigh nach ndéanann mórán fáin ná imirce. Ar nós na gcinn mhóra a bhíos in uachtar, is féidir cuid acu a fheiceáil i rith na bliana. Sin mar a bhíos saol na mbundún in aice le himeall-bhord Chonamara.

AN BLÁTH MARA

DATH buí atá ar an mbláth mara, agus tá roinnt cosúlachta aige leis an nóinín talún. Is féidir cuid acu a fheiceáil ar dhíthrá rabharta mhóir sna locháin in íochtar cladaigh. Is aisteach an feithide é mar is féidir leis a dhath a athrú nuair is mian leis. Ní bhaintear aon úsáid as le haghaidh tada.

AN BLÁTH MARA

Dá mbeifeá ag máinneáil thart in íochtar an chladaigh lá rabharta mhóir sa samhradh is iomaí feithidí agus plandaí aisteacha a chasfaí leat. Déarfá gur mór an lán iontais a chlúdaíos an mhuir ar lán mara agus cá bhfuil a bhfuil amuigh ar an domhain nár thriomaigh riamh?

Nuair a théinn chun an chladaigh ar dtús bhíodh go leor rudaí ann nach dtugainn faoi deara. Is fada go

dtug mé an bláth mara faoi deara. Sa deireadh dhear-
cainn go grinn idir na clocha agus sna locháin agus
bhínn ag déanamh amach rudaí de réir a chéile. Ní
foláir do dhuine a shúile a choinneáil feannta sa
gcladach más maith leis na feithidí agus na plandaí
mara a fheiceáil.

AN SMUGAIRLE RÓIN

BÍONN an mhuir druidte le smugairlí róin sa samhradh.
Níl aon neamhspleáchas ag baint leo mar go bhfuil
siad faoi shilleadh na ríchoinnle ag cumhacht taoille
trá agus tuile. Tá go leor cineálacha acu ann ach is
beag nach aon déanamh amháin atá ar fad orthu,
deánamh scáth fearthainne, an taobh dronnach in
uachtar, cuid acu troigh ar leithead agus as sin go dtí
oiread leathphingine.

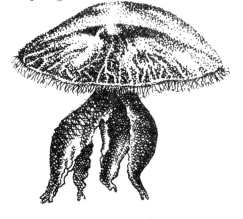

AN SMUGAIRLE RÓIN

Aon lá amháin a raibh muid amach ó na Sceirdí
ag tóraíocht raice, is cuimhneach liom cinn a fheiceáil
a bhí dhá throigh trasna. Lá cineál dorcha a bhí ann

agus thabharfá an leabhar go raibh siad ag teacht aníos ó thóin an phoill ag coimhlint le chéile agus iad ag corraí a gcuid ciumhaiseanna go mear. Ní hiondúil go n-éiríonn leo sin a theacht in aice na talún, mar bíonn siad á dtarraingt soir siar ag na taoillí.

Nuair a bhíos gaoth mhór agus oibriú farraige ann sa samhradh caitear go leor de na cinn a bhíos in aice láthair isteach. Seargann siad as cumraíocht le grian agus gaoth mar is uisce ar fad iad beagnach. Tá cineál beag acu ar dhath an uisce a bhfuil crosóg ghorm ina lár, a dtugtar sceitheanna róin orthu. Is é an déanamh ceannann céanna atá orthu leis na cinn eile.

Is féidir le cuid acu ga a chur i nduine, le breith bog air. Is deacair breith crua orthu mar is meadhg bhog ghlóthaí iad. Níl iontu ach scáile. Is le cosa beaga caola cama atá ag sileadh síos as a cholbha a chuireas sé an ga. Is leo freisin a sholáthraíos sé a chuid bia. Meallann sé na héisc bheaga bhídeacha trí ribeacha beaga ildathacha atá ar bharra na gcos sin a luascadh anonn agus anall. Síleann na créatúir bhochta gur rud le n-ithe a bhíos ag dealramh agus ag glioscarnach, nó go dtéann siad i bhfostú agus ní mórán achair go mbí siad i mbolg an chathaitheora.

Oícheanta rédhorcha a mbíodh muid ar muráite ag iascach bran is minic a chuireadh na mearbhaill iontas orainn; is ar na smugairlí róin a bhíodh siad. Níl aon dath sa mbogha ceatha nach mbíodh á meascadh trína chéile in aon lóchrann álainn amháin. Théadh cuid acu freisin i ngreamú i dtéad na cloiche muráite a bhí os cionn an bháid, agus nuair a thagadh an feacht agus a chrochadh an téad as an uisce, bhíodh soilse ildathacha in aon líne dhíreach amháin amach ó bhogha agus iad ag imeacht agus ag teacht gach ala de réir ísliú agus ardú an bháid ar ucht na toinne. Gan dabht, ba dheas an radharc é i gciúineas na hoíche amuigh ar an linn dhochuimsithe, ach bíonn sé i ndán d'fhear na farraige rudaí aisteacha agus radharcanna áille a fheiceáil ó am go ham.

Ní bhaintear leas ar bith as na smugairlí róin agus cheapfá le breathnú orthu san uisce gur rudaí an-deas iad, ach nuair a thagas siad i dtír ar an trá ní mórán slaicht a bhíos orthu. Nuair a bhíos go leor acu lofa bíonn boladh an-ghránna uathu agus ní thaitníonn siad leis na faoileáin féin, ná ní bhreathnódh na portáin díreach orthu.

Ní bhíonn tuairisc ar bith orthu sa ngeimhreadh pé ar bith áit a dtéann an méid acu nach ruaigtear isteach i dtír sa samhradh.

AN CHÍOCH CHARRAIGE

Ní mór nach é déanamh do mhéire atá ar an gcíoch charraige, ramhar ag a bhun agus ag caolú go barr, agus mura ndearctá an-ghrinn air cheapfá nach mbeadh mothú ná beo ar bith ann. Ach mo léan, is é atá beo bíogúil. Dearc air nuair a bheas sé clúdaithe ag an lán mara agus feicfidh tú é ag corraí go haclaí agus na heiteoga beaga atá ag fáinniú an bhéil ag luascadh anonn agus anall ag sá amach agus ag slogadh isteach go tapa ag iarraidh breith ar na héisc bheaga bhídeacha agus iad a shlogadh. Dá laghad é is minic a níos sé marú mór mar go mbíonn rud le n-ithe ag teastáil uaidh, ní nach ionadh.

Is cosúil go bhfuil éisteacht mhaith acu, mar má bhíonn na heiteoga amuigh acu agus iad a chloisteáil aon torann dá laghad, deirim leat gur tobann a sciobas siad isteach iad. Fásann siad fairsing ar chladaí fiáine idir leath-thrá agus díthrá. Is iondúil gur dath dearg agus buídhearg a bhíonn orthu. Níl aon úsáid le baint astu. Níl aon mhaith le n-ithe ná le haghaidh baoití leo; rudaí neamhthairbheacha iad. Ní thaitníonn siad leis na portáin féin, agus is beag eile is féidir a rá mar gheall orthu.

AN GIÚIRLINN

IS mór an scrios a níos an phéist aisteach seo ar adhmad. Is minic a chonaic mé saltracha, sparraí, pleancanna, boscaí, bairillí agus aon rud eile mar sin a bhíodh i bhfad i bhfarraige lomlán le poill acu. Le linn m'óige thagadh go leor éadála i dtír go Muínis ó am go ham; nuair a bháití na soithí i bhfad siar san aibhéis choimhthíoch, aon rud a bhíodh insnáfa d'imíodh sé nuair a phléascadh an stoirm agus an t-oibriú conablach na loinge, agus dá dtagadh an éadáil sin slán folláin nár mhór a luach do lucht cladaigh. Ach is minic nach dtagadh, mar ní bhíonn sé i bhfad á bhocáil anonn agus anall le contráil ghaoithe agus srutha nuair a fhásas lannacha beaga air. Beidh siad sin ag méadú agus ag neartú de réir a chéile go mbí siad in inmhe, agus i rith an ama sin beidh siad ag géarú agus ag tolladh na maidí agus

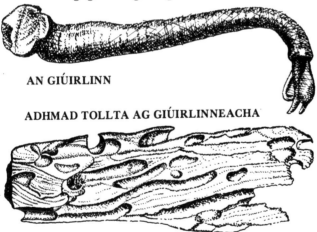

AN GIÚIRLINN

ADHMAD TOLLTA AG GIÚIRLINNEACHA

beidh na poill ag fairsingiú isteach de réir mar a bheas siadsan ag gabháil i méid. Faoi cheann ceathair nó a cúig de mhíonna bíonn damáiste mór déanta acu. Níl ann ach go dtabharfá faoi deara béal an phoill tá sé chomh cúng sin, ach tá sé chomh ramhar istigh san

47

adhmad agus go mb'fhéidir leat do mhéir a chur ann, cuid den phéist taobh istigh agus cuid ar an taobh amuigh, agus an dá chuid i ngreamú dá chéile ag béal an phoill le féith atá chomh caol le ribe gruaige. Cheapfá gur dhá cheann iad, ach ní hea; is é an chuid atá istigh san adhmad a níos an tochailt, ach is dócha go mbíonn an chuid eile ag cabhrú agus ag fáil cuid den solamar chomh maith. Poill chama a níos siad agus iad chomh gar dá chéile agus is féidir leo a bheith, chomh sleamhain le gloine ar an taobh istigh agus iad smeartha le cóta tanaí crua aoil de bharr shaothar na ngiúirlinneacha ar an aistir fhada ar ucht ard na dtonn.

Cé gur aisteach an rud le rá é, bíonn na huachaiseacha beaga cama sin glan ar a chéile; fágann sin nach dream dímheabhrach iad seo an chaoi ar féidir leo a gcuid tolladh a dhéanamh chomh cliste le peacach ar bith gan a theacht trasna ar a chéile. Is iondúil nuair a théas siad isteach tamall beag go mbaineann siad casadh astu féin, go n-imíonn siad ar fhad an adhmaid leis an ngrán agus cúramach go maith freisin le fanacht glan ar na hailt, i gcás nach díreach a bhíos na bóithríní céanna. Cuireann siad cor maith iontu le fanacht ó aon ailt a bhíos sa tslí. Chuirfeadh siad i gcuimhne duit dream a bheadh ag déanamh bóthair a gcasfaí aill mhór dhalba chrua eibhir leo, agus go mb'fhearr leo cor faoi gcuairt a thabhairt ná a ghabháil á hionsaí.

Fásann siad cúpla troigh ar fhad le linn aimsire; in imeacht seacht nó a hocht de mhíonna bíonn siad ceathair nó a cúig de throithe ar fhad, is é sin i bhfad amach sa bhfarraige. Tá dhá shliogán mhóra atá déanta de sclátaí beaga agus iad mar chása timpeall na péiste, nó ar an gceann is faide ón adhmad de. Dath buí atá ar an bpéist agus dath bánghorm ar na sliogáin. Deirtear go dtagann éanacha astu agus má thagann féin ní hionadh é, mar tá a chosúlacht lena chois, maidir le cleití agus clúmhach a bhíos ag sá amach is isteach gach ala idir comhlaí na sliogán.

Faigheann faoileáin iomlacht go minic ar mhaidí farr-
aige aniar ar dhroim na bóchna, agus mura mbíonn
féasta acu ar na giúirlinneacha ní lá go maidin é. Is
minic riamh a chonaic mé ceann ag tabhairt priocadh
do cheann eile, ceann eile ag déanamh aithris orthu
agus mar sin nó go mbíodh an fhoireann ar fad i
gcochall a chéile. Bhíodh dhá dream giúirlinneacha
ann, cinn na ndromanna dubha agus cinn na ndromanna
liatha. Deirtear nach ndéanann an chéad bhrat mórán
damáiste uaireanta den bhliain mar nach mbíonn na
fiacla curtha, ná sách géar ach gurb é an dara brat a
níos an lot. Ní mé beo cén áit a síolraíonn siad; is
dócha gur i bhfad i bhfarraige.

Is minic a chonaic mé sail ag teacht i dtír agus
thabharfá an leabhar le breathnú uirthi go raibh sí
slán, mar nach bhfuil sé éasca na poill a fheiceáil tá
siad chomh beag sin. Caithfidh mé a mheabhrú, sula
dté mé níos faide, go dtagann go leor éadála i dtír
nach mbíonn rian aon ghiúirlinn orthu, ach mar sin
féin bíonn siad tollta. Bíonn, mar bíonn brat caite
acu. Éadáil mar sin is féidir leat a theilgean, is é sin
buail buille beag éadrom de chloch bheag ar cheann
de agus cuireadh duine eicínt a chluais leis an gceann
eile agus má tá sé folláin tiocfaidh fuaim bhinn
cheolmhar tríd go dtí an chluais agus má tá sé gonta
tiocfaidh torann bodhar folamh. An t-adhmad a bhíos
drochthollta titeann sé ó chéile má thagann sé i dtír
in áit fhiáin. Ní bhíonn aon mhaith ann le haghaidh
tine ná in aon rud a mbíonn an oiread smaoistí,
péiste agus uisce ann. B'fhéidir dá mbeadh sé scoilte
ina phíosaí beaga agus é ag fáil samhradh tirim go
mbainfí ceart as. Is ea, ní bheadh aon chailleadh ar
phéine dhearg. Ach is minic riamh a sheas mé tamall
fada ag éisteacht leis an gceol aoibhinn a bhíodh ag
teacht ó shail thollta i mbarr an chladaigh, de bharr
an ghaoth ghéar a bheith ag raimsiú uachaiseacha cama
a mhúnláil agus a tholl na sluaite le hobair chrua in

aimsir fhada, agus iad á mbocáil anonn agus anall go neamhthrócaireach ar bharr na linne dochuimsithe agus b'fhéidir a namhaideacha, na faoileáin, ag cur isteach orthu freisin.

Tá dhá shliogán bheaga bhídeacha ar an gceann de a níos an tolladh agus scair acu ar a chéile; sin iad na fiacla, agus más iad féin is mór an clú dóibh an obair a bhíos ina ndiaidh, ach is dócha gur deacair iad a mhaolú ná a bhearnú. Sa dá shliogán mhóra tá féitheacha beaga sileánacha le gur féidir leis a bheith ag oscailt agus ag dúnadh na gcomhlaí mar is mian leis. Is mar sin a sholáthraíos sé a chuid bia. Fásann siad ar ghloine, ar iarann agus ar rudaí eile mar sin, ach dá ghéire na fiacla ní féidir leo feanc a dhéanamh. Faoi shnámh na soithí adhmaid bíonn siad clúdaithe le humha le hiad a chosaint ar an dream mallaithe sin. Fuair mé bairille ola mhór aon uair amháin faoin muirbheach agus bhí cóta trom acu á thimpeallú agus fad maith iontu, freisin. Scríob mé de iad le scian agus má rinne féin ní raibh aon chanda amháin tollta go dtí an ola. Bhí mé buíoch díobh faoi sin. Is dóigh nár thaitnigh boladh na hola leo mar d'fhág siad ceathrú orlaigh idir iad féin agus í. Ní dheachaigh aon deoir amháin féin amú de gí go raibh na candaí ar fad tollta mar go hiondúil is leis an ngrán a imíos siad i gcónaí.

Aon lá amháin a raibh mé féin agus comrádaí liom amuigh ag tóraíocht éadála thóg muid éan giúrainn amach ó Stopóg an Táilliúra. Bhí sé beo agus giúirlinneacha trí horlaí ar fhad ag fás as a ghob mór leathan agus as a chuid sciathán. Thug muid linn i dtír é agus rinne muintir an bhaile ionadh mór faoi; ní fhaca aon duine againn a leithéid roimhe sin. Chonaic mé ag fás ar mhíol mór iad a tháinig i dtír go Trá Dheiscirt aimsir an Chogaidh Mhóir, i gcruthúnas go bhfásann siad ar an mbeo chomh maith leis an rud marbh. Deirtear gur astu a thagas na héanacha giúrainn.

AN LUCH MHARA

Is gránna neamh-mhothaitheach an feithide í an luch mhara le féachaint uirthi ar dtús, mar go mbíonn an áilleacht ina codladh inti, ach má fhaigheann tú dosán feamainne agus a chuimilt, leis an mangarae a bhíos i ngreamú de a ghlanadh feicfidh tú loinnir ildathach sna deilgíní beaga atá ag fás as a craiceann, a bhíos ag athrú dathanna faoi sholas na gréine. Is féidir cosa beaga a thabhairt faoi deara ar a bolg le go ngreamaíonn sí í féin d'fheamainn agus d'aon rud eile a bhíos sna locháin. Bíonn an béal beag ag oscailt agus ag dúnadh gach ala. Is le cineál ribeacha atá timpeall a béil a sholáthraíos sí a cuid bia. Timpeall le cúpla orlach ar fhad atá sí. Is beag nach ionann fad agus leithead di.

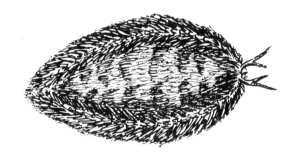

AN LUCH MHARA

Is mall leisciúil uaithi imeacht ag snámh thart ar a bolg. Sa samhradh agus sa bhfómhar is fairsinge iad. Buaileann siad amach ar an domhain sa ngeimhreadh. Níl aon mhaith iontu le n-ithe; cineál bog slabach iad ar nós seilmidí talún. Mar sin féin déantar baoití díobh ar a chruóg.

Is maith is cuimhneach liom lá fadó ar fhan mé ó scoil. Bhuail mé ag snámh ar maidin ar an Trá Rua agus as sin chuaigh mé ag baint sméara dubha agus nuair a bhí mé tuirseach díobh thug mé seársa go híochtar cladaigh. Bhreathnaigh mé ar mo scáile i lochán agus mura raibh sé smeartha le sú na sméar ní lá go maidin é. Céard a d'fheicfinn ag drundáil ar íochtar ach an dá rud aite. Casadh comrádaí an bealach go tráthúil, dorú agus baoití aige, an áit a raibh sé ag gabháil ag iascach ar an gCarraig Fhada.

"Féacha," a deirimse leis, "cén t-ainm atá ar na rudaí seo?"

Bhain sé an píopa as a bhéal agus thosaigh sé ag meangaireacht gháirí.

"Ná feiceadh aon duine beo an bhail sin ar d'éadan mar tá tú ó aithne. Téirigh agus cuir boslach uisce ort féin."

"Tá m'éadan ceart," a deirimse, "ach céard iad seo?"

"Cheal nach n-aithníonn tú í sin?" a deir sé, ag síneadh chois a phíopa i dtreo ceann acu. "Sin luch mhara, feithide gan mórán maitheasa, ach bhíodh cineál eile le fáil thart sna bealaí seo fadó, na cait mhara, ach ní fhaca mé aon cheann acu ón mbliain a dtáinig an pairifín isteach. Tá mé cinnte gurb é boladh na hola a dhíbir iad, mar is minic a bhristí na bairillí le hoibriú na farraige agus scaipeadh an ola tríd an gcladach. Go deimhin, shiúlfá ar bhairillí amach idir thú agus Oileán Lachan an bhliain úd."

"Níl aon chuimhne agam ar an am sin," a deirimse. "Ach céard faoin gcat mara?"

"Ó is ea," a deir sé, "go deimhin ní raibh feithide eile i dtrá ná i gcladach chomh hoilbhéasach, coilgneach leis. B'fhéidir leis ga a chur ionat ar nós an tseangáin. Bhí sé faoi dhó níos mó ná í sin agus é clúdaithe le deilgne ar nós gráinneog. Oíche dhorcha ba mhór an áilleacht an ghlioscarnach ildathach a bheadh air de barr mearbhaill. Nach minic a chuala tú 'd'imigh an cat mara air,' á rá le duine mallaithe coilgneach. "Bhuel," a deir sé, ag bailiú leis, "ní fhanfaidh an trá liomsa, caithfidh mé luach an tobac a shaothrú.

Lá maith duit."

"Go mba hé duit," a deirimse.

Rinne mé machnamh ar feadh tamaill agus chuir an cat mara i gcuimhne dom an luch a thabhairt liom agus go mbeadh píosa spraoi agam uirthi féin agus ar an gcat. Thug mé liom í agus chuir mé os a chomhair í. Bhioraigh sé na cluasa, bholaigh sé di, shiúil sé timpeall uirthi, chuir sé a chois fúithi agus bhain iompú aisti. Níor thaitnigh sí leis ach is gairid go dtáinig an madra thart agus gur scuab sé leis í nó gur bhain sé sancas aisti in áit eicínt ar cúlráid.

AN SÚMAIRE CLADAIGH

Is deacair a rá an iasc nó péist é seo leis an dreach aisteach atá air. Go deimhin, ní deas an feic é. Bíonn cuid acu sé horlaí ar fhad, dath buídhearg ar a ndroim agus bán ar a mbolg. Cónaíonn siad in aice díthrá rabharta mhóir. Corruair is féidir iad a fháil tirim sa gcladach, ach is í an domhain is fearr leo. Níl aon áirge le baint ag iascairí gliomach astu, níl aon mhaith mhór iontu le haghaidh baoití. Rudaí gan mórán mothú ná beos iad ach is féidir leo iad féin a ghreamú de rudaí eile agus iomlacht a fháil ó áit go háit. Níl

AN SÚMAIRE CLADAIGH

siad fairsing agus is corruair a thiocfá trasna ar cheann acu. Is minic a théas siad i ngreamú de bhric eile agus bíonn siad mar a bheadh siad ag diúl orthu agus ó fhaigheas siad a ngreim aon uair amháin is deacair iad a chur as cur. Is minic a chonaic mé ballach agus ceann acu i ngreim imleacáin ann agus é ar a mhine ghéire ag iarraidh é a chroitheadh de.

AN FHAOCHA CHAPAILL

SEO cineál atá cosúil le miongáin. Timpeall le leaththrá a bhíos siad tirim. Níl aon mhaith mhór iontu le n-ithe; fásann siad ar chlocha go hiondúil i locháin agus nuair a éiríos an lán mara bíonn siad ag máinneáil thart ag soláthar ruainne le n-ithe. Níl siad rófhairsing ar chladaí fiáine. Is maith leo an foscadh, ní bhíonn mórán acu le feiceáil sa dúluachair mar déanann siad imirce go háit eicínt eile. Is mar sin atá an scéal ag aon chineál i dtrá ná i gcladach.

AN SEILMIDE CLADAIGH

LE linn an tsamhraidh agus an fhómhair bíonn na clocha i mbarr na gcladach druidte le seilmidí cladaigh. Níl aon dath sa tuar ceatha nach bhfuil ina mblaoscanna. Cothaíonn siad iad féin ar dhuilleoga feamainne agus ar chunúis lofa ar bith eile a chastar leo. Nuair a bhíos boige agus taitneamh sa lá bíonn siad ag máinneáil thart dóibh féin. Is iad na cinn bhuí is fairsinge i gcás go bhfuil siad ar chuile dhath. Níl aon mhaith iontu le n-ithe, mar nach méadaíonn siad chomh mór le cineálacha eile. Le linn taoille trá is

AN SEILMIDE CLADAIGH

féidir crónán beag ceolmhar a chloisteáil uathu. Is
beag iasc sliogánach a bhíos níos uachtaraí sa gclad-
ach ná iad. Déanann éanacha greadlach orthu sa
bhfómhar. Bíonn sé deas éasca iad a bhriseadh faoi
na clocha agus an bolg a líonadh. Is minic a eiteallas
na héanacha agus iad ina ngob acu agus scaoileann
siad anuas ar na clocha iad le briseadh. Is maith cliste
a bhíos siad leis an iasc a fháil as na sliogáin gan
mórán anró ná trioblóid a chur orthu féin.

AN FHAOCHA BHIORACH

AR an domhain is coitinne leo seo cónaí, go mór
mór ar ghrinneall gainimh rua. Ó orlach go dtí dhá
orlach ar fhad a bhíos siad, gob biorach rinseach, mar
a bheadh barr gimléid ann, orthu. Níl mórán faochan
chomh hálainn leo maidir le dath. Mar sin féin níl aon
mhaith iontu le n-ithe agus ní dhéanann na hiascairí
aon úsáid díobh le haghaidh baoití ná eile.
   Nuair a bhíos an aimsir ina círéibeacha sa ngeimh-
readh caitear an draoi bratach acu i mbarr an tsnáithe
mara. Le linn taoille trá cruinníonn slua éanacha mara
le béile bia a bheith acu. Sin é an áit a mbíonn an
clampar agus an gleo aisteach, gach aon cheann ag
iarraidh an ceann is raimhre, á gcartadh trína chéile
lena gcosa ag iarraidh an bia a bhaint as na sliogáin,
rud nach bhfuil ró-éasca. Ach an chuid a bhfuil gob
maith crua orthu briseann siad iad in aghaidh na
gcloch leis an mbia a fháil. Is maith an t-údar eolais
an riachtanas agus an t-ocras.
   Is deas an radharc na faochain agus gach cineál
sliogán i mbarr na trá agus an ghrian ag scaladh orthu
i dtús an lae, gach cineál dath breactha go lonrach
anseo agus ansiúd. Is minic go mbíonn gasúir scoile
á bpiocadh agus á gcur i dtaisce, go háirid an chuid

atá glioscarnach agus gann. Déanann siad malairt le gasúir eile ar rudaí áirgiúla ar nós liathróidí, sceana beaga, cnaipí agus mar sin. Ar aon chor, ó bhíos gach aon taobh sásta cén locht is féidir a fháil air; nach bhfuil sé chomh dlíthiúil le haon rud eile?

AN FÍNICÍN

DÁ mhéad í an trá ní furasta na fínicíní a fheiceáil sa gcladach. Is cosúil gur amuigh ar an domhain a chónaíos siad. Ach is féidir roinnt de na sliogáin fholmha a fháil i mbarr an tsnáithe mara, mar ruaigeann an t-oibriú isteach iad nuair a bhíos an aimsir ina círéibeacha sa ngeimhreadh. Is an-deas na sliogáin iad. Ní bhíonn aon mhéid mhór iontu, ach tá déanamh aisteach orthu. An áit a bhfuil an béal tá an dá shliogán cúbtha isteach agus mar a bheadh scair acu ar a chéile, ach go bhfuil scoilteadh an-chúng ina chineál bealach isteach eatarthu. Timpeall le chomh mór le hubh dhreoilín a bhíos siad, nó b'fhéidir beagán níos mó.

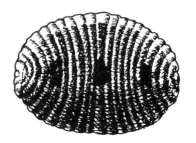

AN FÍNICÍN

Ach is é an déanamh deas agus an dath álainn a mheallas an tsúil. Thabharfá an leabhar gur déanta d'eabhar atá siad. Bíonn tóir mhór ag gasúir a bheith á dtóraíocht agus is gann an t-earra iad. Níl mórán acu le fáil i dtránna Chonamara.

56

AN FEANNADÓIR

Is mallaithe an fhaocha í seo mar déanann sí scrios
go leor ar éisc shliogánacha aon am a mbeidh an deis
aici mar tollann sí iad lena drad géar nimhneach agus
diúlann sí an bia amach le hiompú do bhoise. Timpeall
le horlach go leith ar fhad atá sí agus déanamh tim-
peallach uirthi, agus gob biorach rinseach ar cheann
di; dath bán agus dath bánbhuí go háirid a bhíos
uirthi nó dath an ghainimh. Ar na poill trá in aice an
mheilsceánaigh is fairsinge a d'fheicinn iad. Is maith is
cuimhneach liom aon uair amháin, san am a raibh
muid ag gliomadóireacht, tháinig drochoíche gaoithe
anoir aneas agus ruaigeadh an ríphota a bhí ar muráite
sa meilsceánach isteach ar an trá. Bhí suas le sé
dhosaen gliomach faoi bhannaí ann. Ach le scéal
gearr a dhéanamh de, nuair a chuaigh muid chomh
fada leis ní raibh blas ann ach na blaoscanna, bhí an
t-iasc ite nó diúlta acu. Chuaigh na mílte acu isteach
idir na slata agus ghearr siad ruóga na comhla freisin
le farasbarr diabhlaíochta a dhéanamh. Níl baol ar
bith nuair a fuair na príosúnaigh (má bhí siad faoi
bhannaí féin) an chomhla oscailte nár thug siad an
bealach amach dóibh féin, ach bhí go leor den damáiste
déanta roimhe sin ag na feannadóirí – mura raibh
féasta acu an oíche sin ní lá go maidin é.

San earrach a shíolraíos siad agus greamaíonn siad
na heochraí den fheamainn in aice na cloiche. Níl aon
mhaith iontu le n-ithe, ach déantar cúlbhaoití ballach
díobh anois agus aríst.

AN CHUACHMA

Níl an cineál seo fairsing le fáil ach mar sin féin san
earrach bíonn roinnt acu trí na faochain eile. Tá siad
níos mó ná na faochain dhubha, dath liath agus
bánliath is iondúla a bhíos orthu. Bíonn go leor

57

eochraí sa gceann baineann agus is mó an toirt a
bhíos acu ná ag an bhfaocha féin. Greamaíonn siad
d'fheamainn iad féin le cineál ramallae. Is minic a
ruaigtear go barr an tsnáithe mara iad ar dhrochaimsir
ina mbaiscíní go díreach mar a bheadh céir timpeall
ar mhil i gcuasnóg mheachan.

Pioctar an bia as na cuachmaí le snáthaid; is milis
folláin an bia é freisin nuair a bhíos sé gléasta agus
beadaíocht eicínt eile tríd.

AN FHAOCHA FAOILEÁIN

SEO cuid den treibh a chónaíos i mbarr cladaigh chin-
eálta. Is beag nach cosúil leis an bhfaocha chon
a ndéanamh agus a méid, ach gur dath lonrach
airgeadach atá orthu agus stríoca caola órga agus
donn measctha tríd á thimpeallú. Níl aon mhaith sa
mbia atá iontu le n-ithe ach amháin do na héanacha
cois cuain. Anois agus aríst piocann iascairí iad le
haghaidh ballach. Nuair a chlúdaíos an lán mara an
cladach bíonn siad ag drundáil thart ar lorg ruainne
le n-ithe. Sa ngeimhreadh ní bhíonn mórán acu le
feiceáil ina mbeatha ach bíonn cuid mhaith de na
sliogáin fholmha i mbarr na dtránna agus le linn don
bhruth iad a chur trína chéile déanann siad cineál
ceoil, arae bíonn go leor cineálacha eile sliogán sa
mbuíon freisin. Teangmhaíonn siad féin agus na
clocha beaga agus an gaineamh garbh dá chéile ar
chuma aisteach eicínt agus le meascadh an tsúiteáin
cloistear sreangán caol ceolmhar.

AN MIONGÁN

NUAIR a thagas na druideacha ar an gcósta amach
sa bhfómhar déanann siad greadlach ar an gcineál
seo. Chloisfeá an gheoin a bhíos ag na héanacha seo

i bhfad agus iad ag preabairt na sliogán in aghaidh na gcloch ag iarraidh an bia a fháil. Thairis sin níl aon mhaith iontu le n-ithe; ní bhíonn aon mhéid mhór iontu ach níl aon dath faoin ngrian nach bhfuil ina gcuid sliogán. San earrach agus sa samhradh is fairsinge a bhíos siad. Lá breá bog gréine agus tú a bheith ag drundáil i mbarr an chladaigh, chluinfeá an crónán a bheadh siad a dhéanamh ach do chluais a choinneáil oscailte agus a bheith airdeallach.

Nuair a thagas drochaimsir ruaigtear go leor acu i dtír agus iad measctha trí chineálacha eile agus sin iad an eorna nua ag roilleacha agus ag faoileáin. Is minic a théas péire acu ag troid faoin mbia, ansin tosaíonn ceann eile agus ceann eile agus ceann eile nó go mbíonn an comhluadar ar fad i gcochall a chéile, agus ceo gainimh agus clúmhaigh ag éirí ina dtimpeall de bharr na teangmhála. Téann ar an troid ar deireadh mar a théas ar gach ní agus bíonn síocháin i ríocht na n-éan go dtí uair eicínt eile, ach is minic gur rud beag a tharraingíos go leor anachain idir daoine chomh maith le héanacha.

AN FHAOCHA

Go deimhin, is iomaí cineál faochan i gcladaí Chona-mara. Is iad na faochain dhubha seo is fearr le n-ithe. Idir leath-thrá agus díthrá is iondúil leo cónaí. Coth-aíonn siad iad féin ar fheamainn agus ar chunús ar bith eile — ar nós éisc lofa, nó éisc úir — ach is fearr leo an mangarae lofa. San earrach agus i dtús an tsamhraidh bíonn na clocha agus na locháin i measc na feamainne druidte leo. Is milis folláin an bheatha iad nuair a bhíos siad i gcóir mar is ceart. Cuirtear go leor acu chun bealaigh go dtí na margaí. Faigheann na piocadóirí luach maith orthu sa ngeimhreadh agus san earrach agus is mór an chabhair do na daoine

bochta an saothrú seo a bheith i mbéal an dorais acu.
Bíonn siad an-fhairsing amach i ndeireadh an earraigh
nuair a thagas an fheamainn i dtír. Cothaíonn siad iad
féin uirthi formhór an ama.

AN FHAOCHA

Dath dubh agus dú-bhán a bhíos orthu go hiondúil.
Tá lannach beag crua ar an mbia mar chlaibín i mbéal
na faochan. Is leis sin a ghreamaíos sí í féin d'fheam-
ainn agus de rudaí eile. Cónaíonn go leor acu faoi
chlocha agus i locháin thanaí, go mór mór in áit ar bith
a bhfuil bruscar feamainne. Is féidir leo maireachtáil
beo i bhfad agus iad as an sáile; is minic a d'fheicfeá
málaí acu ar chéibh ar feadh coicíse ag ceannaitheoirí
faochan. Buaileann siad dreas sáile orthu anois agus
aríst le hiad a choinneáil úr. Ní mé beo cén chaoi a
maireann siad cheal aon ruainne le n-ithe; is dócha gur
mór an cothú dóibh an sáile agus an salachar a bhíos
timpeall orthu.

Seo amhrán a chuala mé go minic ó na seandaoine:

Is sliogán mise a chodlaíos faoin trá
    Go síoraí go meidhreach gan trioblóid gan crá;
Istigh i lár mo charad i gcónaí a bhím,

Nó ag imirt le mo bhráithre in íochtar faoin toinn.

Bím i gcónaí ag máinneáil anall is anonn
In éineacht leis na portáin faoi bharra na dtonn,
Níl namhaid sa domhan agam, níor throideas riamh,
Agus bíonn céad míle fáilte romham le cladach is
ar sliabh.

Is an dream nach bhfuil sonasach tagaidís liom,
Agus ní bheidh siad go brónach faoi bharra na
dtonn;
Slán libh, a dhaoine, sin é deireadh mo scéil
Agus ná habraigí feasta nach aoibhneas bhur saol.

AN FHAOCHA GHLIOMAIGH

DÉANAMH an ghliomaigh atá uirthi ach go bhfuil sí
beag ar nós an ribe róibéis. Craiceann garbh atá uirthi
i leaba sliogáin cé is moite de na hordóga agus de
mhullach a cinn. Bíonn sí istigh i bhfaocha — nó i
sliogán na faochan ba chirte dom a rá — ar feadh a
saoil, á hiompar ar a droim ó áit go háit sna locháin

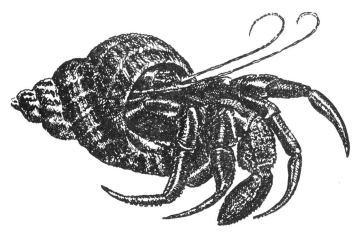

AN FHAOCHA GHLIOMAIGH

ar fud an chladaigh, agus deirim leat gur maith an coisí í faoin ualach, freisin. Is minic go mbíonn farasbarr meáchain ar a cruit mar go bhfásann bairnigh bheaga agus feamainn uirthi tráth den bhliain, is é sin nuair a bhíos an fhaocha folamh tamall sula dté an tionónta nua i seilbh. Fásann feamainn, caonach, bairnigh agus bundúin ar shliogáin nó ar fhaochain nach mbíonn ag corraí, ar nós na gcloch, ach ní thagann aon chaonach ná eile ar an gcloch reatha.

Aon lá amháin a raibh mé ag gearradh feamainne sa gcladach soir ón teach, pé ar bith cén breathnú a rinne mé i lochán uisce chonaic mé ceann acu ag siúl go réidh aireach airdeallach nó go dtáinig sí go dtí sliogán faochan a raibh a bhéal faoi. Bhain sí iompú as; de réir cosúlachta bhí sí le ligean mar le leagan do shúlach ní dhearna sí filleadh ná feacadh ach éirí de sciotán as a teach beag féin agus a ghabháil síos i ndiaidh a driobaill san áras nua. Sin cleas atá aici, mar, nuair a bhíos an botháinín ag éirí róchúng dá cona-blach, faigheann sí ceann eile níos mó agus mar sin ní fhanann sí i bhfad in aon áras amháin ar bith. Dath buídhearg atá ar an bhfeithide aisteach seo agus an drioball ar dhéanamh duáin le greim maith a bheith aige ar an taobh istigh. Níl aon mhéid mhór inti, timpeall le dhá orlach ar fhad, ach dá laghad í tá a dóthain oilbhéis inti, mura gcuirtear bréag uirthi. Nuair a bhíos a bothán ag éirí beag dá toirt agus gan aon lóistín folamh sa gcomharsanacht buaileann mífhoighid agus cantal í agus tógann sí an dlí ina lámha féin, imíonn léi de mhaoil a mainge agus an chéad fhaocha a chasfar léi a bheas feiliúnach di ní dhéanann sí ceo na fríde ach an feithide a bhíos sa tseilbh inti a tharraingt amach i ngreim cuing muiníl agus í féin a shocrú go deas compordach ina áit. Tíoránach ceart gan trua gan taise don lag í ach filleann an feall go neamhthrócaireach go minic uirthi mar faigheann sí féin íde chomh dona go minic ó fhaoileáin agus ó éanacha eile a bhriseas a teachín in aghaidh na gcloch agus a shlogas siar í gan fiacail a leagan uirthi.

Má bhriseann tú an fhaocha tabharfaidh tú faoi deara i gceart í, na castaí atá ina leath deiridh le hiad a bheith feiliúnach do na rinsí atá thiar i gcúl na faochan. Tá an leath tosaigh níos dathúla mar tá blaosc air. Casann sí faoi gcuairt na hordóige tamall isteach ó dhoras an bhotháinín agus an dá shúil atá ar bhiríní sáite amach trína ladhracha. Ní foláir di a súil a choinneáil oscailte go síoraí; ós greim blasta milis í bíonn namhaideacha go leor ar a tóir a bhíos ag faire ar a n-ailp a bheith acu má fhaigheann siad an deis. Is minic, nuair a bhíos siad i ngábh, go léimeann siad amach as an bhfaocha ar fad agus más sliogán beag bídeach a chasfar leo ar dtús sánn siad barr a ndriobaill inti mar nach mbíonn sí sách mór. Is fearr leo sin féin ná a bheith gan tada. Is cosúil gur maith leo barr an driobaill a shábháil; b'fhéidir go mbíonn eagla orthu go n-éalódh namhaid eicínt orthu ón taobh thiar agus go ngearrfadh sé díobh é.

Ní rófhada a mhaireas siad beo ar an talamh. Nuair a phioctar faochain eile éiríonn le cuid de na faochain ghliomaigh a bheith tríothu agus ní maith leis na ceannaitheoirí iad mar is féidir le cúpla ceann acu lán mála a lobhadh. An méid a fheictear acu caitear ar siúl iad, ach níl sé éasca iad a thabhairt faoi deara.

Níl aon mhaith iontu le n-ithe ach is minic a dhéantar baoití ballach agus bran díobh.

Is maith is cuimhneach liom lá breá sa bhfómhar a raibh mé ag tóraíocht baoití. Pé ar bith amharc a thug mé i lochán a bhí le mo thaobh b'fhacthas dom go bhfaca mé rud mar a bheadh cloigeann píopa ag siúl ar a íochtar. Chuimil mé bois de mo shúile, mar ba dóigh liom go raibh mé ag feiceáil rudaí, go mb'fhéidir gur taispeánadh é go raibh aicíd eicínt ar bord agam. Dhearc mé ní ba ghéire; bhí sé ann. Ní fóidín mearaí ar bith a bhí orm. Ach nuair a shíl mé breith air rith sé isteach faoi dhosán feamainne. Ní dheachaigh leis agus rug mé air agus céard a bheadh istigh sa dúidín beag ach faocha ghliomaigh agus barr a cuid ordóg amach trí chlaibín de shliogán a bhí daingean i mbéal an phíopa. Bhuel, cheap mé go raibh an claibín ann ó chuaigh sé i bhfarraige, mar is iomaí duine a mbíonn claibín mar sin aige. "Níl aon mhaith ag caint," a deirimse i m'intinn féin, "ach ní cóir ionadh a dhéanamh d'aon rud ar an saol seo." Bhí ruainneacha feamainne agus bairnigh ag tosú ag fás uirthi sa gcaoi nach mbeadh sé éasca a tabhairt faoi deara. Is cosúil go gcuireann go leor éisc shliogánacha mangarae ag fás orthu féin le dallamullóg a chur ar a gcuid namhaideacha. Nuair a scríob mé cuid acu di bhí "Déanta in Éirinn" marcáilte sa gcailc in aice le béal an phíopa! B'fhéidir nach raibh aon bhothán le fáil aici san am ar casadh an pípín ina bealach, nó b'fhéidir gur chuir sí spéis ann sa gcaoi go mbeadh sí as an bhfaisean. Ar aon chor d'fhág mise í san áit chéanna a bhfuair mé í.

Oíche amháin i bhfad ina dhiaidh sin bhí mé in áit eicínt a raibh píosaí ceoil, rince agus braonacha óil. Nuair a bhíos an comhluadar in áit den tsórt sin tuirseach den ghreann níl rud ar bith is fearr leo ná séarsa achrainn. Is minic, mura dtagann an t-achrann go réidh, go bhfaigheann siad caoi chuige. Chaill fear eicínt a phíopa agus bhí sé ag gabháil thart á chuartú. Thóg fear amach píopa beag agus dúirt: "An in é é?"

"Is é go deimhin," a deir an fear eile.

"Tháinig sé sin isteach ón bhfarraige mhór, ar dhroim éisc."

"Seafóid," a deir an fear eile, á leagan faoina sháil agus ag déanamh míle píosa de.

Bhí an brachán doirte. Thosaigh báiníní á mbaint anuas agus geansaithe á dtarraingt amach de chloigne. Bhí an spraoi ag tosú, gleo mór agus daoine ag gabháil trína chéile. Ach ní bhaineann sin mórán leis seo; ó tharla go bhfuil an píopa iontach úd briste ní féidir liom níos mó a chur síos sa gcaibidil seo.

AN BAIRNEACH

NÍL iasc sliogánach ar bith chomh fairsing le bairnigh. Tá clocha an chladaigh druidte leo i ngach áit ó lán mara go díthrá agus is acu a bhíos an greim crua ar an gcloch; is minic gur fearr leis an sliogán a bhriseadh os a chionn ná a sheilbh a chailleadh.

Ar aimsir bhreá bhog éiríonn sé amach ón gcloch ar a leathriasc i riocht agus gur féidir leis breathnú ina thimpeall. Ní mór a theacht i ngan fhios air le hé a bhaint, mar má airíonn sé aon torann daingníonn sé a ghreim. Baintear é le barr scine, nó aon rud iarainn a mbíonn gob biorach air.

Deirtear gurb é an bairneach is mó a bhfuil rinsí ina shliogán is fearr le n-ithe. Déanann iascairí fóint díobh le haghaidh baoití ballach agus bran.

Níl aon bhreac sa bhfarraige is baolaí don mhairnéalach ná é. Is ar chlocha an chladaigh a chónaíos sé i gcónaí, áit dainséarach do long agus do bhád. Dá bhrí sin ní foláir an bairneach a sheachaint.

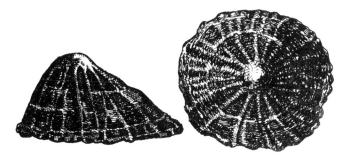

AN BAIRNEACH

65

AN BAIRNEACH IASCÁIN

AR chladaí achrannacha fiáine a fhásas siad seo in aice le díthrá. Tá siad ar an gcineál is mó a mhéadaíos de threibh na mbairneach. Níl aon locht acu a bheith in aice leis an uisce i gcónaí mar bíonn na locháin in íochtar cladaigh druidte leo — sliogáin shleamhna agus an dath céanna orthu leis an áit a dtaithíonn siad. Go minic le taitneamh an lae éiríonn sé suas ar a leathriasc agus síneann sé a adharca amach ó cholbha an tsliogáin. Nuair a chlúdaíos an taoille na clocha bíonn siad ag imeacht anonn agus anall ag soláthar bia dóibh féin. An t-iasc righin buí a bhíos i ngreamú den chloch agus an chuid atá in aice le droim an tsliogáin tá sé níos boige agus níos duibhe. Iasc deas séimhí iad le n-ithe agus tá an sú go folláin. Moltar anraith faochan agus bairneach don té a bhíos ag gearán ar shlaghdán. Baintear go leor bairneach san earrach i Muínis féin.

Tá éisteacht mhaith ag an mbairneach, mar má dhéanann tú aon torann dá laghad in aice leis dúnfaidh sé isteach leis an gcloch. Is cosúil go raibh daoine sa tseanaimsir ann nach raibh mórán measa acu orthu, mar deir file mná eicínt:

Ní le faochain ná le bairnigh a tógadh mo leanbhsa.
Is le cupán agus le sásar a tógadh mo leanbhsa.

Agus aríst, deir ceann eile ag tabhairt chomhairle a leasa don phótaire:

Seachain teach an óil, nó is bairnigh is beatha duit.

Ach is cuma fúthu sin, is milis folláin an bheatha toit bairneach, cois teallaigh tráthnóna fuar earraigh nuair a bheadh roinnt ocrais ar dhuine. Is maith na baoití ballach agus bran iad freisin ach ruainne de phortán a cheangailt agus a chur i mbéal an duáin agus an snáithe iascaigh a chasadh air. Is minic go bhfásann siad ar dhromanna portán agus gliomach.

66

Is dóigh go dtaitníonn leo a bheith á dtabhairt ó áit go háit ar marcaíocht.

𝄢 AN BAIRNEACH MÍN

FÁSANN an cineál seo fairsing ar chosa coirlí agus ar shlata mara amuigh ar an domhain i riocht agus nach mbíonn siad tirim ach ar dhíthrá rabharta mhóir. Tá siad ar an gcineál is lú dá dtreibh. Níl aon mhaith iontu le n-ithe ná le haghaidh iascaigh. Tá na sliogáin sleamhain mín agus níl aon dath sa tuar ceatha nach bhfuil iontu. San áit a mbíonn siad i ngreamú bíonn poll beag ite isteach acu sa tslat, nó sa gcois choirlí. Gluaiseann siad ó áit go háit ag soláthar a mbeatha. Bíonn an-tóir ag ballaigh orthu agus dá bhrí sin deánann siad greadlach ar an iasc séimhí sin ó am go ham. Ní bhíonn siad chomh mór le cnaipe léine. Is minic a gheofá i mboilg na mballach iad gan cangailt gan eile.

Fásann siad, freisin, ar phortáin agus ar shliogáin eile a bhíos sna stopóga. Is dócha gur maith leo a bheith ag fáil marcaíochta ó áit go háit ar urlár na farraige. Tá go leor éisc shliogánacha a bhfuil an faisean sin acu. Cé a thógfadh orthu é? Deirtear gur fearr marcaíocht ar ghabhar ná coisíocht dá fheabhas.

AN GARBHÁN CARRAIGE

NÍ mór nach cosúil le bairnigh bheaga na garbháin charraige ach go bhfuil poill bheaga i mbarr na sliogán. Leis an bpoll a dhearcadh is féidir mar a bheadh eiteog bheag a fheiceáil ag éirí amach agus ag sú isteach ó am go ham agus ribeacha beaga timpeall chiumhaiseanna an phoill a bhíos go síoraí ar crith;

is leo sin a sholáthraíos sé a chuid bia. Go deimhin, is beag é a dhóthain, ach dá laghad é bíonn air a fháil dó féin chomh maith leis an míol mór.

Tá siad chomh dlúth le cúl a chéile agus go sílfeá ar dtús gur cuid den charraig iad agus níl aon áit ó íochtar láin go barr lán mara mallmhuireach nach bhfuil druidte leo. Fásann siad os cionn a chéile ó bhliain go bliain agus is minic, nuair a bhíos go leor brat ar an gcladach, go mbaineann an t-oibriú iad. Ní dhéantar aon úsáid díobh mar níl aon mhaith iontu le haghaidh iascaigh, ná aon rud eile.

AN CLUAISÍN

IS cosúil le cluais an déanamh atá orthu. Ní bhíonn siad chomh mór leis na ruacain, i gcás go mbíonn cuid acu mór go maith, ach go hiondúil timpeall le trí horlaí trasna ó inse go clab a bhíos siad. Cónaíonn siad cúpla orlach faoi uachtar na trá agus nuair a bhíos boige agus taitneamh sa lá léimeann siad aníos in uachtar. Bíonn na comhlaí leathoscailte ar a theacht in amharc sholas an lae dó. Tugann sé cúpla abhóg eile agus dúnann sé isteach go ceann tamaill. Go deimhin, ní fhágtar i bhfad ag machnamh é mar go mbíonn fir, mná agus gasúir ar a thóir, go mór mór san earrach, agus tá namhaideacha aige thairis sin — faoileáin agus geabhróga. Bíonn siad sin go síoraí ag eiteall anonn agus anall os cionn na trá ag faire go grinn ar a seans lena n-ailp a bhaint amach, agus ó tharla go bhfuil amharc grinn acu is féidir leo iad a fheiceáil agus iad ag eiteall go hard sa spéir agus a theacht anuas le luas lasrach agus iad a alpadh. Bíonn na portáin i bhfolach thíos sa trá agus gan aon bhlas aníos ach coinlíní a súl, i riocht agus gur féidir leo feiceáil i bhfad ar gach aon taobh. Má fheiceann siad aon chluaisín oscailte ní thógann sé i bhfad orthu iad féin a chroitheadh as an ngaineamh agus a n-ailp a bhaint amach más féidir leo.

Is iondúil go mbaintear fiuchadh as na cluaisíní agus as gach iasc sliogánach chomh maith, nó mar a deirtear, iad a fhaoscadh. Éiríonn an bia as an sliogán leis an uisce te. Ansin is féidir na sliogáin a thabhairt don deachú agus an t-iasc a ghléasadh agus a bhruith mar is cóir sa gcaoi go mbeidh sé milis agus blasta le n-ithe ag an gcomhluadar.

AN CLUAISÍN

Síolraíonn siad go fairsing. Is minic a bhíos na heochraí i ngreamú den mheilsceánach agus den fheamainn le cineál glóthaí, ach nuair a mhéadaíos siad i riocht agus go mbeidh an sliogán le tabhairt faoi deara titeann siad ar an ngaineamh agus fanann ansin, níos mó. Is minic, laethanta le linn trá mhór rabharta i ndeireadh an earraigh agus i dtús an tsamhraidh, go mbíonn timpeall an mheilsceánaigh druidte leo. Ach ar nós gach iasc sliogánach eile taitníonn goradh na gréine agus boige na gaoithe leo. Aimsir fhuar mhínádúrtha, is deacair ceann acu a fheiceáil. Fanann siad thíos faoin ngaineamh nó go dtaga an lá a bheas faoi dóibh. Ansin, a bhuachaill, is féidir leat iad a fheiceáil ag pocléimneach ar fud na bhfud.

AN RUACAN

Is cosúil le dhá fhochupán a mbeadh a mbéal le chéile
an déanamh atá ar an ruacan. Tá inse féithleach súp-
láilte ar a chúl le gur féidir leis an dá chomhla a
oscailt óna chéile nuair a bhíos gá aige leis agus féith
láidir eile ar an taobh istigh le hiad a dhúnadh agus a
chur faoi ghlas má airíonn sé aon namhaid ag teacht.
Ná ceaptar nach bhfuil go leor acu sa tóir air. Is maith
an cúnamh dó éisteacht mhaith ghéar a bheith aige, i
riocht agus gur féidir leis aon torann dá laghad a
chloisteáil.

AN RUACAN

Ar na tránna in aice le díthrá rabharta a chónaíos
siad, sa gcomharsanacht chéanna le sceana mara,
cluaisíní, breallacha agus éisc shliogánacha eile.
Taitníonn aimsir bhreá bhog nádúrtha gaoithe aniar
nó aniar aneas leo. Le linn aimsir mar sin bíonn siad
le fáil go fairsing. Éiríonn siad as an ngaineamh le
teas na gréine agus le háilleacht an lae. Ach, ar an
láimh eile, má bhíonn aimsir fhuar mhínádúrtha ann,
fiú amháin san earrach féin nuair a bhíos a séasúr ann
ní féidir mórán acu a fháil mar fanann siad sa mbaile
faoin ngaineamh.

Bíonn gach rud ag tóraíocht a chórach féin, is é
sin a fhearacht acusan é. Pioctar go leor acu san earrach
agus i dtús an tsamhraidh. Más ea féin is milis blasta

70

an t-iasc iad nuair a bhíos siad bruite agus gléasta mar is cóir. Bíonn siad beag agus mór, ach nuair a bhíos siad in inmhe, timpeall le ceithre horlaí de thiús, trasna ó inse cúil go clab, a bhíonn iontu.

Nuair a osclaíos colbha an dá chomhla dhroimneacha óna chéile sánn sé an fhéith éisc atá chomh ramhar le do mhéir amach. Sin í an chuid is fearr de le n-ithe, agus is léi a thollas sé an trá agus baineann sé teannta aisti freisin le léim a thabhairt nuair a bhíos an fonn sin air. Is cosúil go raibh meas ag an bhfile féin air fadó mar dúirt sé:

Bia rí ruacan,
    Bia tuatach bairneach,
Bia caillí faocha
    Agus í á piocadh lena snáthaid.

Dath buí, bánbhuí, dúbhuí agus rua is iondúla a bhíos orthu ach athraíonn siad a ndath má théann siad in áit eile nach mbeidh ar aon dath leo ach tá an scéal céanna ag bunáite gach iasc idir shliogánach agus lannach agus eile.

Tá cúpla cineál acu le fáil ar thránna Chonamara: an cineál mín agus an cineál garbh. Is minic riamh a chonaic mé portán óg a chruthaigh istigh idir dhá shliogán ruacan garbh. Cothaíonn sé é féin ar iasc an ruacain nó go mbí sé ábalta déanamh as dó féin. Nach iontach an rud obair Dé. Is minic nuair a bhíos an ruacan oscailte gur féidir portán a fheiceáil ag caitheamh isteach cloch bheag idir an dá shliogán i riocht agus gur féidir leis béile bia a bheith aige, mar nach féidir leis an ruacan dúnadh nuair a bhíos an mhéaróg chloiche sa mbealach ar ghléas a dhúnta.

Aon lá amháin, chonaic mé faoileán agus ruacan ina ghob aige. D'eiteall sé suas sa spéir, scaoil sé uaidh an ruacan, rug sé aríst air sula raibh sé tite, d'eiteall sé in airde aríst agus chuaigh sé beagán níos géire i mbun na gaoithe an babhta seo. Scaoil sé uaidh é, thit sé i mullach carraig lom, briseadh an sliogán i

riocht agus go raibh sé éasca aige an t-iasc a alpadh agus a shlogadh. Sin cleas cliste atá ag na faoileáin.

AN MUIRÍN

I gcuanta cineálta doimhne a mbíonn gaineamh garbh ar a n-íochtar is fairsinge a bhíos na muiríní le fáil, ach is seachránaí mór é agus ní túisce in áit é ná in áit eile. Ar oscailt agus ar dhúnadh na gcomhlaí dó is féidir leis go leor bealaigh a chur de le truslóga. Nuair nach mbíonn an bheatha fairsing san áit a mbíonn sé imíonn sé leis go háit eicínt eile. Is maith leis foscadh na talún agus is minic a bhíos sé le fáil in aice na cloiche.

Nuair a bhí mé ag dreideáil blianta ó shin bhíodh siad le fáil an-fhairsing ar maidin in áit agus tráthnóna lá arna mhárach b'fhéidir nach mbeadh ceann ann. Taitníonn gaineamh rua leo go mór agus má tá sraith de chlocha beaga measctha trí na gruáin cuireann siad barr ar an dathúlacht gí gur minic a théas na hiarainn i leanúint san áit achrannach, mar sin féin faigheann an muiríneadóir cnuasacht tairbheach go minic ann. Is ea, íocann tóraíocht agus tochas timpeall na cloiche é. Bíonn comharthaí talún aige ar an limistéar is fearr a n-éiríonn leis. Má tá siad luaineach féin is iondúil go dtógann siad seilbh shealadach in áiteacha áirid ar grinneall. Tá go leor láimhe ag an aimsir ina gcuid taistil agus ní théann sin ó léargas ar an té a bhíos ag muirínteacht.

Dath dúbhuí, dath buí agus bán is iondúla a bhíos orthu ach ar nós gach iasc sliogánach eile is é dath an ghrinnill a mhaireann siad air a bhíos orthu. Bíonn ceann de na sliogáin comhréidh agus an ceann eile dronnach agus iomaireach — timpeall le fiche claise agus an méid céanna iomaireacha. Is beag nach é déanamh an fhochupáin atá orthu, cuid acu timpeall

le cúig horlaí trasna. Bíonn siad beag agus mór de
réir mar a bhíos aois acu. Deirtear gur aois mhór
dóibh na chúig bhliana a shárú. Is cosúil go gcoinníonn
siad dlúth leis an gcladach nuair a airíos siad iad féin
ag gabháil chun laige, mar is féidir go leor sliogáin
fholmha a fheiceáil idir na clocha le héadan an
chladaigh aimhréitigh. B'fhéidir gur cineál reiligeacha
na háiteacha sin. Déanann faochain scrios mór orthu.
Tollann siad iad agus is minic go mbíonn siad mar áit
shíolraithe acu nuair a thagas an t-am. Fásann go leor
rudaí freisin ar na sliogáin fholmha. Tá inse féithleach
sileánach ag greamú an dá chomhla dá chéile sa gcúl.
Is féidir leis iad a oscailt agus a dhúnadh le féith
láidir éisc atá ar an taobh istigh a chrapas agus a
mhéadaíos de réir mar a bhíos gá leis. Is í an fhéith
seo an chuid is milse den mhuirín.

AN MUIRÍN

Tógtar go leor acu sa ngeimhreadh agus san earrach
agus faightear a luach go maith. Is mór an chabhair do
na daoine bochta an saothrú a bheith acu. Nuair a
bhínn ag plé leis an obair roimh aimsir an Chogaidh
Mhóir, scilling an dosaen a théadh siad, agus dá

mbeadh an lá faoi dúinn le boige agus breáthacht thógfadh muid isteach timpeall daichead dosaen. Is iomaí mangarae eile a thagadh leo i mála an dreidire, cineálacha aisteacha éisc agus sliogán, gruáin feamainne agus eile. Laethanta fuara gaoithe aduaidh, b'fhéidir nach mbeadh chúig dhosaen againn de bharr obair an lae. Ach sin mar a bhíos ag fear na farraige i gcónaí. Is féidir leis an bhfear atá i ngreim sa téad iad a aireachtáil faoi fhiacla an dreidire ag léimneach uathu agus á sú siar sa mála de bharr shiúl an bháid. Nuair a bhíos leoithne mhaith ghaoithe ann ní foláir an téad a bheith daingean ar an mullard, ach le do láimh a leagan uirthi mhothófá an t-iarann ag preabadh agus ar crith agus na fiacla ag cíoradh an ghainimh ar grinneall. Deich bhfeá fichead uait is iondúil go mbíonn siad i bhfolach agus clúdach beag, éadrom den ghaineamh os a gcionn. Má théann an dreidire i leanúint i gclocha, tá cúltéad as a bhfuil baoi uirthi, i riocht agus gur féidir a saoradh le hé a tharraingt i ndiaidh a chúil siar. Cailleann sé cuid de na fiacla go minic in achrann leis an gcloch. Níl sé chomh maith ansin de bharr é a bheith mantach, mar go gcliseann sé sa gcíoradh ach is féidir leis an ngabha fiacla nua a chur i leaba na gcinn a chaill sé.

Oícheanta a mbíodh muid ag seoladh ón mbainc go deireanach, ba mhór an áilleacht na fallaingeacha thart lena gcuid clab, na mílte súile beaga breactha le gach dath sa tuar ceatha ag glioscarnach go soilseach de bharr mearbhaill, iad ag crónán ar a gcaoi aisteach féin. Chluinfeá snup snap, ó am go ham ó na comhlaí á n-oscailt agus á ndúnadh, iad ag léimneach go minic ar na carnáin a bhíodh cruachta ar chaon taobh den bhallasta. Is cosúil go mba mhaith leo a ghabháil thar bord aríst ar ais.

Bíonn eochraí go leor sa gceann baineann agus is maith cliste uaithi iad a chur i ngreamú den fheamainn agus den mheilsceánach le cineál glóthaí. Nuair a chruas na cinn óga agus a thagas meáchan iontu amach sa samhradh titeann siad den fheamainn agus fanann siad ar grinneall níos mó. Go deimhin, déanann éisc eile greadlach orthu le linn a n-óige. Murach sin bheadh urlár na farraige druidte leo agus dhéanfadh muiríneadóirí saothrú thar barr á dtogáil. Bheadh siad fairsing agus saor ar na margaí éisc agus nár mhór an gar sin do na boicht sna cathracha móra.

AN tOISTRE

I gcuanta cineálta a chónaíos an t-oistre, go mór mór in aice béal aibhneacha. Is cosúil go réitíonn sé féin agus an mearsháile go maith le chéile. Déanamh an fhochupáin atá air, timpeall le ceathair nó a cúig d'orlaí trasna, ceann de na sliogáin dronnach agus an ceann eile comhréidh. Is é an taobh dronnach go háirid a bhíos faoi i ngreamú de rud eicínt sa nglasláib le cineál aoil. Tá inse féithleach sileánach ag greamú an dá shliogán dá chéile sa gcúl, i riocht agus gur féidir leis oscailt agus dúnadh mar is mian leis. Tá féith

AN tOISTRE

láidir eile ar an taobh istigh a chrapas le cúnamh iad a dhúnadh agus a mhéadaíos le hiad a oscailt.

Sa leaba dó ar a shócúl ina ríocht féin, bíonn a chlab leathoscailte formhór na haimsire, mar go mbíonn air a bheatha a sholáthar. Tá ribeacha beaga sa ngeolbhach a tharraingíos chuige a chuid bia. Tá geolbhach agus putóga ann mar aon chineál eile. Bíonn go leor eochraí sa gceann baineann agus sa samhradh sceitheann sí. Is minic a bhíos an síol i bhfostú d'fheamainn nó go mbí an sliogán trom go leor le titim ar urlár na mara agus fanann sé ansin uaidh sin amach. Go deimhin, is beag de na heochraí a ritheann leo, mar is iomaí namhaid acu. Dá n-éiríodh leo ar fad a theacht in inmhe bheadh an grinneall druidte le hoistrí. Tógtar le dreideanna iad ar na bainceanna. Níl mórán éisc chomh luachmhar leo agus bíonn glaoch mór orthu ar na margaí. Tá siad milis séimhí le n-ithe agus an-fholláin ar fad.

Faightear péarlaí i sliogáin chuid acu. Is mór a luach, ach deirtear go bhfuil siad an-ghann, b'fhéidir ceann sa milliún. Tá sé ráite freisin gur as gráinne gainimh a chruthaíos an tseoid luachmhar. Is iomaí duine riamh a rinne a shaibhreas le ceann acu a fháil ar chuma leibideach eicínt. B'fhéidir gur ag téisclim ag gléasadh a bhéile a bheadh sé agus oistrí mar anlann aige, agus le linn an leota éisc a bhaint as an sliogán, cé gur i sliogáin fholmha is iondúla leo a bheith, gheobhadh sé an péarla istigh ann.

Is cosúil go dtógtaí go leor acu sa tseanaimsir agus go gcothaíodh na daoine iad féin orthu. Is minic gur féidir go leor de na sliogáin fholmha a fheiceáil sa gcréafóg nuair a bhíos daoine ag cur agus ag baint fhataí, go mór mór in aice seantithe a raibh cónaí iontu in aimsir an Ghorta. Is dócha go ndearna an t-oistre a chion féin san am chomh maith le haon iasc sliogánach eile leis na daoine bochta a choinneáil beo ó bhás den ocras, le cladaí Chonamara.

AN SLIGÍN SLÁMACH

BÍONN an sligín slámach greamaithe de chlocha ar
grinneall, ar thrá mhór. Is féidir cuid acu a fháil tirim.
Ní mór nach cosúil le hoistre an déanamh atá air, i
gcás nach bhfuil sé chomh maith ná chomh blasta le
n-ithe. Níl an luach ná an tóir chéanna air ar mhargaí
an éisc. Baineann an mhuintir atá ina gcónaí cois
cladaigh roinnt acu ar thránna móra san earrach.
Faightear go leor acu timpeall clocha a bhfuil copóga
ag fás orthu, go mór mór áit ar bith a bhfuil gaineamh
rua agus roinnt sruth.

Tá an t-iasc idir dhá shliogán dhronnacha agus
inse féithleach air, i riocht agus gur féidir leis iad a
oscailt agus a dhúnadh mar a bhíos gá leis. Sa sliogán
atá leis an gcloch nó leis an rud a bhfuil sé ag fás air
tá poll beag a bhfuil féith amach tríd; is leis an bhféith
sin a ghreamaíos sé é féin. Is crua an greim a bhíos
aige freisin. Síolraíonn siad san earrach in aice an
chladaigh. Cineál iad nach ndéanann mórán fáin.
Níl siad chomh seachránach le go leor eile den iasc
sliogánach, agus b'fhéidir go bhfuil siad chomh maith
as, freisin.

AN BREALLACH

IS minic riamh a bhain mé buicéad breallach le láí
bheag ar an trá chothrom réidh atá ar an taobh thoir
de Mhuínis, agus mura bhfuil siad fairsing ansiúd san
earrach agus sa samhradh tá mise bréagach. Le linn
lán trá bíonn an áit druidte le fir, mná agus gasúir,
ag baint sceana mara agus breallach agus ag piocadh
ruacan agus cluaisíní. Timpeall le troigh ar domhain
sa ngaineamh is iondúil leis an mbreallach a bheith,
ach le breátha an lae agus goradh na gréine éiríonn sé
suas níos uachtaraí ná sin. Ach má iompaíonn an lá

fuar aríst scaoileann sé síos é féin go híochtar an phoill, mar go mbíonn an cosán réidh roimhe i gcónaí – ní hé lá na gaoithe lá na scolb aige. Má airíonn sé torann dá laghad in aice leis scaoileann sé steall uisce ó uachtar an phoill, agus ritheann sé féin síos tríd chomh tapa agus is féidir leis. Ní foláir a bheith luath go maith le hé a bhaint le láí. Is minic tar éis an spreab a bhaint go mbeadh ort do láimh a chur síos sa bpoll go huillinn, agus fead a ligean le greim a fháil air. Nuair a chloiseas sé an fhuaim cheolmhar stadann sé tobann, b'fhéidir gur le hionadh é, ach is cuma.

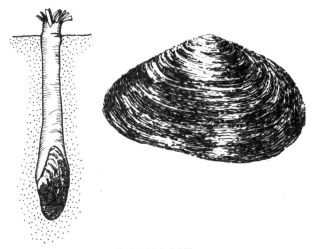

AN BREALLACH

Tá an t-iasc istigh idir dhá shliogán dhronnacha. Is féidir leis iad sin a oscailt nó a dhúnadh go lách éasca le hinse d'fhéith shileánach atá ar a chúl. Tá féith eile ar an taobh istigh a chrapas le hiad a dhúnadh, agus a mhéadaíos le hiad a oscailt. Tá fallaing de scamall sleamhain lag timpeall ar an dá shliogán taobh amuigh agus scair acu ar a chéile san áit a bhfuil a gciumhaiseanna ag teacht ar a chéile ag na siúntaí.

78

Coinníonn siad sin amach an gaineamh agus rudaí
eile.

Is deas, blasta an t-iasc iad nuair a bhíos siad bruite
agus gléasta mar is cóir. Itear go leor acu in iarthar na
hÉireann nuair a bhíos a séasúr ann. Is í an fhéith
mhór éisc a bhíos go hiondúil le feiceáil amach idir
na sliogáin an chuid is milse de le n-ithe. Is léi sin a
thollas sé an gaineamh freisin. Bíonn sí sé nó a seacht
d'orlaí ar fhad, níos faide i bhfad ná na sliogáin, arae
bíonn cuid acu troigh ar fhad.

Ní bhíonn mórán acu le fáil sa ngeimhreadh.
Téann siad síos domhain sa ngaineamh. Ní réitíonn
siad féin agus fuacht le chéile ar chor ar bith. Is mar
sin beagnach atá an scéal ag gach cineál iasc sliogánach.

AN SCIAN MHARA

Is dócha gurb é an fáth ar tugadh scian mhara uirthi,
an chosúlacht aici le cois scine nó le cois rásúir.
Timpeall le troigh ar fhad a bhíos cuid acu, ach an
chuid is fairsinge atá le fáil ní bhíonn siad thar ocht
n-orlaí ar fhad agus timpeall le horlach go leith ar
leithead. Dath buí, dúbhuí agus bánbhuí is iondúla
a bhíos orthu, nó de réir mar atá dath ar an áit a
gcónaíonn siad. Bíonn fallaing de scamall tanaí ag
clúdú na sliogán taobh amuigh agus scair thar a chéile
ag na siúntaí air, sa gcaoi nach féidir le gaineamh ná
aon rud a ghabháil isteach, agus tá scamaill eile ar an
taobh istigh idir an t-iasc agus an dá shliogán, mar go
bhfuil sliogán ar chaon taobh agus an t-iasc eatarthu.

AN SCIAN MHARA

79

Is féidir leo oscailt óna chéile nuair is gá é. Deirim leat nach mór a bheith cleachtach ar an obair le hí a bhaint; is minic mura n-éirí leat í a chur aníos ar an gcéad iarracht go bhfuil do ghnótha in aisce, mar imíonn sí síos ar a leathriasc le luas lasrach. Ní foláir feadaíl cheolmhar a dhéanamh le hí a ghabháil agus do láimh a chur síos go huillinn ina diaidh sa bpoll a chart tú. Is minic, freisin, a bhíos a fhéith mhór fágtha thíos sa bpoll aici agus nach mbeidh agat ach an bhlaosc agus na putóga; mura mbí tú réidh cúramach ar a tarraingt beidh sin amhlaidh.

San áit a gcónaíonn sí bíonn go leor acu in éineacht go hiondúil in aice an mheilsceánaigh agus ar nós an bhreallaigh cuireann sí scuaid uisce suas uaithi agus ritheann sí síos sa bpoll má airíonn sí aon torann ina timpeall. Nuair a bhíos an lá go breá, agus goradh taitneamhach ón ngrian is minic go mbíonn píosa díobh le feiceáil aníos as an ngaineamh. D'fheicfeá faoileáin agus geabhróga ag éalú ag iarraidh a theacht taobh na súlach caoiche orthu. Corruair, d'éiríodh leo ailp a bhaint amach. Éiríonn an scian mhara féin glic go maith, mar chomh luath agus a fheiceann sí aon scáile ar an trá déanann sí chun baile. Is deacair do scian mhara a ceann a thabhairt léi le linn rabhartaí móra an earraigh, mar bíonn ó liath go leanbh idir mhná agus fhir ar a dtóir, armáilte le lánta agus pící, agus cléibh agus buicéid le hiad a iompar abhaile nuair a bhíos an trá caite. Is cosúil le poll eochrach an comhartha a bhíonn os a cionn sa trá agus an dream a bhfuil an cleas agus an cleachtadh acu, is féidir leo a aithneachtáil ar an bpoll beag seo cén taobh a bhfuil a haghaidh. Dá bhrí sin, cuireann siad an láí roimpi go tobann agus tugann siad aníos ar an gcéad spreab í.

Is deas blasta séimhí an bheatha iad nuair atá siad i gcóir agus bruite. Ní foláir iad a fhaoscadh ar dtús, is é sin iad a chur in uisce fiuchta go n-imí an t-iasc as na sliogáin, na putóga a bhaint astu ansin, an t-iasc a ghearradh mion, oinniúin agus rudaí eile a chur leo ag bruith agus is rímhaith an t-anlann iad don líon tí.

Síolraíonn an ceann baineann sa samhradh in aice an mheilsceánaigh i riocht agus gur féidir leis na cinn bheaga a dhul i bhfolach ann ar a namhaideacha. Níl mórán acu le fáil sa ngeimhreadh mar go dtéann siad domhain sa ngaineamh ón bhfuacht agus ón sioc, go dtaga an t-earrach aríst, go n-ardaí an ghrian agus go dtaga boige, breátha agus síneadh sa lá. Bíonn siad ag geimhreachas ina ríocht dhorcha féin faoin ngaineamh agus faoin uisce.

AN DIÚILICÍN

TÁ na diúilicíní le fáil go han-fhairsing in aice béal abhann. Is cosúil go réitíonn siad féin agus an mearsháile le chéile go maith. Bíonn na háiteacha sin druidte leo, iad le cúl a chéile agus os cionn a chéile ar fud na bhfud. Bíonn siad sin níos mó ná na cinn a chónaíos ar chladaí garbha fiáine. Is beag nach é déanamh na huibhe atá orthu, cuid chomh beag le hubh dhreoilín, agus as sin go dtí ubh ghé, an chuid

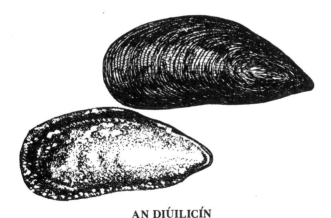

AN DIÚILICÍN

atá i ngreamú den chloch níos caoile ná gob na huibhe agus an gob uachtair chomh maith. Tá iasc blasta séimhí idir na sliogáin. Nuair atá a chóir féin air is blasta an bheatha don duine é.

Bíonn an-dúil ag ballaigh iontu; le linn taoille tuile fágann siad na stopóga agus téann isteach ar na carraigreacha ag ithe diúilicíní. Is minic a mharaigh mé ballaigh ar na fuarleacracha agus bhíodh a mboilg lán leo. Gan aon dabht is maith na baoití iad agus dá bhrí sin piocann na hiascairí go leor acu ó am go ham. Bíonn siad an-fhairsing san earrach agus sa samhradh agus le fáil go fairsing ó leath-thrá go díthrá. Fásann creathnach ar chuid acu; sin é an fáth a nglaoitear creathnach dhiúilicíneach uirthi.

Nuair a chlúdaíos an lán mara iad scaoileann siad na snáitheacha a bhíos á ngreamú den chloch agus bíonn siad ag máinneáil thart ag soláthar a gcuid bia agus a gcuid comhlaí leathoscailte. Tá siad i bhfostú dá chéile le hinse féithleach súpláilte, ach má mhothaíonn sé aon torann is féidir leis iad a dhúnadh go tobann le féith atá ar an taobh istigh a chrapas. Is beag iasc sliogánach nach féidir leo sin a dhéanamh. Tá fallaing scamallach ag clúdú na gcomhlaí agus nuair a dhúnas sé iad bíonn ciumhaiseanna na fallainge thar a chéile de bheagán ar aghaidh na siúntaí. Bíonn easpa bheag sa scamall mar a bheadh sé stróicthe sa scair ag rud gearr eicínt a bheadh ag iarraidh sá isteach idir na comhlaí. Ach sin áit de réir nádúir lena bhfaigheann sé a chuid bia, nó le huisce a bheith ag gabháil isteach agus amach nuair a bhíos glas ar na comhlaí.

Ar na carraigreacha a shíolraíos siad agus bíonn go leor de na cinn bheaga a bhíonn chomh beag le puintín bioráin bhig le feiceáil i dtús an tsamhraidh agus iad chomh dlúth le chéile san áit a raibh na cinn mhóra an bhliain roimhe sin. Bhí siadsan imithe leo go háit eile agus seilbh tugtha do na cinn óga acu. Níl aon mhoill orthu na snáitheacha a scaoileadh, imeacht leo agus ancaire a chaitheamh in áit eicínt eile. Fágfaidh mise mar sin anois iad agus dúnfaidh mé scéal beag seo na ndiúilicíní dúghorma.

AN PORTÁN GLAS

NÍL aon áit idir lán mara agus díthrá nach féidir na portáin ghlasa a fháil agus dá achrannaí agus dá scailpí an limistéar is é a mbuaic é. Nuair a théas an taoille amach buaileann siad isteach ina gcuid aiceacha i bhfolach dóibh féin. Dá n-iompaíteá cloch d'fheicfeá iad ag rith amach uaithi go luath agus ag gabháil faoin bhfeamainn nó faoi chlocha eile. Ní thaitníonn comhluadar daoine leo. Cuireann sé suas a ordóga le troid a dhéanamh má bhíonn sé i sáinn ach go hiondúil is fearr leis rith maith ná drochsheasamh. Dath dúghlas atá ar a dhroim agus buí measctha tríd agus bolg bánbhuí, crios leathan faoi bholg an chinn bhaininn le haghaidh na heochraí a chlúdú. Fásann

AN PORTÁN

83

cluimhreach mín ar na méaracha agus ar na comhlaí beaga atá in aice an bhéil. Tá na súile ar choinlíní i riocht agus gur féidir leis féachaint ina thimpeall i bhfad. Is maith leis an t-aicearra a dhéanamh chun bia, mar dá aimhréití dá mbeadh an bealach ní maith leis a ghabháil timpeall. Dá lofa agus dá bhréine an bheatha is amhlaidh is fearr leis é. Is féidir leis fanacht as an uisce ar feadh tamaill mhaith gan aon mhairg; imíonn sé suas ar an trá thirim go minic ag fiach ar dhreancaidí mara agus ar chuileoga. Deirim leat gur maith cliste uaidh sin a dhéanamh freisin. Bíonn sé ag imeacht thart go réidh nó go mbí sé i bhfoisceacht troigh den dream beag, tugann sé seársa luascánach tapa agus déanann sé an díobháil. Murar féidir leo fiach ar an trá téann siad suas ar an talamh. Is féidir leo fanacht as an bhfarraige ar feadh na hoíche gan aon dochar a dhéanamh dóibh féin, mar an cineál geolbhaigh atá iontu de bharr clúdach a bheith orthu, is féidir leo an fraighfhliuchras sáile a choinneáil ar feadh i bhfad. Fear a bhí ag teacht ó chuartaíocht oíche san airneán chonaic sé go leor soilse ag gabháil trína chéile ar íochtar na dumhaí. Bhí sé cinnte gur sióga a bhí ag geallamansaíocht ann. Tháinig a dhóthain faitís air. Ach casadh duine eile dó ina bhealach agus chuaigh an bheirt le chéile go dtí an áit, agus céard a bheadh ann ach buíon portán ag ithe píosa de roc lofa. Is iad na mearbhaill a bhí orthu a chonaic mo dhuine. Rinne siad ar an bhfarraige chomh luath agus ab fhéidir leo — bhí a mbéile amú orthu.

Aon tráthnóna amháin a raibh mé i mo shuí sa mbád ag ceann na céibhe pé ar bith breathnú a thug mé síos fúm chonaic mé foireann acu timpeall ar sheanbhróg agus iad ag iarraidh í a chrochadh, ceann ag teacht anoir agus ceann ag teacht aniar le cúnamh a thabhairt; thug siad fúithi go maith teann, chroch suas agus bhailigh leo go deifreach. Is beag nár ghlaoigh mé amach agus nár dhúirt: "nár laga Dia sibh, mar is sibh a chuidigh le chéile go fonnmhar, gan ceartas ná leisce." Píosa éisc a bhí a bhfostú thíos sa mbróg ba chiontsiocair lena saothar crua. Thug siad isteach an t-iomlán i ndíog sa gcarraig le féasta a bheith acu uair eicínt eile.

Is minic a níos siad imirce ó áit go háit ar fheamainn reatha le sruth is gaoth. Ní furasta iad a thabhairt faoi deara mar go mbíonn siad ar aon dath leis an bhfeamainn. Fanann siad chomh socair ciúin lena bhfaca tú riamh, faitíos go bhfeicfí iad, mar is minic go mbíonn faoileáin agus geabhróga ocrach.

Sa ngeimhreadh cuireann siad iad féin sa ngaineamh faoi na clocha agus nuair a thagas an t-earrach agus síneadh sa lá bíonn go leor portáin óga ina measc. Is iondúil gur sa samhradh agus sa bhfómhar a scaoileas siad díobh na seanchasóga, go bhfaighe siad cinn nua. Fanann siad sa gclóic, ní mór dóibh sin, mar is deas milis an greim iad nuair atá siad nochtaithe.

Níl mórán maitheasa le haghaidh beatha duine iontu, ach is maith an t-ábhar baoití iad agus, dá bhrí sin, is minic a d'fheicfeá iascaire ag iompú na gcloch sa gcladach nó ag iascach le slat a mbeadh píosa éisc ar a barr le slám acu a chnuasacht faoi chomhair lá iascaigh ar mhuráite ballach.

AN LUAINEACHÁN

NÍL aon chineál de na portáin is aclaí tapa ná an luaineachán. I dteannta a bheith achrannach, is minic a bhíos comhrac idir é féin agus an portán glas. Níl mórán difir eatarthu sa méid, ceathair nó a cúig d'orlaí trasna a ndroma. Is beag nach ionann fad agus leithead dóibh. Dath uaine atá ar dhroim an luaineacháin, agus mar a bheadh scamall d'fhallaing sróil a mbeadh cluimhreach fionnaidh ag fás uirthi ag clúdú na blaoisce. Dath bánbhuí ar a bholg,

méaracha atá leacaithe as a mbarr agus iad gorm,
dearg agus buí measctha trína chéile agus cluimhreach
fionnaidh orthu, na hordóga crochta ar garda, má
airíonn sé aon torann. Tá an crios a mbíonn na
heochraí faoi níos leithne sa gceann baineann ná
sa gceann fireann. Thairis sin, ní mórán difir eile is
féidir a thabhairt faoi deara, ach is iondúil gur mar sin
an scéal le treibh na bportán ar fad. Níl aon mhaith
mhór sa luaineachán le n-ithe ach níl aon locht orthu
le haghaidh baoití. Tá eochraí an chinn bhaininn thar
barr le cur ar bharr an duáin. Níl aon bhlas loicht ar
an gconablach ach an chasóg a bhaint de agus a
changailt faoi do chuid fiacla sula gcuire tú ar an duán
é. Is maith leis an iasc féin roinnt de a chur ar a gcuid
bia. Ó tharla go bhfuil an conablach lán le ballaí
beaga tanaí cnámhacha agus mar a bheadh seomraí
beaga eatarthu ní foláir na cnámha sin a dhéanamh
mion le go mbeadh an greim bog séimhí le fáil acu
siúd atá thíos ag faire ar cheann an dorú. Nach
gceapfá go mb'fhéidir iad a mheilt le cloch? Is féidir,
ach níl siad chomh maith le haghaidh iascaigh. Is
minic riamh ar mhuráite ballach agus mé á gcangailt
go slogainn go leor acu, mar go bhfuil siad an-mhilis
le n-ithe. Rud eile, tá mé cinnte go bhfuil siad thar
barr le haghaidh na fiacla a choinneáil ó lobhadh. Ar
aon chor, tá an-dúil ag ballaigh in aon chineál portáin,
agus dá bhrí sin, ní foláir don iascaire roinnt acu a
bheith aige má bhíonn faoi a ghabháil ag iascach. Bíonn
na luaineacháin an-fhairsing i gcladaí aimhréiteacha
a mbíonn clúdaigh throma barrchonla agus feamainne
buí iontu. Fanann siad istigh ina gcuid aiceacha nuair
a imíos an taoille amach. Nuair a bhíos sé ina lán
mara éiríonn siad amach ag máinneáil anonn agus
anall ar lorg bia. Is fearr leo cunús lofa ná aon rud; is
féidir leo a bholadh a fháil i bhfad. Sin é an áit ansin a
mbíonn an deifir.
    Ó tharla go mbíonn éanacha agus namhaideacha

eile ag faire ar na dreancaidí mara sa lá, nuair a thagas an oíche éiríonn siad amach as an bhfeamainn lofa a bhíos i mbarr an tsnáithe mara agus tosaíonn ag macnas agus ag pocléimneach dóibh féin anonn agus anall ar fud na bhfud, cuid acu a bhuaileas síos go béal na taoille agus má théann leo bíodh acu, mar go mbíonn luaineacháin agus portáin ghlasa istigh ar an trá thirim le greadlach a dhéanamh orthu. Aon tráthnóna deireanach amháin bhí mé ag féachaint ar cheann de chaon treibh acu ag pliobairt a chéile, ach leis an útamáil chuaigh siad rófhada ón uisce mar nach raibh aon aird acu ar thada leis an bhfaobhar a bhí orthu ach is gearr gur scaoil faoileán é féin anuas le luas lasrach, chroch sé ceann acu suas leis ina ghob san aer agus b'fhearr rith maith ná drochsheasamh don cheann eile.

Sa ngeimhreadh bíonn na luaineacháin curtha sa ngaineamh faoi na clocha. Imíonn go leor acu go dtí áiteacha eile, amach ar an gcladach cineálta in aice na n-oileáin bheaga. San earrach is féidir go leor de na cinn óga a fheiceáil faoi chlocha in íochtar an chladaigh — sin é an áit a síolraíonn an ceann baineann.

AN PORTÁN RUA

AR thránna móra sa samhradh agus sa bhfómhar is féidir crónán aisteach an phortáin rua a chloisteáil agus é go sócúlach istigh ina aice idir na clocha agus dá mhírialta achrannach an cladach is é a bhuaic é. Níl baol ar bith nach bhfuil áit chosanta aige agus níl sé éasca a bhaint amach mar go bhfuil sé i gcóimhéid leis an scailp agus a aghaidh amach i gcónaí, comhlaí a bhéil leathoscailte agus é ag cur a ghárthach amach — sin é ábhar an chrónáin. Má dhearcann tú air i ngan fhios tabharfaidh tú faoi deara go bhfuil a ordóga thar a chéile os cionn a bhéil agus na súile ar biríní — ceann trí ladhar i chaon ordóg. Is minic a cheap mé go mba chontúirteach an áit a raibh na súile, go mb'fhéidir dá dtagadh aon néal codlata air nár ba dhóiche cleas a dhéanfadh sé ná dúnadh ar na biríní agus dall a dhéanamh de féin. Is féidir leis na méaracha a chailleadh agus cinn nua a fhás aríst, ach ó chailleas sé na súile níl leigheas air, ach é sa dorchadas i gcónaí ina ríocht féin. B'fhéidir go bhfuil an oiread céille aige ina bhealach féin le haon neach beo; déanann cuid de na daoine féin rudaí greannmhara go minic. Nuair a bhí mé ag múineadh Gaeilge i gCill Dara is é an bóthar soir ó Chaisleán Dhiarmada a bhí mé a thaisteal, ach chonaic mé fear ina shuí go compordach ar ghéag láidir crainn agus é ar a mhine ghéire á gearradh le hithillear. Is gairid gur baineadh geit agus gáire asam nuair a chonaic mé mo dhuine agus an géagán ag teacht go talamh.

Tógann gliomadóirí go leor de na portáin rua ina gcuid potaí i rith an tséasúir agus díoltar go leor acu ar mhargaí éisc ar fud na tíre. Is milis blasta an t-iasc iad le n-ithe. Déanann iascairí baoití díobh. Níl baoite ballach ná bran chomh maith le heochraí dearga an chinn bhaininn sa bhfómhar, le ruainne a chur ar bharr an duáin leis an gcluain a chur ar an mballach agus a mhealladh as an stopóg nó den fhuarleic. Déarfaí le cailín a mbeadh go leor galántachta le dath agus eile uirthi, go mbeadh eochraí ar bharr an duáin aici; is minic gur ar a cúla a déarfaí é — an rud nach gcluineann duine ní chuireann sé mórán múisiam air nó uirthi.

Chomh fada is a bhíos an portán ag méadú bíonn air a chóta a athrú ó bhliain go bliain. Ar feadh an ama fanann sé sa scailp, mar dá bhfaigheadh cuid dá chuid namhaideacha deis air gan an bhlaosc chrua bheadh deireadh leis. Na seanchinn nach n-athraíonn a gcuid cótaí fásann bairnigh agus feamainn orthu.

Ar aon chor, ní dhéanann siad mórán fáin nuair a théas siad in aois. Itheann siad éisc bheaga agus aon chonús eile a chastar leo. Níl aon locht acu air é a bheith lofa ach an oiread.

Bíonn crios leathan faoi bholg an chinn bhaininn agus is faoi a bhíos na heochraí. Ní féidir a theacht in aice léi san am sin mar go mbíonn na hordóga ar garda i gcónaí aici. Síolraíonn siad sa samhradh agus sa bhfómhar agus imíonn siad amach ar an domhain sa ngeimhreadh. Níl mórán iasc ar bith nach ndéanann sin.

AN PORTÁN CLISMÍN

NÍL mórán le fáil den chineál seo timpeall na n-oileán. Corruair d'éireodh leat ceann acu a fheiceáil curtha sa trá, nó ba chirte a rá nach mbíonn le feiceáil ach a shúile agus iad ar bharr na gcoinlíní. Tá sé cineál faiteach agus ní maith leis troid ná eile. Bíonn sé ciúin socair i gcónaí seachas na portáin ghlasa. Is beag nach é an déanamh céanna atá air ach ní bhíonn a bhlaosc chomh crua. Fanann sé i bhfolach i scoilteadh nó sa ngaineamh formhór na haimsire agus cothaíonn sé é féin ar na héisc bheaga bhídeacha a mheallas sé isteach ina dhíog le cineál ribeacha ildathacha atá timpeall chomhlaí a bhéil. Go hiondúil ní dhéanann sé mórán fáin, mar go bhfuil sé an-leisciúil. Cheapfá nach bhfuil mórán mothú ar bith ann agus am den bhliain bíonn sé clúdaithe le fallaing aisteach. Déantar baoití díobh le haghaidh ballach agus bran. Thairis sin níl mórán eile áirge iontu. Bíonn eochraí dearga go leor sa gceann baineann ach is minic nach n-éiríonn léi iad a chosaint mar go mbíonn go leor sa tóir orthu. Bíonn eochraí aon chineál portáin séimhí milis agus dá bhrí sin, ní haon ionadh dúil mhór a bheith ag na feithidí iontu. Murach an scrios a dhéantar ar na heochraí, go deimhin bheadh an cladach druidte leo.

AN PORTÁN IARAINN

Is beag nach cosúil le chéile é seo agus an portán faoileann murach nach mbíonn sé chomh mór; tá conablach cruinn ar nós liathróide aige agus cosa cama fada a bhfuil cluimhreach ag fás orthu; tá blaosc an-chrua ar a dhroim agus dath donndearg air ar nós meirg iarainn. Na cinn óga ní fhaca tú a macasamhail riamh ach damhán alla. San am sin bíonn an bhlaosc bog ach de réir a chéile bíonn sí ag cruaú ar feadh a shaoil nó go mbí an portán in inmhe. Níl aon mhaith iontu le n-ithe, ach déantar baoití ballach díobh anois agus aríst. Go deimhin níl mórán acu le fáil i gcladaí Chonamara.

AN PORTÁN FAOILEANN

PORTÁN é seo nach bhfuil mórán beois ná mothú ann. Ní dhéanann sé mórán fáin ar chor ar bith. An bhlaosc láidir atá air tá sí lán le dealga láidre géara os a cionn agus fásann feamainn agus bairnigh go dlúth idir na dealga sin i riocht agus nach bhfuil sé éasca é a fháil amach ina ríocht féin. Cónaíonn sé in aice le díthrá agus faoi dhíthrá. Is maith leis ar nós na codach eile de na portáin, cladach scailpeach, achrannach, fiáin. Istigh i ndíog agus gan aon fheiceáil air a bhíos an portán fireann, go háirid sa samhradh agus sa bhfómhar. Deirtear go bplandálann sé an fheamainn agus na bairnigh ar dhroim an chinn bhaininn i riocht agus go mbeidh sí i bhfolach ón namhaid i gcónaí.

Níl léamh ar bith ar chomh láidir agus atá an bhlaosc. Is cuimhneach liom aon uair amháin a raibh muid ag baint coirleach thirim ar an taobh ó dheas de Mhuínis. Bhí ceann acusan sa gcosán a raibh mé ag cur isteach na feamainne. Is minic a sheas mé uirthi ar a droim mar gur shíl mé gur cloch a bhí inti ar dtús, mar go raibh sí chomh cosúil leo i méid agus i ndeánamh agus an cineál céanna ag fás uirthi agus a bhí ar na clocha agus gan cor ná car aisti ach í chomh daingean, dingthe idir na clocha eile lena bhfaca tú riamh. [D'fhág mise í mar a bhí sí mar nach raibh aon am agam le bheith ag leibideacht; bhí an bád le luchtú agus ní fhanann taoille tuile le haon duine, ná níor fhan riamh.] Is deas cliste uaidh sin a dhéanamh, mar go mbíonn an fheamainn agus na bairnigh ar an dath céanna leis an gcladach mórthimpeall air. Níl aon mhaith ann le n-ithe agus ní mórán úsáide a bhaineas iascairí as le haghaidh baoití. Déanamh cruinn atá air timpeall le cúig nó a sé horlaí ar leithead agus méaracha an-fhada air. Chuirfeadh sé i gcuimhne duit damhán alla a bheadh san ainmhéid. Níl siad chomh fairsing leis na portáin rua. Tógann gliomadóirí corrcheann acu sna potaí anois agus arís. Go deimhin, is gránna an feithide é nuair a bhíos an mangarae ar a chruit, ach is maith a théas a bhearradh dó mar sin féin.

.

AN GLIOMACH

IS beag duine nach bhfaca an gliomach i mbia-theach nó i siopa éisc agus dá bhrí sin ní mórán is gá a rá faoina dhéanamh. Tagann athrú air nuair a bhruitear é. An dath gorm, breactha le buí, dearg agus bán a bhí ar an mblaosc nuair a bhí sé ina ríocht féin i measc na gcloch, tréigeann sé go dearg de bharr an fhiuchta agus an bháis mhínádúrtha.

Níor chuimhnigh sé air sin nuair a mheall an baoite isteach sa bpota é. Nuair a bhí sé istigh ní raibh sé ró-éasca aige a theacht amach. Scar sé óna ríocht go deo arís; cailleadh lena bholg é mar a chailltear go leor nach é.

Tógtar go leor acu le potaí sa samhradh agus sa bhfómhar. Le linn an ama sin tagann siad ina gcluichí líonmhara isteach ón aibhéis choimhthíoch. Is mór an chabhair sin do na gliomadóirí; déanann siad saothrú dóibh féin agus dá muintir ar feadh an tséasúir.

Bíonn siad beag agus mór de réir mar a bhíos aois acu. Ní ghlacann na ceannaitheoirí aon cheann faoi ocht n-orlaí. Nuair a bhínn ag gliomadóireacht roimh aimsir an chogaidh sé scilleacha an dosaen a d'fhaigheadh muid mar shnámhadh siad. Go deimhin, ba shaor an bheatha iad san am sin.

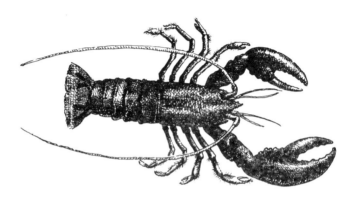

AN GLIOMACH

Is cuimhneach liom uair ar thóg muid gliomach mór i líon ballach, gliomach a bhí ceithre troithe ar fhad ó bharr a dhriobaill go spreoid a mhullaigh. Bhí sé suas le trí clocha meáchain. B'iontach an scuaille é agus é clúdaithe le coirleach agus rufaí agus bairnigh i riocht agus go raibh sé ó aithne, agus nuair a ghearr agus bhearr mé de an mangarae bhí roinnt dá chuma féin air. Ní raibh mórán maitheasa le n-ithe ann mar bhí roinnt mhaith uisce tríd an mbia. Bhí an t-iasc an-bhog ar fad, freisin.

Ní dhéanann an cineál sin mórán fáin. Fanann siad in aice na cloiche ó bhliain go bliain i riocht agus go bhfásann cótaí troma feamainne agus bairneach orthu. Bíonn na mílte gráinne d'eochraí i ngreamú faoi bholg an chinn bhaininn. Is cosúil le síol tornapaí iad. Is féidir lán cupáin acu a bhaint ó ghliomach deich n-orlaí ar fhad. Tá na gliomaigh an-mhilis agus dá bhrí sin bíonn éisc eile sa tóir uirthi. Déanann sí a dícheall lena cuid eochraí a chosaint. Troideann sí go fíriúil agus coinníonn sí a drioball fillte ó am go ham aniar os cionn na n-eochraí, chomh fada le bliain, corruair.

I ndiaidh a dhrioball is iondúla leis an ngliomach gluaiseacht agus is féidir leis a ghabháil an-tapa freisin. Crapann sé isteach barr a dhriobaill lena sheársa a thabhairt, nó a léim ba chirte a rá.

Is minic a d'fheicfeá na cinn óga ag snámh i mbarr uisce in aimsir bhreá. Níl siad ach chomh mór le séacla beag, timpeall dhá orlach ar fhad. Is an-deacair iad a thabhairt faoi deara mar go bhfuil siad ar dhath an uisce; mar sin féin déanann éisc eile lot mór orthu. Is é an ríbheagán a ritheann leo. Go deimhin dá mbeadh i ndán agus go dtiocfadh an síol ar fad in inmhe bheadh an fharraige druidte le gliomaigh. Cuireann an nádúr cosc leis. Is iontach an bealach ar féidir léi barr slaite a choinneáil ar na héisc sa gcaoi nach mbeidh siad rólíonmhar, is é sin iad féin a bheith ag sladadh a chéile.

Níl mórán cineál sa bhfarraige nach bhfuil leath ag an ngliomach uaidh maidir le hoilbhéas. Imíonn sé le buile ar fad má bhíonn aon steamar ocrais air. Ní bhíonn trua ná taise aige d'aon fheithide eile.

Is maith is cuimhneach liom tráthnóna breá sa bhfómhar a raibh mé ag iascach portán san Aircín. Bhí gliomach ag cur as go mór dom mar go raibh sé ag coinneáil na bportán ón mbaoite. Ach le scéal gearr a dhéanamh de, scuab sé leis an píosa éisc sa deireadh de mo shlat iascaigh agus ní fhaca tú a shamhail riamh ach muc a bheadh ag tochailt, nó go ndearna sé poll faoi bhun cloiche. Chuir sé an leadhb éisc mar a dhéanfadh madra agus is é a bhí deas ar a chlúdú lena dhrioball, le gaineamh agus feamainn. Bhuail sé isteach san aice aríst sásta go maith leis féin, cheapfá. Dheamhan mórán achair go bhfuair na portáin boladh an chunúis agus thosaigh siad ag rómhar, trí cinn acu ar a mine ghéire, ach ní dheachaigh leo mar go dtáinig an gliomach d'aon léim amháin i ndiaidh a chúil agus leag sé an teanchair ar an gcéad cheann a casadh leis de lucht na foghlach agus b'fhearr rith maith ná drochsheasamh don chuid eile. Níor fhága sé ar míscríb a chuid anois mar thug sé isteach san aice leis é. Sílim gur ag na portáin a bhí féasta air sa deireadh mar go raibh an cosantóir abhaile liomsa tráthnóna, sa mbuicéad.

Nuair a bhí sé ar an bpláta agam agus a chóitín gorm athraithe go dearg thosaigh mé ag machnamh: "A chréatúir bhoicht," a deirimse i m'intinn féin, "nach tú a bhí amplach tá tamall ó shin ann! Nach furasta do dhóthain a thabhairt duit anois. Is mairg a bhíos go holc agus bocht ina dhiaidh. B'fhéidir dá bhfantá istigh i do scailp ó thús go mbeadh an báire leat. Ina dhiaidh a thuigtear gach beart."

Ní gliomadóirí an t-aon namhaid amháin atá acu. Déanann fíogaigh, scolbaird, roic, mangaigh, troisc agus éisc eile greadlach orthu. Is minic a chonaic mé ceann sé nó a seacht d'orlaí i mboilg chuid acu sin a luaigh mé. Troideann an gliomach go fíriúil misniúil agus is furasta a thabhairt faoi deara go mbíonn sé i gcathanna móra, le coilm na lot a bhíos ar a chonablach agus ar a ghéaga. Má chailleann siad cuid de na méaracha ná na hordóga féin fásann cinn nua ina n-áit gan mórán moille. Ní hé sin amháin ach má théann siad in aimhréidh ná i bhfostú in aon rud ní dhéanann siad ceo na fríde ach iad a fhágáil ansin agus imeacht má bhíonn aon ghéag fágtha ar chor ar bith ar an gconablach.

Ní aon déanamh amháin atá ar ghabhlóga na n-ordóg — mionfhiacla beaga géara i gceann acu a dtugtar an siosúr uirthi agus fiacla móra sa gceann eile a dtugtar an teanchair uirthi. Ní foláir do na gliomadóirí an fhéith láidir atá i ngabhal na gabhlóige a ghearradh nuair a bheas siad á gcur sa ríphota, is é sin bannaí a chur orthu sula maraídís féin a chéile.

Bíonn níos mó gliomach le fáil an bhliain a thagas isteach go breá agus a mbíonn an fharraige cineálta, ná mar a bhíos bliain gharbh. Deirtear nuair a bhíos oibriú sa bhfarraige go mbíonn siad an-ghiongach agus nach ndéanann siad aon mhoill mhór in aon áit amháin ar bith ach ag máinneáil leo ar fud na farraige móire.

Má bhíonn siad fairsing féin agus báid a bheith ag gliomadóireacht ar feadh achair fhada as a chéile in aon áit amháin ar bith, bánaíonn siad é agus ní fhanann ceann ann de bharr na síorchorraí gan aon stad. Ní foláir roinnt ama a thabhairt do gach limistéar agus gan aon áit a shaighdeadh as éadan.

Le blianta beaga anuas déanann báid mhóra iascaigh as an bhFrainc agus as tíortha eile lot mór ar ghliomaigh agus ar ghabhail mhara siar ó imeallbhord na hÉireann. Tógann siad go leor acu; is iad atá deas air mar go bhfuil gach gléas agus deis acu dá fheabhas agus báid mhóra acmhainneacha.

Ní féidir leis na gliomaigh a theacht in aice an chósta mar gheall ar na cladaí potaí atá i bhfad siar ag na báid sin, agus ní hé sin amháin ach is minic go mbíonn trálanna ag cíoradh an ghlain. Féach gur beag an seans atá ag an bhfear bocht atá go dlúth leis an gcloch ina churach nó ina phúcán. Nach mór an feall nach bhfaigheadh sé deis agus bád mór acmhainneach a thornálfadh amach ar gach aimsir go clár na himeartha agus a chuirfeadh agus a thógfadh líonta agus potaí más garbh nó mín an lá.

Is minic in aice an chladaigh féin go mbíonn sé

dona go leor ag na báid bheaga agus nuair a thagas drochoícheanta go ruaigtear na potaí isteach i dtír agus go mbristear iad in aghaidh an chladaigh; agus ní gan anró sraith potaí a dhéanamh i dteannta an chostais, ach nuair a bhíos ar an ngliomadóir a ghabháil aríst chun coille agus slatracha a bhaint, potaí nua a dhéanamh agus a ngléasadh bíonn an scéal seacht n-uaire níos measa.

AN GABHAL MARA

Ní mór nach cosúil le chéile an gabhal mara agus an gliomach maidir le déanamh. Is iondúl gur dath dearg a bhíos ar an ngabhal mara agus go mbíonn sí níos mó ná an gliomach.

Is minic a thóg muid i líonta ballach iad timpeall charraigreacha Sceirde; tá siad fairsing go leor freisin ar na láithreacha doimhne timpeall Charraig na Meacan. Is deas milis an t-iasc atá orthu agus láidir. Is mór an comhluadar tí nach bhfuil ceann acu i riocht a sáith a thabhairt dóibh.

Is maith is cuimhneach liom an méid iontais a rinne mé de cheann acu a thóg muid i Sceirde nuair a bhí mé i mo ghasúr, i dtaobh an cheoil a bhí sí a dhéanamh nuair a tugadh thar bord í, ceol láidir creathánach a mhair ar feadh an turais aniar go raibh muid sa mbaile.

Bíonn go leor eochraí faoin gceann baineann agus is i bhfad amach ar an domhain a sceitheann sí.

AN TONNACHÁN TRÁ

Is cineál péist é an tonnachán trá ar nós míol críonna nó dreancaid mhara. Bíonn sé ag síorobair le linn taoille trá ag déanamh uachaiseacha beaga faoi uachtar an ghainimh. Níl sé níos mó ná dhá orlach ar fhad agus bríomhar dá réir. Cuireann sé an cloigeann biorach crua aníos ón ngaineamh anois agus aríst le breathnú ina thimpeall ag féachaint cé mar a bhíos an obair ag gabháil ar aghaidh.

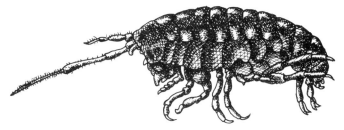

AN TONNACHÁN TRÁ

Ní mé beo cén fáth a n-oibríonn sé ar a mhine ghéire mar seo. Ní théann sé chun cónaí chuigint. Bíonn slua mór acu ag cuidiú le chéile go dílis dúthrachtach.

AN RIBE RÓIBÉIS

"RIBE ribe róibéis tabhair dom greim ar bharr do shlaite bige agus tabharfaidh mé duit aríst amárach í;" sin mar a deireadh muid fadó agus muid ag iarraidh an chluain a chur ar an iasc beag seo a bhíodh ag snámh anonn agus anall sna locháin in íochtar cladaigh. Ní raibh sé éasca iad a fheiceáil mar tá siad ar aon dath amháin leis an ngaineamh atá ar íochtar an uisce, ach má chuireann tú do láimh isteach agus spás beag a fhágáil idir an chorrmhéir agus an ordóig, san am céanna ag rá go bog ceolmhar: "Ribe ribe róibéis tabhair dom greim ar bharr do shlaite bige agus tabharfaidh mé duit aríst amárach í," ní i bhfad go mbí slua acu timpeall do láimhe, agus iad mar a bheadh siad ag déanamh iontais den phíosa feola, ach is gairid go gcuirfidh ceann acu a bheas níos dána ná an chuid eile a ribe san áit chontráilte. Is dóigh go síleann sé gur rud le n-ithe na méaracha ach má dhúnann tusa go tapa beidh a mhalairt de thuairim aige, mar go mbeidh sé i bhfostú agat idir súil d'ordóige agus do chorrmhéire. Deirim leat dá laghad é gurb é a dhéanfas an iarracht ar é féin a fháil saor as an ngéibheann. Troideann sé go misniúil ach mar sin féin ní bhíonn aon mhaith dó ann mar go bhfuil a leath deiridh rómhilis le n-ithe fuar nó bruite. Faigheann

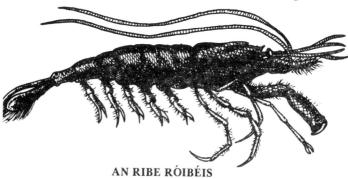

AN RIBE RÓIBÉIS

go leor acu drochbhás mar déantar dhá leith díobh agus iad á gcroitheadh féin ina mbeatha. Itear an drioball agus caitear an cloigeann chuig an deachú mar níl ann ach putóga agus cnámha. Tá cosúlacht mhór acu le gliomaigh maidir le déanamh agus eile: ó orlach go dtí trí horlaí ar fhad is iondúla a bhíos siad. Is deas séimhí blasta an t-iasc iad agus níl aon bhaol nach mbíonn glaoch ar mhargaí éisc orthu. Tógtar go leor acu in áiteacha le cineál líonta beagmhogallacha, ach ní dhéantar mórán den chineál sin iascaigh i gConamara fós. Bíonn eochraí go leor sa gceann baineann agus sceitheann sí de réir nádúir nuair a thagas an t-am. Imíonn siad amach ar an domhain sa ngeimhreadh de réir a ndúchais, mar a dhéanas go leor eile nach iad.

IASC NA FARRAIGE

AN LUATHÓG

BAINEANN na luathóga le treibh na n-eascann, agus
faightear cineál acu i locháin fíoruisce nó i srutháin
nó in aon áit a mbíonn roinnt uisce agus an cineál
eile i locháin sáile sa gcladach. Ní haon dath amháin
a bhíos orthu; an chuid a bhíos in aice an ghainimh
bíonn siad níos báine ná na cinn a bhíos le fáil i
láib. Timpeall le seacht nó a hocht d'orlaí ar fhad a
bhíos cuid acu. Is baoite maith í ach an craiceann a
fheannadh di, go háirid an luathóg ghealbhuí a fhaigh-
tear in aice an ghainimh; meallann sí an breac dá
chliste é.

AN LUATHÓG

Níl caoi ar bith is furasta iad a fháil ná, má bhíonn
aon sruthán ag teacht go dtí an lochán a mbeadh
brath agat iad a thógáil ann, é a stopadh ó bheith ag
rith, le scraitheacha agus rudaí mar sin, agus an
lochán a thaoscadh tirim. Feicfidh tú na luathóga
ansin tirim, ag lúbarnach agus ag déanamh fáinní
díobh féin agus ag iarraidh a ghabháil i bhfolach faoin
ngaineamh agus faoi na clocha beaga.

Ó tharla go bhfuil siad an-sleamhain, ní mór duit

lann na scine a leagan go héadrom orthu le breith orthu, nó slám gainimh a bheith agat i riocht agus nach sciorrfadh siad trí do mhéaracha an fhad agus a bheifeá á gcur sa soitheach.

Is minic a thugtar do ghamhna iad mar leigheas ar thart bruithleacháin. Cuirtear i mbuidéal naoi nó a deich de cheanna acu ag snámh in uisce. Cuirtear scroig an bhuidéil i mbéal an bheithígh agus imíonn siad siar ina mhuineál leis an sruth. Amanta ní dhéanann siad aon mhaith agus ansin coinnítear buidéal eile leis. Is iomaí uair riamh a chonaic mé ag leigheas iad. Deirtear gur san earrach is fearr iad le haghaidh gnótha den tsórt sin.

Nuair a bhíos aimsir thirim ann is minic go dtriomaíonn cuid de na locháin agus is maith cliste a bhíos siad mar go n-imíonn siad astu san oíche agus snámhann siad tríd an bhféar go dtí na locháin a mbíonn uisce iontu. Ach is féidir leo maireachtáil beo tamall maith gan a bheith san uisce ar chor ar bith.

Deirtear gur as ribeacha d'fhionnadh ainmhí eicínt a chruthaíos siad. Is minic a chonaic mé na ribeacha sin ag lúbarnach agus súile iontu faoi na clocha sna locháin. Níl aon bhaol nach aisteach an rud é.

Ní itear na cinn bheaga seo i Muínis; go deimhin bíonn col agus coimhthíos ag na daoine leo agus b'fhéidir gan aon chall leis.

Fear siúil a bhí ag dul thart aon uair amháin dúirt sé go raibh siad go maith le haghaidh daoine a bheadh breoite chomh maith le beithígh. Ní mórán géilleadh a tugadh dó. Tá barúil agam nár lig an faitíos d'aon duine aon triail a bhaint astu.

Déantar baoití spiléid díobh, freisin. Gearrtar ina bpíosaí iad agus cuirtear ar a dtrasna le cúl a chéile ar na duáin éisc mhóir iad le haghaidh an domhain. Tá siad thar barr le haghaidh an chluain a chur ar throisc, ar chadóga agus ar mhangaigh agus b'fhéidir go meallfadh an mangach scolbard nó bóleatha chuige.

AN MUIRICÍN

BíONN an-tóir ag an muiricín a bheith in áit a mbíonn scothach nó aon chineál feamainne i dteannta a chéile ar phoill. Timpeall le seacht nó a hocht d'orlaí ar fhad a bhíos sé, agus cineál craiceann sliogánach crua ar nós na snáthaidí mara air. Is cosúil le cloigeann cú an cloigeann atá air agus é ag caolú siar in aice an driobaill. Déanann sé úsáid mhór den drioball. Is minic go gcasann sé timpeall ar shlat mhara é nuair a bhíos sé ag tóraíocht rud le n-ithe agus ag strapadóireacht in airde.

AN MUIRICÍN

Níl aon mhaith iontu le haghaidh beatha don duine; go deimhin níl an oiread sin le fáil acu timpeall na n-oileán. Is iondúil go bhfágann siad an cósta i ndeireadh an fhómhair agus go ndéanann siad imirce go háit eicínt eile.

AN SCADÁN GAINIMH

TAGANN siad isteach ón bhfarraige i ndeireadh an earraigh agus aríst sa bhfómhar, ina gcluichí líonmhara. Ní mórán am sa bhliain nach mbíonn beagán acu le fáil sna tránna; fágann sin go bhfanann cuid acu in aice na trá i gcónaí. Tá níos mó ná aon chineál amháin acu le fáil. Na cluichí a thagas isteach san earrach, bíonn cuid acu troigh ar fhad agus breá ramhar, i bpríomh a maitheasa, na cinn bhaineanna lán le pis.

101

Ní bhíonn na cluichí fómhair chomh mór, timpeall le sé horlaí ar fhad, agus tá cineál beag bídeach ann nach mbíonn mórán le dhá orlach. Tagann go leor acu sin isteach sa samhradh roimh éisc eile.

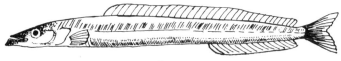

AN SCADÁN GAINIMH

Na cinn mhóra a thagas isteach san earrach is iondúil gur i dtrá chrua a théas siad in aice le díthrá agus na cinn fómhair is fearr leo an gaineamh bog. Baintear go leor acu le sluaistí sna hoícheanta gealaí, i gcás dá mbeadh an oíche roinnt dorcha féin gur féidir iad a fheiceáil de bharr an loinnir a chuireas na mearbhaill iontu. Nuair a iompós tú an spreab tosóidh siad ag pocléimneach ar feadh tamaill bhig agus fanann siad socair ansin agus téann siad sa ngaineamh má fhaigheann siad an deis. Bíonn dath an ghainimh ar a ndroim, agus a mbolg níos báine ná sin, dath na farraige ó thóin an phoill – is é sin dá mbeifeá ar thóin an phoill agus breathnú os do chionn. Is mar sin atá gach cineál éisc a shnámhas in aice le huachtar. Ní foláir dóibh slí chosanta a bheith acu le dallamullóg a chur ar an namhaid mar ní túisce in íochtar é ná in uachtar, an scadán, an ronnach, an mangach agus go leor eile a choinníos in aice uachtar na farraige. Ní dhearna an nádúr dearmad gan a ndathú ar chaon taobh de réir mar a bheadh feiliúnach. Le féachaint síos san uisce domhain ar dhroim an ronnaigh nó an scadáin níl sé éasca a thabhairt faoi deara, ach má chuireann sé a bholg os a chionn is féidir é a fheiceáil go maith soiléir. Ar an láimh eile, níl sé éasca iad a thabhairt faoi deara ó thóin an phoill. Féach an leatha atá breactha ildathach ar nós an ghainimh san áit a gcónaíonn sí. Murach an scáth cosanta atá acu ó dhúchas, níorbh fhéidir leo iad féin a shábháil ar fhíogaigh agus ar amhais nach iad atá ocrasach i gcónaí ag drundáil thart sa bhfarraige. Faoileáin, ogastúin, cailleacha dubha agus éanacha mara eile a bhíos ag eiteall anonn agus anall ag faire ar a seans, is orthu a bhíos an gliondar nuair a dhéanas na fíogaigh lot, mar go mbíonn iarsmaí na foghlach acusan ina bpíosaí beaga agus na cinn a ghointear sa tseilg éiríonn siad go barr uisce. Sin é an uair a bhíos an féasta ag cailleacha dubha agus ag faoileáin bhána.

Na scadáin ghainimh a bhíos i bhfolach sa trá, nach aisteach go mbíonn a fhios ag na daoine a théas á mbaint go mbíonn siad sna geadáin sin. Déanann na faoileáin scéala orthu, mar bíonn siad ag siúl anonn agus anall ar an trá os cionn an éisc agus ag baint a n-ailp amach ó am go ham. Is beag áit a mbíonn an breac nach ndéanann na faoileáin scéala air, is cuma amuigh san aibhéis choimthíoch nó ar chladach nó ar thrá.

Is deas milis an t-iasc na scadáin ghainimh nuair a bhíos siad gléasta mar is ceart, agus dá bhrí sin ní ligeann mná, gasúir, ná fir a leas ar cairde gan an trá a chartadh sna hoícheanta le slám acu a bhaint; mura mbeadh tada eile acu ann, is mór an caitheamh aimsire dóibh é agus bíonn greann go leor ar bun ag na buachaillí agus ag na cailíní i rith shéasúr a mbainte, go mór mór nuair a bhíos an aimsir faoi dóibh maidir le bheith breá tirim agus geal. Baintear go leor acu as Trá na hAille ar an taobh thoir de Mhuínis.

IASCÁN AN GHA NIMHE

MAIREANN sé seo i gcuanta tanaí. Is minic gur féidir é a fheiceáil á chur féin sa trá i riocht agus nach mbíonn aníos ach a shúile. Timpeall le hocht n-orlaí ar fhad a bhíos siad, cloigeann mór agus dhá shúil lonracha, eití beaga droma agus an eite a bhfuil an ga inti ag a imleacán; is féidir leis éisc bheaga a mharú leis an nga sin. Déanann sé scrios mór ar scadáin ghainimh, ar ribeacha róibéis, ar mhalraigh Cháit, ar shearróga agus ar go leor eile. Is féidir leis éisc faoi dhó níos mó ná é féin a chur ó rath le priocadh den gha. Ní ocras a chuireas ag marú é leath na haimsire, ach grá don chomhrac; sin é an mianach atá sa mbuachaill. Aon lá amháin a raibh mé ag baint scadán ar an Ard-Trá chonaic mé é ag cniogadh seacht nó a hocht de scadáin i ndiaidh a chéile. Bhí sé ag tochailt tríd an ngaineamh mar a bheadh muc ann. Aon cheann a chastaí leis dhéanadh sé crústa de. Ní leagadh sé béal orthu; i gcruthúnas duit gur cleas mallaithe atá aige an marú, ar nós an chait le marú na luchan.

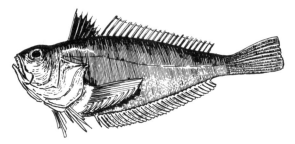

IASCÁN AN GHA NIMHE

Breac an-choilgneach é le breith air agus mura mbí tú an-chúramach beidh scéal agat air, mar má chuireann sé an ga i do láimh bainfidh sé geit agus glao asat. Tá cosúlacht mhór aige le ga meachan ach go ritheann sé suas trí do láimh mar a bheadh sruth aibhléise ann. Is maith is cuimhneach liom an chéad lá riamh ar chuir ceann acu as mo mheabhair mé le ga. D'fhan léas ar mo mhéir ar feadh dhá lá ina dhiaidh. Tá cineálacha eile ar nós na smugairlí róin ar féidir leo duine a ghortú go maith ach níl siad chomh mallaithe leis seo.

104

Níl aon mhaith ann le n-ithe agus ní dhéantar baoití féin de. Go deimhin, ní maith le haon duine aon phlé a bheith aige leis. Ní fhaca tú aon ionadh riamh ach chomh deas agus a shocraíos sé é féin faoin ngaineamh, gan blas riamh le feiceáil ach a dhá shúil. Ní bhíonn siad thart ar chor ar bith sa ngeimhreadh, mar teannann siad amach ar an domhain mar a dhéanas go leor eile.

Sceitheann an ceann baineann in aice an chladaigh i measc na gcloch agus na feamainne. I rith an ama sin bíonn an ceann fireann gnóthach go leor lena gha ag díbirt aon fheithide eile uaithi a thagas i ngar ná i ngaobhar.

AN tSNÁTHAID MHARA

BUAILEANN siad seo isteach chugainn ón domhain, i dtús an tsamhraidh. Is minic a bhíos siad le fáil tríd an scothach nuair a chaitear i dtír í le hoibriú na farraige. Go deimhin, is aisteach an breac í; ceathair nó a cúig d'orlaí ar fhad, caol ar dhéanamh na snáthaide móire, craiceann crua air agus é cineál sliogánach, go mór mór amach chun tosaigh.

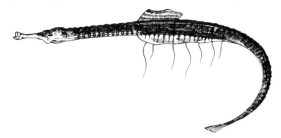

AN tSNÁTHAID MHARA

Is maith an baoite mangach í, agus le linn iad a bheith le fáil tagann a lán cluichí eile aniar ón bhfarraige. Leanann siad féin a chéile agus ní le

gean dá cheile, mar bíonn sé ina throid agus ina
mharú ar feadh an turais, iad féin ag maireachtáil
ar a chéile. An dream beag a bhíos thiar leis. Ní
bhíonn aon trua ag an láidir don lag.

AN BREAC GIÚIRLINNE

Is aduain aisteach an cineál éisc iad na bric ghiúirlinne
agus bíonn col agus coimhthíos mór ag a lán rompu.
Ceaptar go bhfuil baint leis na daoine maithe acu, mar
ní fheictear iad ach ar bhealaí mínádúrtha eicínt, ar
raic, i mboscaí nó i mbairillí a bhíos clúdaithe le
giúirlinneacha a bhíos troigh ar fhad. Bíonn na giúir-
linneacha idir a mbruasa acu, mar a bheadh bainbh
óga a bheadh ag diúl ar chráin mhuice. Na cinn
a chonaic mé acu timpeall Mhuínse, ní raibh siad
thar seacht nó a hocht d'orlaí ar fhad. Go deimhin, ní
raibh a bhformhór thar cheithre horlaí agus is beag
nach é dath shliogán na ngiúirlinneacha atá orthu,
dath gorm dubh os a gcionn agus dath níos buí ar a
mboilg, craiceann sleamhain gan mórán lannacha,
déanamh uibheach ach roinnt leacaithe in aice an
driobaill, súile mór go maith agus bruasa boga silteacha.
Is cosúil gur treibh fhaiteach choimhthíoch go maith
iad, mar imíonn siad den raic go tapa ar theacht i
dtír dó, is é sin má bhíonn siad ar an taobh amuigh.
Ach is minic a bhíos siad i ngéibheann istigh i mbairille
nó i mbosca.

Aon lá amháin, tugadh bosca mór i dtír go Muínis.
Chaith Seán Antaine (beannacht Dé lena anam) ó
mhoch na maidine go dtí smál na hoíche á tharraingt
isteach ón bhfarraige i ndiaidh an phúcáin. Bosca an-
mhór a bhí ann, timpeall le hocht dtroithe cearnógacha,
agus é dúnta go daingean ar gach taobh le cláir a
bhí orlach go leith ar tiús, i riocht agus nach raibh
bealach amach ná isteach ag aon rud beo ach ag uisce.

Bhí culaith throm giúirlinneacha air mar is gnách le raic a bhíos i bhfad á bhocáil ar ucht ard na dtonn. Nuair a bhí sé le taobh na céibhe, chuala duine eicínt cleatráil agus slup slap ar an taobh istigh de. Baineadh cúpla iompú as féachaint a raibh poill ná doras air. Ní raibh ach na siúntaí a bhí idir na cláir, nach gcuirfeá tada thar bharr scine iontu. Is gairid go raibh fear agus tua aige á ionsaí go faiteach. "Fanaigí amach uaim," a deir sé leis an dream a bhí ag brú isteach, "más é an diabhal féin atá ann caithfimid é a fheiceáil gan mórán moille." Ag oscailt ceann cláir amach le béal na tua céard a léimfeadh amach ach bulc de na bric ghiúirlinne. Baineadh geit as cuid den dream a bhí ar bhruach na céibhe agus ó bhí an oíche ann san am céanna agus na bric ag snámh i mbarr uisce amach le ceann na céibhe, ba mhór an áilleacht go deo an ghlioscarnach shoilse a bhí timpeall orthu de bharr mearbhaill.

Ach aon ní amháin a ndearna muid iontas ar fad faoi ach cén bealach a mb'fhéidir leo a ghabháil isteach, agus ó bhí siad istigh ní raibh aon deis acu é a fhágáil go deo. Cén t-ionadh má chreid go leor gurb iad na brilleoga léin a bhí thart i gcumraíocht éisc. Comhartha é go raibh rud eicínt le tarlú, b'fhéidir.

Cheap tuilleadh ó bhí an áit an-chosanta go mb'fhéidir go raibh deis eicínt ag an mbreac baineann le mórchuid d'eochraí a pise a chur isteach sna siúntaí idir na cláir. Áit mar sin, níorbh fhéidir le héisc eile iad a fháil, mar is mór an tóir féin a bhíos acu orthu. Níl aon dabht nach bhfuil cuid de na héisc an-chliste le linn sceite dóibh. Déanann go leor acu a ndícheall lena gcuid a shábháil ar a namhaideacha ocracha.

Am eile tamall blianta ó shin chonaic mé bairille ag teacht isteach i dtír i gCrompán an Chúir in aice le tobar Cholm Cille i Muínis. Bhí brat trom giúirlinneacha air, agus an bunc imithe as, ach ní raibh sé folamh, mar go raibh cluiche de na bric ghiúirlinne istigh i seilbh. Ní raibh aon deis acu le teacht amach mar go raibh an poll róchúng; bhí slup slap acu. Cuireadh taobh an phoill faoin mbairille féachaint an dtiocfadh siad as géibheann. Chuir duine isteach a dhá mhéir sa bpoll ach bhí deifir air á dtarraingt amach, mar rug ceann acu air, agus ghortaigh a mhéir. Bhí an oiread feirge air agus gur rug sé ar mhoghlaeir cloiche. "Teannaigí amach," a deir sé, ag cur an éadain isteach sa soitheach. Thug sé cúpla failm eile dó go ndearna sé píosaí de i mbéal na toinne. Tháinig maidhm a scaip na candaí agus na héadain anonn agus anall sa gcladach. Rinne na lataí gliong gleang ar thitim síos dóibh idir dhá mhullán. An méid nár goineadh de na bric, chuaigh siad i scailpreacha, agus thug tuilleadh acu an fharraige amach dóibh féin. Níor mhaith le haon duine aon bhlas a bheith le déanamh acu leo. Cheap siad nach rudaí cearta iad agus go raibh asarlaíocht eicínt ag baint leo. Níor chuala mé go bhfaca aon duine riamh iad ach ar raic, ná gur maraíodh le dorú, ná gur gabhadh le líon iad ach oiread. Níl a fhios agam an bhfuil aon mhaith iontu le n-ithe; is dóigh liom nach mbainfear aon triail astu i Muínis go háirid.

Is maith is cuimhneach liom lá breá sa bhfómhar a raibh mé ag baint feamainne ar an taobh ó dheas d'Oileán Lachan. Pé ar bith breathnú a thug mé siar ar dhroim na farraige, chonaic mé mar a bheadh sail ann ag teacht aniar agus stadhan faoileán uirthi, amanta iad ag éirí di, agus ag meascadh trína chéile san aer, ag luí uirthi aríst agus ag pliobairt a chéile faoi na giúirlinneacha. Bhí tuairim agam go mbaileodh sí soir taobh amuigh den phointe, agus ó bhí an bád ar an taobh eile den oileán bheinn mall lena tabhairt timpeall anuas. Ní raibh aon leigheas air ach a ghabháil sa snámh, bhí an tsail ag scuabadh soir an pointe faoi seo. Níor thráth le faillí é, agus dá dheasca sin, shín mé amach san uisce, leoithne éadrom ghaoithe aniar agus taoille tuile á mealladh soir amach uaim. Nuair a tháinig mé i bhfogas di, scoir na faoileáin agus chuir siad gleo caointeach casaoideach suas. Níor thaitnigh leo seilbh a ligean liomsa de réir cosúlachta. Chuaigh mé ar an taobh amuigh den raic agus thosaigh mé á toncáil isteach agus de réir mar bhí an taoille ag baint fúm soir bhí an cladach ag teannadh uaim. Ní raibh mé ábalta do chumhacht an tsrutha; m'anam go raibh rud beag eagla ag teacht orm. Chuaigh mé in airde uirthi le cois ar gach taobh agus sliogáin na ngiúir-linneacha géar go maith, freisin, le mo chraiceann nocht. Is gairid gur airigh mé na bric ghiúirlinneacha ag gabháil i ngreamú díom agus ag cur dinglise, ceann acu a bhí i bhfostú idir bois mo dhá shlinneán. Sin é an buachaill a bhí do mo chiapadh agus le barr a chur ar an mí-ádh, tháinig cluiche muca mara, agus deirim leat nár dheas na smaointí a bhí ag rith trí m'intinn, go mór mór nuair a mhothaínn a gcraiceann ag cuimilt le rúitíní mo dhá chois. Tháinig galar creathach orm nuair a chuimhnigh mé go mb'fhéidir go mbeadh siorc féin ag máinneáil thart. Nach bhfaca mé ceann acu siar ón oileán tá seachtain ó shin ann? Céard a bhí le cosc a chur air? Ní raibh claí ná fál roimhe. Níor chuala mé riamh go raibh aon mhísc sna muca mara, ach thairis sin cá bhfios cén smaoineamh a bhuailfeadh iad. Dá ngearrfadh siad an chois díom nárbh é an cás céanna é le siorc á dhéanamh? D'imigh siad tharam amach agus 'puth, puth' acu ar a theacht in uachtar. Tharraing mé mé féin suas agus shíl mé a ghabháil ar mo chorraghiob, le bheith sábháilte uathu. Bhain an tsail iompú aisti féin agus chaith sí i ndiaidh mo chinn sa bhfarraige mé. D'fhéach mé aríst, agus aríst eile, riamh agus go deo nó gur éirigh liom. Mhúin an cleachtadh an cleas dom, mé i mo

shuí ar mo ghogaide anois, gan cás gan imní, an tsail
ag bogadh agus ag luascadh, ag ísliú agus ag ardú ar
ucht na dtonn, fothram aisteach ag na giúirlinneacha
de bharr iad a bheith ag cuimilt dá chéile ag lapaireacht
an uisce, na muca mara ag séideogacht agus lúb a
ndroma le feiceáil os cionn na farraige ó am go ham,
mar a bheadh siad ag gabháil faoi gcuairt agus ag
déanamh rothaí díobh féin, na faoileáin is gach
scréach mhallaithe acu os mo chionn, cailleacha
dubha agus ogastúin á dtumadh féin ó dheas díom.
Níor fhan smeámh as aer ann, agus dá bhrí sin, ní
mórán fáin a bhí mé a dhéanamh, mo bhois faoi mo
leiceann agam agus mé ag dearcadh fúm ar thóin an
phoill, éisc á shníomh féin go leisciúil idir na slata
mara, ag imeacht anonn agus anall gan deifir gan
deabhadh. Ar shaol na n-iasc a bhí mé ag machnamh
nuair a mhothaigh mé go raibh an cúlsruth do mo
mhealladh isteach i dtreo an chladaigh idir an dá
ghob charraigreacha. "Cabhair ó Dhia chugainn," a
deirimse i m'intinn féin, "is mairg nach mbeadh
foighid ag duine." Gí go raibh mé compordach go
leor anois mar gur laghdaigh na bric dá ngeallaman-
saíocht, ní raibh siad ag spochadh feasta orm. Bhí
na muca mara imithe leo i gceard eicínt eile, mar
nárbh fhéidir leo aon láimh a dhéanamh ar na bric
ghiúirlinne. Bhí siad róchliste dóibh, i bhfolach idir
na giúirlinneacha le craiceann na saileach. Bhuail an
oiread gliondair mé gur scaoil mé síos san uisce mé
féin, agus thosaigh mé á toncáil isteach chun an
chladaigh. Níor fhailligh na bric nuair a theangmhaigh
sí don chloch, scaoil siad a ngream go tapa agus thug
an fharraige amach dóibh féin. D'fhága siad mise
agus an raic ag coraíocht le chéile i mbéal na toinne i
measc na gcloch. Nuair a chuir mé orm mo chuid
éadaigh, bhuail mé faoi dhéin an bháid, d'iomair mé
anuas timpeall an oileáin agus mé ag feadaíl dom féin
le háthas faoin bpíosa breá adhmaid a bhí faighte

agam. Cheangail mé ceann téide uirthi agus tharraing mé i ndiaidh an bháid abhaile í. Ní raibh brí tollaidh uirthi agus í cúig troithe fichead ar fhad agus troigh chearnógach, agus nuair a bhí sí gearrtha ina dhá cheann déag de chláir, ní fhaca tú aon rud riamh a bhí chomh feiliúnach leo le haghaidh áiléar sciobóil a bhí cúig troithe fichead le dhá throigh dhéag taobh istigh de bhallaí.

AN LÁIMHÍNEACH

BÍONN cúpla cineál acu seo le fáil timpeall Mhuínse. Gí gurb é an láimhíneach an cineál is coitinne, ní fhágann sin nach mbíonn an cineál a dtugtar an láir bhán uirthi fairsing go maith blianta. I gcás gur aisteach an rud agam le rá é, is minic a bhíos siad imithe ar feadh dó nó a trí de bhlianta den chósta gan tuairisc ar bith, agus deir na seandaoine nach scéal nua ar bith é sin mar lena gcuimhne féin go n-imíodh siad, agus gur chuala siad an rud céanna ag an dream a tháinig rompu. Dá bhrí sin tá an imirce sin ar bun ó thús aimsire.

Go deimhin is aisteach na feithidí iad — timpeall ó throigh go dtí dhá throigh ar fhad. Chuirfeadh an láimhíneach i gcuimhne duit cat a bheadh thíos i máilín beag agus a ceann le feiceáil aníos thar bhéal an mhála. Bíonn naoi nó a deich de mhéaracha ina seasamh chomh díreach le slat suas as mullach a chinn agus iad ag fáinniú an bhéil atá ar nós gob éin. Méaracha trí choirnéal iad agus tá cuid acu níos faide ná a chéile, agus nuair a bhíos sé i gcontúirt ní bhíonn iamh ná foras air ach á suaitheadh agus á sá amach agus á lúbadh agus á gcur trína chéile. Níl an mála seo atá timpeall air fáiscthe ar a chonablach; cheapfá nach bhfuil sé feiliúnach dó ar chor ar bith agus go sciorrfadh sé siar de nuair a bheadh sé ag snámh ach is iondúil gur i ndiaidh a thónach a théas sé tríd an bhfarraige, ar nós an ghliomaigh. Imíonn sé an-tapa, le habhóga beaga. Tá déanamh an tsiúil air freisin, déanamh barr sleá ar an gceann de a bhíos ag gearradh tríd an uisce, agus ar an gceann eile de tá an béal agus na súile móra agus na méaracha fada. Bíonn na méaracha cúbtha isteach i dteannta a chéile nuair a bhíos sé ag treabhadh na farraige; craiceann righin sleamhain, agus níl aon dath sa tuar ceatha nach bhfuil air, agus nuair is mian leis is féidir leis iad a athrú, agus ní hé sin amháin ach iad a mheascadh trína chéile go healaíonta glic.

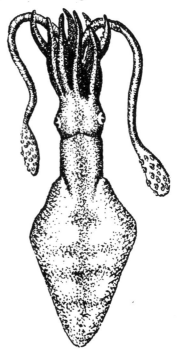

AN LÁIMHÍNEACH

Aon lá amháin agus mé liom féin sa gcurach ag tógáil na traime céard a bheadh inti ach ceann acu, ach nuair a bhí mé á bhaint as an eangach — bhí a

112

mhéaracha in aimhréidh sna mogaill agus i ngreamú chomh maith le cineál ramallae agus cuid den snáth thiar ina bhéal agus na mogaill gearrtha lena chuid fiacla géara — lig sé cineál osna throm agus le hiompú do bhoise scaoileann sé scuaid dúigh isteach san éadan orm, sin é an luach saothair a fuair mé tar éis é a fháil as géibheann. B'éigean dom gáire a dhéanamh faoin gcló a bhí orm nuair a d'fhéach mé ar mo scáile san uisce a bhí ar thóin an bháid. Bhí timpeall mo bhéil breactha agus leathleiceann liom dubh ar fad beagnach. Deirim leat nach raibh sé éasca a bhaint díom ach an oiread. Nuair a tháinig mé i dtír, thug mé liom an láimhíneach agus chaith mé i lochán sáile é, nó go bhfeicfinn céard a dhéanfadh sé leis féin. Rinne sé staidéar ar feadh tamaill bhig; rith na héisc bheaga a bhí ag snámh thart air isteach sna scailpreacha de sciotán. Is dócha nach bhfaca siad a mhacasamhail cheana riamh. Thosaigh sé ag cúbadh isteach a chuid méaracha, agus is gairid gur athraigh sé dath a chasóige go dtí an dath céanna a bhí ar a ríocht nua. Bhí sé anois agus a cheann faoi agus é mar a bheadh sé ag machnamh ar an saol nua aisteach a bhí aige. Na héisc bheaga a thug an scailp dóibh féin, ghlac siad misneach agus thosaigh siad ag éirí amach. Bhuail ceannruán anall ón taobh eile agus thosaigh sé ag dearcadh go grinn ar an strainséir. Dhruid sé níos gaire de réir a chéile. Tháinig sé i bhfoisceacht leath-throigh de. Dhún sé a leathshúil go cliste. Ar an bhfad seo, níor lig an strainséir air tada. Theann an ceannruán isteach leis agus thosaigh sé ag smúrthacht ar a leath deiridh; slua dá threibh féin ina scuaidrín ina dhiaidh aniar, mar a bheadh siad ag súil le rud iontach eicínt a tharlú. Ní dheachaigh an tsúil sin amú orthu, mar le leagan do shúlach bhí a ngaiscíoch i ngreim cuing muiníl ag an bhfathach a tháinig isteach orthu ach ní fhaca siad é ag dúnadh a chuid súl nuair a bhí sé á shlogadh siar, mar go raibh

an oiread sin deifir orthu ag imeacht agus ag gabháil
isteach i scoilteacha na gcloch. Na cladhairí! Nuair a
shíl mé breith aríst air dhubhaigh sé an t-uisce le steall
eile. Sin cleas atá aige le ghabháil amú ar a namhaid.
Ach níor éirigh leis an babhta seo, mar go bhfuair mé
an geaf as an gcurach, agus nuair a chroch mé as an
uisce é bhí sé á oibriú féin le cuthach feirge.

Is minic a chonaic mé i dtír ar an trá cuid acu le
linn lán gealaí, agus lán rabharta. Deirtear go bhfuil
siad faoi chumhacht aisteach eicínt ag an lánré agus
go mbíonn an oiread sin macnais agus gliondair orthu
agus go mbíonn siad ag pocléimneach i ndiaidh a
dtónach nó go dtriomaíonn siad iad féin i ngan fhios
ar an trá. Nach aisteach an tslí bháis a thugas siad
dóibh féin, ach b'fhéidir go mbíonn a fhios acu sin,
freisin.

AN GRÉASAÍ CLADAIGH

MAIREANN siad seo i scoilteacha idir na carraigreacha
agus faoi na clocha i gcladaí aimhréiteacha. Níl aon
bhaol nach coilgneach deilgneach an buachaill é. Tá

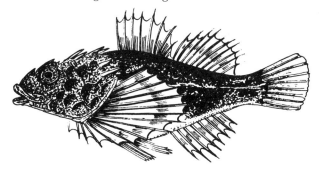

AN GRÉASAÍ CLADAIGH

dealga géara as a chuid eiteacha mar a bheadh meanaí
nó snáthaidí ann agus is féidir leis iad a neartú nó a
lagú mar a bhíos gá aige leis. Má airíonn sé aon

114

namhaid ag druidim leis, sánn sé amach as na cásaí
iad go luath agus tagann colg air. Timpeall le sé nó a
seacht d'orlaí ar fhad atá sé agus bríomhar go maith.
Dath donn atá breactha le dearg atá air, ach ar nós
aon chineál eile is féidir leis a dhath a athrú nuair is
mian leis é. Imíonn siad amach ar an domhain sa
ngeimhreadh de réir a nádúir.

AN tSEARRÓG

Ní iasc an-fhairsing iad na searróga i gcladaí Mhuínse.
San earrach agus sa samhradh féin is fearr lena
n-aghaidh. Tógann na hiascairí iad le haghaidh baoití
mangach agus trosc, agus níl mórán baoití inchurtha
leo nuair atá siad feannta mar go bhfuil loinnir
dhathannach iontu a chuirfeadh an chluain ar aon
bhreac dá chliste dá bhfuil sa bhfarraige.

   Tá cúpla cineál acu ann. Mar a chéile beagnach iad.
Is d'aon treibh amháin an malrach Cháit agus péist an
dá shúil déag agus an tsearróg; níl aon difríocht
eatarthu arbh fhiú trácht uirthi ach go mbíonn an
malrach Cháit níos mó. Ní furasta iad a aithneachtáil
thar a chéile maidir le déanamh agus dath.

AN tSEARRÓG

   Tá an tsearróg caol fada ar nós na luathóige, an-
sleamhain agus lán le ramallae. Dath donnbhuí atá
uirthi agus líne de spotaí beaga dubha a bhfuil
fáinní bána timpeall orthu le bun na heite droma,
suas le deich nó a haon déag acu comhfhad ó chéile.
Is dócha gurb é sin an fáth a dtugtar péist an dá
shúil déag uirthi go minic.

Is minic san earrach, nuair a bhínn ag baint feamainne le haghaidh leasú, thugainn faoi deara an ceann baineann istigh i sliogán ruacain i scailp agus fáinne déanta aici go gróigthe di féin timpeall ar na heochraí, mar a bheadh éan ann a bheadh ar gor ar uibheacha, agus an ceann eile sínte agus fáinne déanta aige de féin timpeall ar an sliogán, ag faire le faitíos go dtiocfadh aon rud in aice na neide. Ní bréag a rá nach dtugann sé aire chúramach dá chéile. Ní mé an dtógann sé am lena bhéile a ithe.

Ní fhaca mé aon cheann acu os cionn seacht n-orlaí ar fhad. Is dóigh liom nach méadaíonn siad thairis sin. Is an-deacair iad a fheiceáil mar go mbíonn siad ar an dath céanna leis an áit a gcónaíonn siad. Ní foláir duit scian a bheith agat le leagan ar a ndroim le breith orthu go héasca mar go bhfuil siad chomh sleamhain le luathóga.

Is deas an t-iasc í agus is mór an t-áthas a bhíos ar an iascaire a fhaigheas cúpla ceann acu le haghaidh lá iascaigh.

AN MAC SIOBHÁIN

AR fhoscadh na n-oileán, ó ghargaint agus oibriú na toinne, san áit a bhfuil brat trom d'fheamainn bhuí agus de bharrchonla ag clúdú an chladaigh, sin é an áit a gcónaíonn na mic siobháin, sna scailpreacha agus sna locháin faoi na clocha, agus is féidir leo iad féin a ghreamú de thaobh na gcarraigreacha le heiteacha boga greamaitheacha atá ar a mbolg.

Iasc an-bheag cuid de na cineálacha, arae tá go leor cineálacha acu ann, ach tríd is tríd ní bhíonn siad níos faide ná ceathair nó a cúig d'orlaí, agus níl aon dath sa tuar ceatha nach bhfuil orthu. Na cinn is fairsinge acu dath donndubh breactha le buí agus dearg a bhíos orthu; cloigeann mór agus súile móra lonracha i mullach a gcinn i riocht agus gur féidir leo breathnú sa chaon taobh díobh in aon am amháin; dhá eite droma agus dealga géara as ceann acu; agus níl dabht ar bith nach bhfuil sé oilbhéasach coilgneach go maith má théitear sa gceann sin leis.

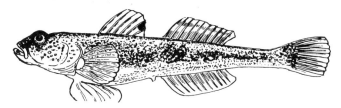

AN MAC SIOBHÁIN

Ní foláir dó cur de go minic mar tá go leor dá chomharsana go holc agus ní fearr leo aon rud ná comhrac, go mór mór na ceannruáin agus na gréasaithe cladaigh. Tá na trí threibh síos agus suas le chéile, agus is iomaí troid agus útamáil a bhíos acu nuair a ardaíos an taoille os a gcionn. Ní mé beo cén fáth, ach is cosúil gur mar gheall ar bheatha agus ar áit an chogaidh. Faigheann na séaclaí garbh uathu é; is iondúil gur orthu a chothaíos siad iad féin.

Is minic riamh agus mé ag baint feamainne a fuair mé nead ceann acu faoi bhun cloiche a bheadh i sruthán, na heochraí go deas socraithe i sliogán bairnigh a mbeadh a bhéal iompaithe faoi agus uachais bheag isteach faoi tríd an ngaineamh agus í smeartha le cineál aoil, an mac siobháin ar garda faoi sceabh na cloiche agus an ceann baineann agus fáinne déanta aici di féin timpeall na neide. Má thagann aon namhaid thart níl aon bhaol nach fearr dóibh rith maith a dhéanamh ná drochsheasamh.

San earrach tógann lucht bainte na feamainne go leor acu, mar go bhfuil siad deas blasta le haghaidh anlainn nuair a bhíos iasc eile gann. Ní mór a bheith cúramach le breith orthu mar go bhfuil fiacla géara acu. Déanann siad a ndícheall freisin ar iad féin a shábháil. Is minic a théas siad i bhfolach sna scáintí agus faoin bhfeamainn. Nuair a ghearrtar í de chuid den chladach imíonn siad leo go dtí áit eicínt eile nach mbíonn na clocha nochtaithe ann.

Níl aon bhlas loicht orthu le haghaidh baoití spiléid ná potaí. Is minic ar thránna móra oícheanta gealaí go dtéann cait an bhaile ag fáiteall, gí nach mbíonn dorú ná duán acu ach a gcuid ingneacha. Is maith an lán éisc a thugas siad ón gcladach de gach cineál, ceannruáin, mic siobháin, gréasaithe cladaigh agus eile.

AN BREAC EITILL

Is iontach go deo mar a thugas an nádúr deis agus slí chosanta ar a namhaid do chuid de na héisc féin. Níor ceileadh an deis sin ar an mbreac eitill. Is é mo bharúil gur leis an chraobh le dallamullóg a chur ar a namhaid, mar gur féidir leis a chuid eiteoga móra leathana a scaipeadh agus sciatháin a dhéanamh díobh agus imeacht ar nós an éin san aer má bhíonn aon amhas á sháinneáil faoin uisce agus gan aon slí eile aige imeacht.

Aon tráthnóna amháin a raibh mé amach ó na Sceirdí sa bpúcán ag tóraíocht raice, fuair mé amharc maith ar cheann acu. D'éirigh sé amach ó ghualainn an bháid ar an mbord fúithi. Bhí sé ag éirí san aer agus ag gluaiseacht chun cinn san am céanna go ndeachaigh sé timpeall le trí slata in airde agus thosaigh sé ag ísliú anuas ansin gur thit sé i bhfarraige timpeall le fiche slat ón áit ar éirigh sé.

Níor thug mé faoi deara é ag corraí na n-eiteog ar chor ar bith, bhí sé rite amach ó na taobhanna in aon stad amháin ar feadh an turais, ach b'fhacthas dom go raibh an drioball ar crith agus ag corraí ar éirí dó. Bhí smeadrán gaoithe aniar aneas ann; is leis an gcóir a d'imigh sé. Is dóigh liom dá mbeadh gaoth láidir ann go mba mhór an cúnamh dó í, agus go mb'fhéidir leis fanacht san aer i bhfad níos faide. Níl sé mór — timpeall le sé nó a seacht d'orlaí a bhí an ceann úd, dath bán agus cosúlacht mhór aige le cnúdán.

Chonaic mé cuid acu aríst in aice le cladaí Mheiriceá, tráthnónta a raibh mé amach ar an bhfarraige. Deir seaniascairí liom gur minic a léimeas siad isteach glan sna báid, mar nach bhfuil aon chumhacht ná aon spleáchas ag baint leo le hiad féin a stiúradh. Is é ag gabháil ón uisce bruite go dtí an ghríosach dhearg dóibh éalú ón namhaid faoi bharra na dtonn agus iad féin a mharú ar dheic báid.

AN FÍOGACH

Is iad na fíogaigh an chuid is lú de threibh na siorcanna cé is moite de na freangaigh. Déanann siad go leor díobhála ar iascairí go mór mór sa samhradh agus sa bhfómhar nuair a thagas siad isteach ina gcluichí tréana líonmhara ón aibhéis choimhthíoch.

San áit a mbeadh ronnaigh agus cadóga agus troisc agus aon chineál eile fairsing bánaíonn na fíogaigh é, mar níl cur síos ná insint scéil ar chomh fairsing agus atá siad. Is féidir an bád a aireachtáil ag seoladh tríothu agus ní moill ar bith í a luchtú isteach leo le geaf. Nuair a bhíos siad ag máinneáil i mbarr uisce bíonn an oiread gearradh ocrais orthu agus gur minic a léimeas siad glan as an uisce le breith ar phíosa de théad ná aon rud eile a bheadh ag sliobarna thar bord. Is féidir le ceann acu píosa a phléascadh as bois maide rámha lena dhrad géar láidir agus le síorchuimilt a gcraicne garbha. Sciúrann siad craiceann an bháid taobh amuigh.

Bíonn cuthach orthu i ndiaidh ronnach agus scadán agus stróiceann agus itheann na heangacha leis an iasc beag a fháil atá i bhfostú sna mogaill.

An áit nach mbíonn gearrtha acu lena bhfiacla bíonn sé snoite agus i ndroch-chaoi de bharr an chraicinn ghairbh atá orthu.

AN FÍOGACH

Dath donndubh atá ar a dhroim agus liathbhán ar a bholg. Bíonn cuid acu timpeall le trí troithe ar fhad. Is minic a bheireas siad na cinn óga ar a dteacht thar bord dóibh. Is maith láidir crua a bhíos siad freisin — timpeall le cúig nó a sé d'orlaí ar fhad agus iad ábalta ar shnámh ar an bpointe. Ní eochraí ar bith a sceitheas an treibh sin ar nós éisc eile. Is é an cháoi a mbeireann an ceann baineann na cinn óga, mar an gcéanna leis an siorc, an ghobóg, an freangach agus cineálacha eile den treibh sin — go díreach ar nós aon ainmhí ar an talamh.

Mharaítí go leor fíogach in aimsir an Chogaidh mar go raibh glaoch orthu ar mhargaí éisc sna bailte móra. Go deimhin, ní mórán spéise a chuireas na hiascairí iontu ach le haghaidh baoití potaí. Ní itear mórán acu i gConamara gí gur minic a bhaintear an ola astu le haghaidh cur i mbróga, nó ar láinnéar báid nó gnótha eicínt mar sin. Bíonn an craiceann úsáideach go maith freisin le haghaidh troscán a sciúradh nó le cur ar chosa sceana le go mbeadh farasbarr greamaithe le fáil orthu. Mar gheall ar é a bheith garbh is minic a chuirtear blúire de i ngreamú ar chláirín le bheith ag lasadh cipíní solais air. Féach go bhfuil roinnt áirge iontu!

Tagann níos mó acu isteach ón bhfarraige an bhliain a bhíos go breá ná mar a thagas bliain gharbh. Leanann siad isteach na cluichí eile agus déanann siad greadlach orthu freisin ar an turas aniar. Níl aon dabht nach mallaithe oilbhéasach confach an treibh iad.

Aon tráthnóna amháin – a raibh mé féin agus m'athair (go ndéana Dia trócaire ar a anam) ag seoladh amach chun na farraige sa bpúcán, ag coinnneáil amach na seolta – de ghaoth aniar agus aniar aneas ann, agus farraige lom. Tamall siar ó Árainn Mhór bhí an-chosúlacht éisc maidir le faoileáin bheaga agus éanacha dubha agus ogastúin á dtumadh féin agus ag cur steallaí uisce san aer. Ina theannta sin, bhí boladh trom ola ó phlás leo a bhí siar uainn.

"Bain di an seol mór," a deir m'athair, "scaoilfidh muid siar anseo iad." Nuair a bhí na líonta i bhfarraige tharraing siad siar muid leis an sruth taoille trá in aghaidh na gaoithe, na Sceirdí siar aduaidh uainn agus ailltreacha Árann soir uainn ag éirí díreach ón bhfarraige na céadta troigh. Thit an dorchadas gan mórán moille i riocht is nach raibh le feiceáil ach lóchrann na dtithe solais, agus soilse na mbád eile a bhí siar uainn. Níor fhan smeámh as aer ann. Is gearr gur airigh muid slup slap ag fíogaigh timpeall an bháid. Bhordáil muid na líonta chomh tobann agus ab fhéidir linn. Léimeadh siad suas as an uisce le breith ar an iasc a bhí i ngéibheann sa líon ar a dteacht thar bord, cuid acu fillte san eangach ag gíoscán fiacal agus á síneadh agus á searradh féin lena raibh ite acu den iasc.

Bhí a fhios againn go raibh díobháil mhór déanta acu gí nárbh fhéidir linn na poill ná na stróiceacha a fheiceáil san oíche, ach chonaic muid luath go leor an damáiste agus deirim leat gur mhaith an píosa de lá a thóg sé orainn iad a dheisiú leis an mbiorán eangaí.

An fuílleach a d'fhág na fíogaigh idir scadáin agus ronnaigh bhí siad ó mhaith, is beag acu nach raibh sclamh bainte astu, cuid nach raibh fágtha ach na cloigne, gan trácht ar an méid a d'ith siad den snáth mar anlann leo, an roinnt bheag nach raibh a ndóthain ama acu le hiad a ídiú. Thug mé faoi deara gur chinn lábáin iad. Deirtear gur fearr leo na cinn phise mar go bhfuil níos mó sú agus ola iontu, agus gurb iad a itheas siad ar dtús. Go deimhin, ní fhágann siad aon chineál má fhaigheann siad am, ná an líon ach oiread.

Oícheanta a mbíodh muid ag iascach bran ar Mhaidhm Mháirtín Thaidhg, ní túisce a bhíodh na brain fúinn, agus muid a cheapadh go ndéanfadh muid an oíche orthu, ná a thagadh cluiche fíogach. An bran a bheadh crochta as an uisce, meas tú nach léimfeadh ceann acu agus nach ngearrfadh ón imleacán é agus b'fhéidir ceann eile ag léimneach suas leis an méid eile de a scuabadh leis.

Níl aon ghnótha a bheith ag iarraidh aon iascach a dhéanamh san áit a mbíonn siad. Uaireanta is féidir iad a dhíbirt ach cúpla ceann acu féin a ghearradh suas agus a chrochadh ar thaobh an bháid san uisce. Amanta eile dá ngearrtaí suas céad acu ní dhéanfadh sé blas maitheasa: is é an chaoi a gcruinneodh siad ag ól na fola. Níl a fhios céard is fearr a dhéanamh leis an treibh mhallaithe chéanna.

AN FREANGACH

D'AON treibh amháin na freangaigh agus na fíogaigh agus tá an chosúlacht sin acu le chéile freisin murach go bhfuil craiceann garbh donn an fhreangaigh breactha le spotaí dubha agus buí. Níl sé chomh mór leis an bhfíogach agus téann sé níos géire leis an gcloch agus fanann níos gaire do ghrinneall le hé féin a chothú.

Fanann cuid acu ar feadh na bliana sna cuanta cineálta, i riocht agus go bhfuil áiteacha ainmnithe díobh, — Carraig na bhFreangach atá taobh thoir d'Fhínis, ceann acu. Bíonn slua líonmhar acu timpeall

122

orthu i gcónaí. Ní maith leis na hiascairí iad mar is
minic agus gan aon súil leo go dtéann siad i líonta
ballach agus go ndéanann siad go leor damáiste don
snáth. Ní hé sin amháin ach na spiléid a bhaoiteáiltear
go lách cúramach le roic, scolbaird agus leathaí a
mhealladh is iad na freangaigh chonfacha mhallaithe
nach bhfaigheann cuireadh ná eile a thógas seilbh ar
na duáin. Íocann siad go daor ann, mar go bhfaigheann
siad rúscadh neamhthrócaireach faoin tslat bhoird
ón iascaire, le gráin orthu.

AN ROC

Roc, rón agus ronnach na trí ní is luaithe sa bhfarraige,
deirtear. Níl aon dabht nach féidir leis an roc roinnt
driopáis a dhéanamh nuair a bhaintear geit as. Nuair a
bhíos sé ag gluaiseacht ar ghrinneall an ghainimh
mhín ní furasta é a thabhairt faoi deara ar chor ar
bith. Níl le feiceáil ach mar a bheadh deatach ann atá
á thimpeallú de bharr é a bheith ag crochadh an
ghainimh le teann siúil. Bíonn cosán den cheo ina
líne fágtha ina dhiaidh aige. Chuirfeadh sé i gcuimhne
duit deatach a bheadh as long a bheadh ag treabhadh
na farraige go luath.
Dhá chineál de na roic is iondúla a bhíos thart le
cladaí Chonamara, an ceann mín agus an ceann garbh.
Is beag nach é an déanamh céanna atá orthu — leathan,
tanaí, muileatach, drioball fada, agus go leor deilgne
ar dhroim an chinn ghairbh. Is iondúil gur dath donn,
breactha le dubh agus bán, atá ar an taobh uachtair
agus bán faoi ar a bholg. Is minic ar ghaineamh rua go
mbíonn buí breactha ina ndroim le hiad a bheith ag
teacht leis an áit i riocht agus nach mbeadh sé éasca
ag a namhaid iad a fheiceáil. Níl áit ar bith is fairsinge

le fáil iad ná ar ghaineamh rua idir meallta beaga stopóige. Druideann siad isteach leis an tanaí sa ngeimhreadh. Déanann go leor éisc eile an cleas céanna mar go mbíonn níos mó solamair le cnuasacht le linn an lae bhreá in aice na cloiche.

Bíonn cuid de na cinn mhíne an-mhór. Is minic a chonaic mé cuid acu cheithre troithe ar fhad agus cheithre troithe ar leithead. Is fearr iad le haghaidh beatha duine ná na cinn gharbha. Is iondúil nach mbíonn mórán deilgne ar na cinn bhaineanna. Is ar an gcineál fireann a bhíos an chuid is mó acu. Is fearr an t-iasc atá ar an gceann baineann le n-ithe. Caitear an cloigeann agus an drioball agus na putóga ar siúl. An dá sciathán an chuid is fearr de, agus bíonn siad sin i bhfostú dá chéile le cnáimh an droma. Cnámha boga atá sa roc. Duine a mbeadh fiacla maithe aige is an-mhilis iad le n-ithe.

Bíonn cineál cása timpeall ar an roc óg. Nuair a sceitheas an ceann baineann, timpeall le trí nó a

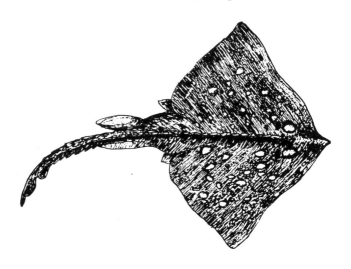

AN ROC GARBH

ceathair d'orlaí ar fhad agus dhá orlach ar leithead a bhíos an sparán seo. Is minic a ruaigtear i dtír iad nuair a bhíos na roic óga imithe astu. Sparán na caillí mara a thugtar air. Bíonn scoilteadh beag i gceann de. Sin é an bealach amach a bhíos ag an roc óg. Is cosúil le déanamh barra atá air. Is cineál crua é mar a bheadh cineál sliogánach ann.

Tógtar go leor roc le spiléid agus le trálanna i gConamara agus cuirtear a bhformhór chun an mhargaidh úr. Nuair a bhíos báid go leor ag iascach i bhfad in aon áit amháin bánaíonn siad é, agus ní bhíonn mórán acu le fáil aríst ar feadh tamaill. Ach is mar sin atá an scéal le gach cineál iascaigh. Is maith atá a fhios ag na hiascairí sin, freisin.

Aon lá amháin a raibh muid ag tógáil spiléad amach ó Oileán Barra, idir é agus Carraig Iolra a bhí na trí spiléad sínte againn — ceathair nó a cúig de chéadta feá ar grinneall de dhorú, suas le míle duán — bhí glac mhaith roc, scolbard, eascanna agus leathaí air, ach bhí aon roc amháin air a ndearna muid ionadh de. Ní raibh mórán difríochta idir é féin agus na cinn eile, ach go raibh an drioball níos faide agus níos caoile. An difríocht sin b'fhéidir nach dtabharfadh muid faoi deara é murach an rud seo a tharla. Mise a bhí ag tarraingt an spiléid ó íochtar, Ciarán ag iomramh agus Pádraig Choilm ag baint an éisc anuas de na duáin. Bhí drioball an roic seo casta i ndroim an spiléid (is minic sin amhlaidh ag aon chineál). Shíl mé a réiteach as, ach ar an bpointe agus ar theangmhaigh mé leis chuir sé ga preabach i mo láimh i riocht agus go raibh mar a bheadh codladh driúilicín ag rith suas go dtí mo ghualainn. Chrith mo láimh chomh mór agus gur croitheadh den duán an roc, thit sé ar an tslat bhoird agus amach leis i bhfarraige uainn. Níor mhair an phian i bhfad i mo láimh. Mar sin féin níor mhaith liom aon cheann de na roic ghathacha a fheiceáil uaidh sin amach.

AN SCOLBARD

DÉANAMH leathan tanaí muileatach atá ar an scolbard
ar nós an roic. Tá cosúlacht an-mhór acu le chéile.
Dath donn atá ar dhroim an scolbaird, breactha le
buí agus dubh, agus tá an taobh faoi beagán níos
goirme maidir le loinnir ná an roc. Bíonn i bhfad níos
mó ramallae ar an roc freisin tar éis é a thabhairt thar
bord. Cónaíonn an dá threibh ar aon ghrinneall agus
tagann siad le chéile in aice na talún sa samhradh agus
seolann siad leo aríst roimh an drochaimsir. Ní
comharsa mhaith don roc é mar déanann sé greadlach
orthu nuair a fhaigheas sé an deis. Bíonn cuid acu
san ainmhéid. Chonaic mé féin ceann a bhí dhá chéad
meáchain. Tógadh é ar thrí feá doimhne ar spiléad;
roc a bhí slogtha aige. Is mar sin a dhéanas sé i
gcónaí, éisc eile a mheallas é a shlogas sé agus gan
fiacail a leagan orthu ach an oiread. Coinníonn
foirtéim ar ancaire é mar nach ndéanann sé aon chor
nó go dtugtar thar bord é. Ní iasc coilgneach é.
Deirtear, nuair a bhíos an t-iasc eile thiar aige, go
bhfanann sé socair go mbí sé leáite aige. Tá cineál
ann a dtugtar an scolbard tintrí air ach ní dhéanann
sé mórán fáin isteach ón domhain mhór ó tharla go
mbíonn an áit sin dorcha go leor amanta. Thug an
nádúr deis dó le gur féidir leis a bhealach a dhéanamh
trí na coillte dlútha slata mara atá sna gleannta idir
na háirsí arda, mar go bhfuil solas ag glioscarnach
óna shúile a thugas léargas dó ar a chosán a fheiceáil
amach roimhe. Deirtear go bhfuil sé i bhfad níos mó
ná an scolbard eile. Thóg bád as an mbaile seo againne
ceann beag acu ar spiléad amach ó Leic Mhóir Charraig
na Meacan, ach chaith siad i bhfarraige é mar gur
cheap siad nach rud ceart ar bith é. Bhí daoine ann
nár chreid an scéal, ach bíodh a chead sin acu. Is
minic blas searbh ar an bhfírinne féin.

Ní hé an t-aon chineál amháin é a mbíonn lóchrann acu ar grinneall sa domhain mhór. Is iomaí éisc iontacha ansiúd nár facthas riamh isteach in aice an chósta.

Sceitheann an scolbard baineann ar nós an roic, is é sin bíonn an ceann óg istigh i gcása a dtugtar sparán na caillí mara air nuair a chaitear i dtír é tar éis an scolbard óg a bheith saor.

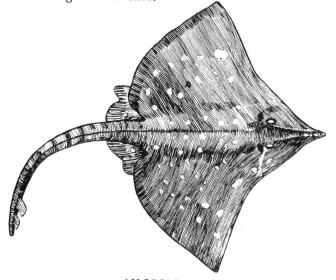

AN SCOLBARD

Mharaítí go leor scolbard le spiléid i dteannta na roc in aimsir an Chogaidh. D'fhaigheadh na hiascairí ó choróin go hocht scilleacha an chloch mheáchain orthu ach iad a bheith glanta. Is minic a dhéanadh siad páí mhaith freisin. Bhí iasc gann san am sin agus d'fhaightí a luach go binn. Dhíoltaí úr iad. Is minic go mbíodh roic agus scolbaird i mboscaí ar ancaire· amach ó cheann na céibhe againn ar feadh trí nó a ceathair de laethanta nuair nach mbeadh aon deis iad a chur chun margaidh. D'fhanadh siad beo, freisin. Bhíodh orainn iasc a thabhairt dóibh gach lá mar bheatha.

AN BOD GORM

Níl mórán iasc an bith chomh fairsing le ballaigh. Sa samhradh agus sa bhfómhar bíonn in aice na gcladach druidte leo. Maraítear go leor acu le doruithe agus le líonta i rith an tséasúir, le n-ithe úr, nó le sailleadh agus le triomú faoi chomhair an gheimhridh. Éisc an-leisciúil spadánta iad ina ríocht féin agus codlaíonn siad go leor dá n-aimsir ina gcuid díoganna. Is minic a chonaic mé iad ar oícheanta gealaí a mbíodh muid ag fáiteall, sínte siar ar a dtaobhanna i lochán idir na clocha ag suanaíocht, i riocht agus go mb'fhéidir linn breith orthu gan deifir gan deabhadh. Deirtear nach bhfuil mórán breac ar bith sa bhfarraige nach ligeann tionnúra as a cheann san oíche ach an eascann. An ronnach féin, más é an breac is luaithe é, deirtear go bhfaigheann sé néal beag ar a rith.

Is leis an mbod gorm an bhratach le leisce agus le codladh. Mura mbí aimsir an-bhreá ar fad ann, ní féidir é a fheiceáil chuigint, ach na ballaigh bhaineanna ag coinneáil beatha leis agus é ar a sháimhín só. Bíonn siad le fáil an-fhairsing in áiteacha áirid ar nós Mhaidhm na mBod Gorm, Mullán na mBod agus áiteacha eile mar sin. Bíonn orthu a mbeatha féin a sholáthar sna geadáin sin, mar níl na ballaigh eile chomh fairsing le freastal orthu. Deirtear nuair a théas na boid ghorma in aois, go ndíbríonn na cinn láidre óga iad as na stopóga eile. Ansin bíonn orthu cur le chéile agus a dtalamh a sheasamh ina mbuíonta tréana líonmhara, agus is dócha gurb é sin an fáth iad a bheith fairsing ar láithreacha áirid seachas a chéile.

Níl aon mhaith iontu le n-ithe. Breac teann téagartha atá ann timpeall le seacht nó a ocht d'orlaí ar fhad agus an méid céanna sa leithead nach mór. Dath gorm atá air breachtha le buí agus dubhuaine, ceann beag, agus bolg mór, eite mhór droma agus eite bheag in aice an driobaill. Níl aon bhlas loicht orthu le haghaidh

128

baoití potaí, ach iad a bheith lofa go maith mar níl an gliomach éisealach ar aon chor.

Ní dhéantar mórán láimhe le doruithe ar bhoid ghorma, mar ní maith leo breith ar aon bhaoite an uair a bhíos siad ag drundáil thart féin. An lá ar féidir ceann acu a mhealladh ní lá maith iascaigh é. Is minic riamh agus mé ag iascach ar muráite a d'fheicinn na ballaigh á sníomh féin go spadánta idir na slata, amanta ag snámh go dtí a mbarr agus ag smúrthacht ar na dosáin mar a bheadh siad ag iarraidh seasamh ar mhullach a gcinn. Lá ciúin meirbh marbhánta mar sin is iondúla leis an mbod gorm breith ar do bhaoite. Má bheireann, gliondáil do dhorú, tarraing suas, croch do chuid seolta agus déan ar an mbaile, murar mhaith leat an lá a chur amú. Is iomaí lá nach ndéanann an t-iascaire aon mhaith; mar sin féin bíonn an dóchas láidir sin ag preabadh ina chroí i gcónaí agus bíonn súil le Dia aige mura n-éirí leis lá go dtabharfaidh sé isteach é lá eicínt eile. Obair sheansúil go maith í; deirtear "má mheathann tú téirigh ag iascach."

AN SCADÁN

GLAOITEAR "Rí an Éisc" ar an scadán mar ní furasta a mhealladh le haon bhaoite dá fheabhas. Tógtar go leor acu le líonta sa bhfómhar. Tagann siad isteach ón bhfarraige ina gcluichí móra líonmhara agus de réir mar a bhíos an aimsir á caitheamh líonann na cuanta cineálta leo isteach go dtí éadan na cloiche. Déantar saothrú mór orthu ar feadh an tséasúir agus bíonn na mílte daoine, idir iascairí agus lucht glanta agus saillte, i mbun na hoibre. Is mór an chabhair an t-iasc fairsing luachmhar seo a theacht ón bhfarraige faoi dhó sa mbliain. Níl mórán difríochta idir na scadáin fómhair agus na scadáin earraigh maidir le méid agus déanamh. Bíonn suas le lán cupáin d'eochraí

AN SCADÁN

i bpis an chinn bhaininn, b'fhéidir suas le leathchéad míle gráinne. Sin é an uair is fearr iad nuair a bhíos siad lán; an ceann fireann bíonn sé lán le lábán san am céanna — sa bhfómhar, cineál an fhómhair, agus san earrach na cluichí a thagas isteach san earrach.

Ní mórán is call a rá faoi mar is beag duine nach bhfaca é uair eicínt. Tá sé clúdaithe le lannacha tanaí laga a bhfuil scaireanna acu ar a chéile ón drioball mar a bheadh sclátaí slinne a bheadh i ndíon tí ann. Níl aon dealg ghéar sna heiteacha — eite i lár an droma, dhá eite bheaga ar a haghaidh le taobh a chéile i lár an bhoilg agus eite in aice an driobaill. Tá scamaill laga ag clúdú a dhá shúl agus is dócha go bhfuil siad ag cur as go mór dá radharc.

Déanann fíogaigh, freangaigh, gobóga, siorcanna agus éisc eile scrios mór orthu agus bíonn gainéid, faoileáin agus cailleacha dubha ag faire le brabach a bheith acu féin agus iarsmaí na seilge a bhailiú leo san aer.

Is mór i gceist séasúr na scadán in aice farraige. Tagann siad aniar gach bliain gan cliseadh ón aibhéis choimhthíoch — agus mura mbíonn áthas ar na hiascairí — tugann siad buíochas mór do Dhia faoin bhfómhar luachmhar sin a sheoladh chucu.

AN LANNACH

Is fairsing an t-iasc iad na lannacha sa samhradh. Líonann siad isteach sna crompáin agus sna murlacha le linn lán mara, agus bíonn siad ag slubáil agus ag slabáil i mbéal na taoille. Is maith leo an meathsháile agus dá bhrí sin cothaíonn siad béal aibhneacha agus téann siad suas sna lochanna go mór mór más meathsháile atá iontu. Tá loch meathsháile a dtugtar Loch na Lannach uirthi i Roisín an Chalaidh agus bíonn sí druidte leo. Sceitheann an ceann baineann i rith an tsamhraidh in aice na talún agus bailíonn siad ar fad leo ar imirce sa ngeimhreadh go dtí áiteacha eile ar an domhain.

Is coilgneach fiáin an breac é le marú le dorú. Déanann sé a dhícheall le hé féin a shaoradh agus is minic go n-éiríonn leis, freisin, mar casann sé an dorú ar shlat mhara nó ar rud eicínt sa stopóg i riocht agus gur féidir leis an duán a chaitheamh as a bhéal agus scuabadh leis ina bhealach féin aríst.

Má bhíonn tú á iascach ar chladach na tíre nuair a bheas tú á tharraingt beidh sé ag seársáil anonn agus anall go ngearra sé an dorú ar na clocha géara agus go bhfága sé slán agat, i gcruthúnas gur breac an-chliste é.

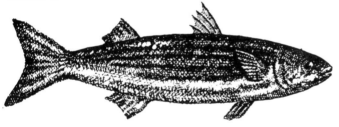

AN LANNACH

Is minic a chuirtear líonta trasna i mbéal na gcrompán ar díthrá agus nuair a ardaíos an lán mara go gcrochtar suas ar chuaillí iad i riocht agus go mbeidh siad mar a bheadh claí ann agus na lannacha a bheas taobh thuas díobh beidh siad i ngéibheann agus ní féidir leo imeacht i gcás go léimeann corrcheann acu thar an gclaí eangaí. Nuair a thrás sé is féidir iad a phiocadh suas den trá anseo agus ansiúd. Ní mór a bheith cúramach freisin mar go bhfuil dealga an-ghéar as an eite droma. Níl siad ródheas le n-ithe, tá blas trom ar a gcuid éisc agus pé ar bith maith atá úr iontu níl maith ar bith iontu le sailleadh nó le triomú.

Is cosúil gur faochain agus scadáin ghainimh is mó a chothaíos é mar bíonn go leor acu le fáil ina bholg; go deimhin is confach ocrach an breac é. Is minic a chonaic mé ag smúrthacht agus ag tochailt na láibe é mar a bheadh muc ann nach mbeadh aon fháinne inti, ar rud le n-ithe. Bíonn cuid acu suas le dhá throigh ar fhad agus go leor lannacha le cúl a chéile á gclúdú. Dath cineál dorcha atá ar a ndroim agus níos báine ar a mbolg. Fiacla géara agus coguas agus muineál garbh ar an taobh istigh, dhá eite droma, dealga an-ghéar mar a bheadh snáthaidí i gceann an mhuiníl, agus is minic riamh agus mé á iascach a lig sé fuil go leor liom nuair a bhínn ag iarraidh a bhaint den duán, mar níl mórán éisc chomh coilgneach fiáin leis le ceansú.

Is iondúil go n-imíonn siad leis na taoillí, amach leis an taoille trá agus ar ais aríst leis an taoille tuile, agus suas go barr lán mara sna murlacha, sna crompáin, agus i mbéal na n-aibhneacha.

AN BRAN

Is mór an lán bran a mharaítear le doruithe i ndeireadh an tsamhraidh agus i dtús an fhómhair ar na maidhmeanna amach ó imeallbhord Chonamara. Ar an tanaí is mó a stadas siad ar a theacht isteach dóibh ón aibhéis choimhthíoch mar is ann is fairsinge atá beatha le fáil ag gach cineál éisc chomh maith le brain.

Timpeall le troigh ar fhad a bhíos cuid acu agus bíonn tuilleadh acu níos mó ná sin.

Tá níos mó ná aon chineál amháin acu ann. Is féidir iad a aithneachtáil lena bhfuil de lannacha

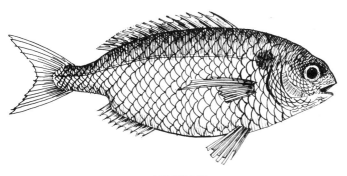

AN BRAN

orthu. Níl mórán breac is mó lannacha ná é, mar go bhfuil cúpla brat air agus iad chomh dlúth le chéile lena bhfaca tú riamh. Dath donnbhuí is iondúla a bhíonn ar a dhroim agus dath lonrach bán ar a bholg, fáinní buí timpeall a shúl agus bruas bog. Tá go leor dealga géara ina chuid eiteacha agus ní mór don iascaire a bheith cúramach ar a bhaint den duán nó mura mbeidh beidh scéal aige air. Nuair a thagas siad faoi bhád is féidir go leor acu a mharú. Tá siad an-ocrach agus confach chuig an mbaoite, agus beidh sé alptha chomh luath agus a bheas sé i bhfarraige. Ní mór a bheith cúramach go maith á dtarraingt mar má tharraingíonn tú róthréan brisfidh tú an greim de bharr an bhruais bhoig agus caillfidh tú é. Is cuimhneach liom go maith an chéad oíche a ndeachaigh mé á marú go raibh mé á gcailleadh ar dtús ar feadh i bhfad — mar go raibh greim róchrua agam ar an dorú — agus á dtarraingt róthréan, ach mhúin an cleachtadh an cleas dom sa deireadh, is é sin iad a tharraingt bog réidh.

Ní sheasann siad i bhfad in aon áit agus imíonn siad nó tagann siad i gcónaí le hiompú taoille. Is minic go mbriseann na hiascairí portáin lofa amach le hiad a tharraingt ar an áit. Ach má thagann fíogaigh nó gobóga caithfear na brain a fhágáil ansin mar nach féidir aon láimh a dhéanamh orthu níos mó.

133

Is deas an t-iasc iad úr nó saillte. Triomaítear go leor acu le haghaidh an gheimhridh agus níl mórán anlainn ar bith chomh deas ná chomh milis leo nuair atá siad saillte, tirim agus sábháilte mar is cóir.

AN FAOITÍN

DATH airgeadach atá ar an bhfaoitín ach go bhfuil geadán beag dorcha ag eite na gualann. Tagann siad isteach ón bhfarraige ina gcluichí líonmhara i dtús an tsamhraidh. Éisc an-chonfach iad agus déanann siad lot mór ar scadáin agus ar ronnaigh. Is iondúil go gcónaíonn siad in aice grinnill agus dá bhrí sin, tógtar go leor acu le trálanna. Maraítear le doruithe iad freisin. Is deas blasta an t-iasc iad le n-ithe agus bíonn glaoch agus tóir orthu ar mhargadh an éisc. Is cosúil go raibh siad i réim mhór sa tseanaimsir féin mar dúirt an file go leor fúthu á moladh. Seo ceathrú:

Is maith an breac é an liamhán ag iascairí na
Gaillimhe
Ach is fearr go mór an faoitín mar is air a
gheofaí an t-airgead;
Is an faoitín turaná is an faoitín turanárum,
Is an faoitín turaná, is é an faoitín breac an airgid.

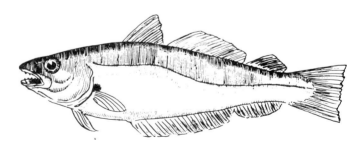

AN FAOITÍN

134

AN GHLASÓG

TÁ cosúlacht mhór ag an nglasóg leis an mangach, maidir le déanamh agus cruth. Tá dath níos duibhe ar an nglasóg agus bíonn sí níos mó. Is ocrach confach an breac í agus níl am ar bith is fearr léi breith ar bhaoite ná san oíche. Níl an t-iasc rómhaith le n-ithe mar go bhfuil sé cineál garbh. Sailltear cuid acu le haghaidh an gheimhridh agus nuair a bhíos siad tirim sábháilte níl siad chomh do-bhlasta.

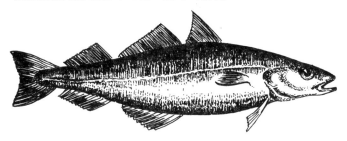

AN GHLASÓG

Is minic nuair a bhíodh muid ag iascach ó thalamh go maraíodh muid corrcheann acu agus is coilgneach fiáin an breac é le tarraingt ó stopóg.

Tagann siad ina gcluichí líonmhara aniar sa samhradh agus cothaíonn siad iad féin ar ronnaigh agus ar éisc bheaga eile. Tagann an oiread acu in áiteacha agus go bhfuil siad ainmnithe díobh, ar nós Aill na nGlasóg agus mar sin.

Sceitheann an ceann baineann i dtús an tsamhraidh ar an domhain amach ón talamh achar maith.

AN GHOBÓG

BAINEANN an ghobóg le treibh na siorcanna agus dá bhrí sin briseann an dúchas céanna tríthi, is é sin go ndéanann sí scrios agus marú ar éisc eile. Is mó í ná an fíogach. Bíonn cuid acu cúig nó a sé de throithe ar fhad, dath dorcha ar a ndroim agus níos báine fúthu.

AN GHOBÓG

Ní féidir aon iascach a dhéanamh in aon áit a mbíonn siad mar go mbíonn siad ag breith ar na baoití agus ag gearradh na ndoruithe agus na snúdaí. Is minic agus muid ar mhuráite maith bran go mbeadh orainn tarraingt suas agus imeacht abhaile uathu. Is minic nuair a thugadh muid thar bord ceann acu freisin go scaoileadh sí uaithi cúig nó a sé de chinn óga a bhíodh láidir go leor le snámh a dhéanamh san uisce a bhíodh ar urlár an bháid.

Is coilgneach fiáin an breac í le tarraingt ón stopóg, go háirid. Is in aice thóin an phoill is fearr leo. Níl aon mhaith iontu le n-ithe agus dá bhrí sin ní thaitníonn siad le hiascairí ar chor ar bith.

AN EASCANN

Deirtear nach bhfuil mórán breac sa bhfarraige nach dtéann chun suaimhnis san oíche ach an eascann. Is féidir í a aithneachtáil go héasca thar aon chineál eile mar go bhfuil sí caol fada sleamhain, eite fhada droma ag dul ó mhuineál go barr driobaill agus thart faoina bolg go himleacán, dath dorcha os a cionn agus bánbhuí faoina bolg, béal fairsing agus drad géar fiacla atá i riocht aon rud a ghearradh a chastar léi

ar thóin an phoill. Bíonn méid mhór i gcuid acu. Is
minic a chonaic mé cinn seacht nó a hocht de throithe
ar fhad.

AN EASCANN

Nuair a bhíodh muid amuigh le spiléid thógadh
muid go leor acu in aice an tsalachair. Is maith leo
áiteacha achrannacha scailpeacha. Milleann siad go
leor faoin spiléad de bharr a bheith á lúbadh féin agus
á gcasadh féin timpeall go síoraí. Baineann siad agus
cuireann siad fuinneamh i ngach snúda agus dorú
leis an ngeallamansaíocht agus tugann cuid acu na
duáin agus na foirtéimeacha leo.

Ní foláir stumpa de mhaide a shá siar ina gcoguas
nuair a bheifeá á mbaint den spiléad. Is breac láidir
mallaithe go leor í agus ní dócha cleas a dhéanfadh
sí ná breith ar láimh ort lena fiacla géara, ach chomh
fada is a bheas an maide ina béal ní féidir léi aon
dochar a dhéanamh. Is maith blasta an t-iasc iad úr
nó saillte agus bíonn glaoch agus urluach mór orthu
ar mhargaí éisc.

Is an-deacair breith orthu le líonta, mar in áit ar
bith ar féidir leo an drioball a chur deirtear gur féidir
leo a gconablach ar fad a tharraingt tríd. Is minic go
dtéann siad i bpotaí gliomach agus go glic go nglanann
leo nuair a bhíos na baoití ite acu amach i ndiaidh
a ndriobaill i riocht agus go gcuireann na slata óna
chéile agus go bhfágann fuinneoga ar na potaí mar
chomhartha don ghliomadóir go ndeachaigh siad an
bealach. Maraíonn siad na gliomaigh freisin sa bpota
agus dá bhrí sin bíonn an dearg-ghráin ag gliomadóirí
orthu mar gheall ar an díobháil a dhéanas siad.

Is minic ar thránna móra gur féidir iad a fháil istigh i scailpreacha in íochtar an chladaigh. Is an-deacair iad a ruaigeadh amach as an aice mar go mbíonn béal an phoill an-chúng agus í an-fhada siar sa scoilteadh. Ní foláir sleá nó geaf le cogadh a fhógairt uirthi. Ní mórán aice a mbíonn sí nach mbíonn cúlbhealach aici le n-imeacht má bhíonn sí i sáinn. Is éisc an-chliste iad ar iad féin a shábháil, agus má théann sé chuige sin tá siad mallaithe oilbhéasach go maith le troid a dhéanamh.

Is cosúil gur féidir leo maireachtáil beo tamall maith amach as an uisce mar nach mbíonn deoir i gcuid de na haiceacha a mbíonn siad ar feadh uair de thaoille trá agus uair eile de thús tuile.

Tá cúpla cineál acu ann ach is í an ceann a dtugtar an concar uirthi an ceann is mó in aice chladaí Chonamara. Is sleamhain an treibh iad ar fad; is minic a deirtear, "is é greim dhrioball na heascainne a bhí agam air."

AN LANGA

Ní neamhchosúil leis an eascann an langa. Breac fada caol sleamhain í ar bheagán lannacha, dhá eite droma, ceann beag chun tosaigh agus ceann fada siar go drioball, ceann eile ar a bolg ag gabháil siar óna lár. Dath donnbhuí agus bolg bán is iondúla a bhíos orthu i gcás go mbíonn go leor le déanamh ag dath na háite a mbíonn siad ar grinneall lena ndath, ar nós éisc eile.

Is minic a fuair muid cinn ar na spiléid a bhí chúig troithe ar fhad ón ribe atá as a smig go dtí barr an driobaill. Amach ó Charraig na Meacan, agus siar ó Charraig na Meacan agus ó Dhúleic bíonn siad le fáil fairsing go leor, ar suas le daichead feá agus os a cionn ar doimhne.

Is maith an t-iasc agus is milis iad úr nó saillte. Bíonn glaoch mór orthu ar mhargaí éisc. Aon bhád a mbeadh cúpla ceann acu aici tar éis iascach na hoíche ní bheadh aon chall don fhoireann a bheith ag casaoid ar chor ar bith. Níl aon bhaol nach mbíonn troisc, eascanna, bóleathaí agus éisc eile san áit a mbíonn an langa. Tá dhá chineál langa coitianta ar chóstaí Chonamara, an Langa Ghorm agus an Langa Charraige.

AN COLMÓIR

NUAIR a bhíodh muid amuigh le spiléid ar an domhain d'fhaigheadh muid corrcheann de na colmóirí ar na duáin. Níl siad le fáil an-fhairsing ar an gcósta. Is cosúil gur aon treibh amháin iad féin agus na troisc agus na cadóga, mar tá roinnt cosúlachta acu le chéile. Cónaíonn gach aon chuid acu ar na stopóga i bhfad amach ó thalamh.

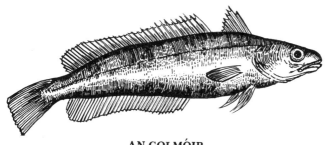

AN COLMÓIR

Tá cóta de lannacha leathana ar an gcolmóir. Dath donn breactha le dubh ar a dhroim agus dath bán ar a bholg, dhá eite droma, eite bheag in aice a mhuiníl agus eite fhada siar uaithi sin go dtí an drioball, agus eite fhada eile faoina bholg atá ag gabháil siar go drioball freisin. Tá drad géar fiacla aige agus is minic a dhéanann sé greadlach ar éisc eile leo.

139

Faigheann ronnaigh agus scadáin garbh é uaidh féin, agus ó throisc agus ó fhíogaigh. Níl an colmóir chomh maith le n-ithe leis an trosc. Ní mharaítear mórán acu amach ó na hoileáin in Iarthar Chonamara. Iasc an-ghann iad ann.

AN CHADÓG

Ní mór nach cosúil le chéile an chadóg agus an trosc, ach tá spota dubh mar a leagfá súil d'ordóige ar ghualainn na cadóige agus líne dhubh chaol siar ar an taobh go drioball, dath donnbhuí ar a droim agus bán ar a bolg.

AN CHADÓG

Tá an chadóg an-mhilis le n-ithe. Tógtar go leor acu le spiléid agus le trálanna agus maraítear roinnt acu le doruithe, freisin. Is minic go sailltear iad agus go dtriomaítear iad le haghaidh an gheimhridh.

Deirtear gurb é lorg bharr ordóg Naomh Peadar atá ar an gcadóg ón am fadó a raibh sé ag iascach.

Cothaíonn an chadóg í féin ar éisc bheaga eile agus ar éisc shliogánacha. Bíonn go leor eochraí sa gceann baineann agus is i dtús an tsamhraidh a sceitheann sí. Go deimhin dá dtagadh gach gráinne acu in inmhe bheadh cadóga fairsing, ach bíonn go leor namh-aideacha acu. Ach is mar sin atá an scéal le gach cineál éisc. Tá cineál eile ann a dtugtar an Chadóg Loch-lannach uirthi.

AN CUDAL

Is minic a bhíos argóint idir daoine faoin gcudal, cuid acu ag rá gur láimhíneacha óga iad agus tuilleadh ag rá nach ea, gur treibh iontu féin iad, nach bhfuil gaol ná dáimh acu le láimhíneach ná le láir bhán.

Bíonn go leor acu ag snámh in aice meilsceánaigh go háirid sa bhfómhar, agus tá cosúlacht an-mhór ag an gcudal méarach leis an láimhíneach maidir le déanamh ach nach mbíonn sé ach timpeall le dhá orlach ar fhad. Is lú ná sin an cudal sceitheach agus bíonn sé sin ag scaoileadh uaidh an dúigh gach ala.

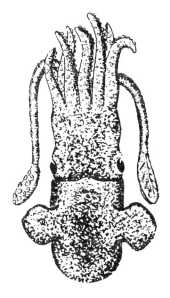

AN CUDAL

Dá bhrí sin, is deacair a dhéanamh amach i gceart cén déanamh atá air. Nuair a bhíos an aimsir ar thob briseadh is ea is iondúla é a fheiceáil. Is maith an comhartha fearthainne é. Níl aon bhaol nach mbrostaíonn sé lucht déanta ceilpe lena gcuid feamainne a chocadh in am roimh bháisteach. Ní féidir a rá nach

cliste na héisc iad agus an deis aisteach atá acu le hiad
féin a chosaint má bhíonn an namhaid sa tóir ina
ndiaidh.

AN LEATHA

IS mairg a deir nach iontach é saothar Dé agus an
chaoi a n-athraíonn na leathaí a ndéanamh agus a
ndath le linn a n-óige. Bíonn siad mar éisc eile ar dtús,
rónta, fada, caol, agus dath liathbhán nó bán nó ar
dhath an ghainimh nó na láibe a gcónaíonn siad
orthu, is é sin tar éis iad a chruthú ó na heochraí
agus go ceann ceathair nó a cúig de sheachtainí. Tar
éis an ama sin, bíonn siad de réir a chéile ag iompú ar
a dtaobh, ach fanann siad tamaillín beag ar a leathriasc
agus san am céanna bíonn an taobh fúthu ag iompú
níos báine agus an taobh os a gcionn ag athrú go dtí
an dath a bhíos ar an ngrinneall, más bán, buí, breac,
dubh nó riabhach é.

Athraíonn cuma an chloiginn chomh maith agus an
leathshúil a bhíos fúithi leanann sí ar an taobh os a
cionn in aice leis an tsúil eile i riocht agus go mbeidh
an dá shúil ar an taobh os a cionn. Ní dhéanfadh sé

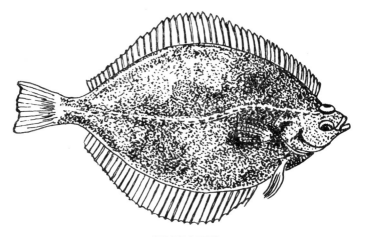

AN LEATHA

142

cúis leathshúil a bheith fúithi mar nárbh fhéidir léi aon radharc a fháil aisti.

Is minic a chonaic mé na céadta de na leathaí beaga óga ar an trá soir ón teach. Le taoille tuile a thagadh siad isteach i mbéal na taoille. Ní raibh cuid acu dhá orlach ar fhad, agus an té nach mbeadh sách eolach thabharfadh sé an leabhar nach leathaí ar chor ar bith iad ach séaclaí nó éisc eile mar sin. Rud eile a thug mé faoi deara, bhíodh spota maith leathan de chlocha a raibh feamainn ag fás orthu amach ó cheann na céibhe go díreach sa gcosán ar an mbulc a thagadh isteach sa gcéibh. De bharr go raibh an fheamainn dubh agus an trá bán timpeall bhíodh amharc maith ann, ag teacht trasna tríd an ngeadán dubh. Ach ar an bpointe agus ar athraigh a gcruth agus ar luigh siad ar a dtaobh ní thagadh siad an bealach níos mó ach chuireadh siad timpeall orthu féin. Bheadh sé éasca ag a namhaid iad a fheiceáil san áit dhubh, ach bhí siadsan cliste go leor gan an seans sin a thabhairt dó, mar choinníodh siad an trá a bhíodh ar a ndath féin.

Éisc an-ghlic iad. Cuireann siad iad féin sa ngaineamh go dtí an dá shúil go minic i riocht agus nach féidir leis an namhaid iad a thabhairt faoi deara ar chor ar bith. Tógtar iad le trálanna, le spiléid agus le líonta ar imeallbhord Chonamara. Is milis folláin an t-iasc iad agus bíonn glaoch mór orthu ar mhargaí éisc i mbaile agus i gcéin. Bíonn na mílte eochraí i bpis an chinn bhaininn agus dá bhrí sin cén t-ionadh dá mbeadh siad an-líonmhar. Ach is ríbheag de na heochraí a ritheas leo mar bíonn siad deas séimhí milis ag éisc chonfacha eile le n-ithe.

Tá go leor cineálacha de na bric leathana tanaí seo le fáil i gcuanta Chonamara. Ní haon déanamh, ná aon dath amháin, ná aon mhaith amháin le n-ithe atá i ngach aon chineál acu. Tá na cineálacha, an turbard agus an sól ceaptha a bheith níos fearr ná an dúleatha, ná an plás, ná an leatha riabhach agus ná an leatha leice. Níl mórán breac sa bhfarraige chomh maith leis an turbard riabhach le haghaidh an bhoird.

AN SÓL

NÍL aon treibh de na leathaí cé is moite den turbard is blasta le n-ithe ná an sól; is é a locht a laghad. Níor cheap Dia dó a bheith mór. Tá sé ar an gcuid is lú de na leathaí agus is furasta é a aithneachtáil leis an déanamh fada tanaí atá air, ar nós bonn bróige, agus lása d'eiteacha laga faoi gcuairt leis. Dath donn measctha le dubh agus buí os a chionn agus bán faoi, ach is minic go dtéann sé le dath an ghrinnill a gcónaíonn sé ann. Tá a chuid cnámh níos sileánaí i riocht agus gur féidir leis é féin a chasadh agus a lúbadh níos aclaí ná aon chineál leatha eile. Is minic a thóg muid ar spiléid iad in aice na Muice Gainimhe agus Thonn Uí Fhloinn — dhá bhainc gainimh amach ó Mhuínis a bhriseas ar oibriú farraige. Bíonn siad fairsing to leor le fáil blianta agus blianta eile ní bhíonn. Níl aon bhaoite is fearr leo ná an lugach agus an scadán gainimh agus ní mórán de na leathaí nach bhfuil dúil acu sa lugach. Más í an bhóleatha rí na leathaí le méid, sílim gur le treibh na sólanna an chraobh le laghad agus le milseacht le n-ithe ach amháin b'fhéidir an turbard riabhach.

AN LEATHA RIABHACH

NÍL an leatha riabhach baol ar bith chomh fairsing leis an bplás ná leis an leatha dhubh. Tá cosúlacht mhór leis an bplás aici maidir le déanamh — déanamh an phláta beagnach. Tá lannacha beaga á clúdú ó bharr an driobaill go bun an gheolbhaigh agus ciumh-

aiseanna eiteacha á fáinniú thart lena colbha. Dath
donndubh measctha le buí agus bán ar a droim, nó
riabhach, agus dath bán ar a bolg. Ní mhéadaíonn sí
chomh mór leis an bplás. Níor thóg muid aon cheann
acu ar na spiléid a bhí os cionn chúig orlaí déag ar
leithead agus is amach ar an domhain a fuair muid
iad i mbreacshalachar, san áit a raibh gruáin agus
gaineamh rua, agus meallta beaga stopóige sách gar go
leor dúinn le himní a leanúint a chur orainn. Is deas
an t-iasc atá orthu, agus is dóigh liom féin go bhfuil
sé níos blasta ná iasc na bplás. Ach amach sa bhfómhar
tar éis sceitheadh don cheann baineann ní bhíonn siad
chomh maith ná chomh ramhar. Ach is mar sin an
scéal beagnach ag gach cineál éisc dá bhfuil ag snámh
sa bhfarraige mhór.

AN PLÁS

Ní raibh cineál leatha ar bith ab fhairsinge a d'fhaigh-
eadh muid ar na spiléid ná na plásanna. Is álainn an
dath atá uirthi agus loinnir ina droim le sleamhnacht.
Déanamh uibhe tanaí agus ciumhaiseanna eiteacha
beagnach á timpeallú. Dath donnbhuí ar a droim agus
roinnt spotaí dearga breactha tríd, dath bán ar a bolg,
nó ba chirte a rá, ar an taobh fúithi. Is iondúil gur ar
ghaineamh bán agus rua a chónaíos sí agus tá an dath
céanna sin ar an taobh os a cionn le teacht leis. Ach
má airíonn sí aon torann ina timpeall cuireann sí í
féin sa ngaineamh, ach an béal, na súile agus beagán
de mhullach cnapach crua a cinn.

Bíonn cuid acu cúpla troigh ar leithead. Níl sí
chomh maith le n-ithe leis an turbard ná leis an sól,
ach is blasta agus is milse í ná an dúleatha agus ná an
leatha leice. San earrach a shíolraíos sí ach ní bhíonn
sí chomh maith le n-ithe i ndiaidh an ama sin agus ní
bhíonn sí chomh trom ná chomh ramhar ach an
oiread.

AN DÚLEATHA

DATH bán atá ar an leatha seo fúithi agus dorcha os a cionn. Bíonn siad le fáil fairsing go leor i murlacha i mbéal aibhneacha agus i gcrompáin thanaí chineálta. Is iondúil gur grinnill dhorcha láibe nó gainimh a bhíos san áit a thaithíos siad, a bheadh ar an dath céanna lena ndromanna. Níl aon locht ag an dúleatha ar mhearsháile agus is minic go dtéann sí suas i mbéal na habhann chomh fada leis an bhfíoruisce.

Tógtar le spiléid, le trálanna agus le líonta iad i gConamara. Níl siad chomh blasta le n-ithe leis an bplás. Is é an déanamh céanna atá orthu, déanamh tanaí uibhe agus ciumhaiseanna eiteacha thart lena gcolbha.

Níl cineál leatha ar bith nach féidir na lannacha a aireachtáil ach do láimh a chuimilt ar a ndromanna aniar ón drioball.

Téann siad amach ar an domhain sa ngeimhreadh agus is é an grinneall dorcha a dtógann an dúleatha seilbh air amuigh chomh maith le istigh ar an tanaí.

AN LEATHA LEICE

IS aisteach an cineál é seo. Cónaíonn sé i ngreamú de na clocha in aice le lán trá. Ní foláir scian le hé a bhaint ar nós mar a bhainfeá bairneach. Déanamh rónta atá air ar nós na codach eile agus eiteacha faoi gcuairt leis, cloigeann mór agus drioball beag. Ní fhaca mé aon cheann acu a bhí thar seacht n-orlaí ar leithead, i gcás go mb'fhéidir go bhfuil cuid acu amach ar an domhain níos mó ná sin.

Tógtar, nó baintear ba chirte dom a rá, go leor acu san earrach nuair a bhíos daoine ag baint feamainne le haghaidh leasú, mar go mbíonn siad i bhfostú de na clocha faoin bhfeamainn in aice na trá. Dath liath ar an taobh os a gcionn agus bánghorm ar an taobh fúthu. Ní fhaca mé riamh iad ach i ngreamú agus faigheann siad farasbarr greama má shíleann tú iad a bhaint, i riocht agus go mbeidh ort an t-iasc a ghearradh le scian le hé a thabhairt leat. Níl cineál ar bith díobh is iontaí ná iad i ngreamú de chraiceann crua na cloiche.

AN BREAC GEAL

IS d'aon treibh amháin an breac geal agus na bradáin. Dath airgeadach lonrach ar a bholg agus spotaí beaga dubha ina dhroim tríd an mbuí. Is álainn an breac é gan aon dabht. Bíonn siad fairsing sa samhradh agus leis an tráthnóna breá bíonn siad ag léimneach suas as an uisce agus ag breith ar chuileoga a bhíos ag eiteall thart.

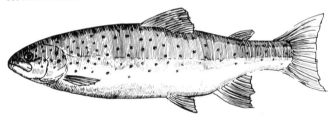

AN BREAC GEAL

Is cuimhneach liom aon tráthnóna amháin a raibh mé amuigh sa gcuan ag iascach lannach. Bhí bulc cuileog in achrann le chéile le taobh an bháid os cionn na farraige. Is gairid go bhfaca mé breac geal ag drundáil thart faoi uachtar. Fuair mé an geaf mar cheap mé go raibh sé ag faire ar na cuileoga agus go mb'fhéidir go léimfeadh sé le hiad a ghabháil agus dá léimfeadh go gcuirfinn an chamóigín iarainn go feirc ann. Ach is gearr gur chuir sé steall uisce suas ó bharr na farraige lena bhéal. Thug sé anuas cúpla ceann de na cuileoga agus bhailigh leis tar éis a slogadh siar dó féin.

Cheap mé go mba chliste an beart é. B'fhéidir go raibh scáth air romhamsa agus gurb é sin an fáth ar scaoil sé an t-urchar uisce. Tá cleas eile acu féin agus ag na bradáin fearna. Nuair a bhíos muca mara nó fíogaigh á sáinneáil, má bhíonn aon bhád ag seoladh in aice leo téann siad i bhfolach dlúth leis an gcíle nó in ascaill na stiúrach nó go mbailíonn an namhaid thart, mar go mbíonn seisean faoina oiread coimhlinte agus eile agus go síleann sé go mbíonn siad amach roimhe i gcónaí.

Uair eile bhí dlí ag Sasana nár cheart aon eangach a chur in aice baile mar go raibh siad ag ceapadh go raibh na hiascairí ag tógáil bradán agus bric gheala. Chuir mé líonta na céadta uair sna cuanta agus níor thóg mé an oiread agus a d'íosfainn aon uair amháin de bhradán ná de bhreac gheal. D'fhógair an Rialtas úd cogadh freisin ar chailleacha dubha agus ar bhroighill. Thug siad trí pingine ar a gcloigeann; b'fhéidir go leor den éanlaith sin nach bhfaca bradán ná breac geal riamh. Ba mhór an éagóir é, iad á marú sa neamh-chiontaí agus gan iad i riocht cur ar a son féin.

Ní mórán suime atá ag na hiascairí i mbreac geal ná i mbradán. B'fhearr leo go mór mangach nó trosc. Go deimhin, ní raibh a fhios acu beo céard ba bhonn leis na dlíthe seafóideacha úd agus nuair a dhéanadh na báillí aon tafann orthu d'fhéachadh siad leis an scéal a mhíniú dóibh, is é sin nach dtéadh breac geal ná bradán sna líonta aon am ach oiread le chéile. Ní raibh aon mhaith dóibh ag caint; chaithfí géilleadh don dlí murar mhaith leo iad a thabhairt chun cúirte agus iad a chur faoi cháin throm, nó b'fhéidir príosún-tacht fhada.

Ní thabharfaí aon aird orthu ach an oiread leis na héanacha mara a bhíodh á sladadh ina gcodladh san oíche amuigh ar na lomcharraigreacha uaigneacha faoin scéal ceannann céanna.

AN LIAMHÁN MÓR

BÍONN na liamháin mhóra an-fhairsing ar an gcósta thiar seo sa samhradh. In aimsir bhreá chiúin bíonn siad ag déanamh bolg le gréin ar bharr na linne dochuimsithe. Is cosúil le seolta beaga báid a chuid eiteacha nuair a bhíos siad ardaithe suas aige. Bíonn méid mhór ann; bíonn sé ó fhiche troigh suas go dtí daichead troigh ar fhad agus ó thonna go dtí dhá thonna meáchain. Is luachmhar an breac é mar gheall ar an ola a bhaintear as a chuid aebha. Is fiú go leor é.

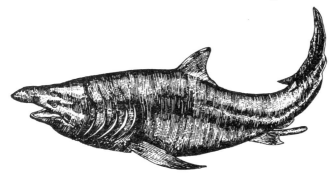

AN LIAMHÁN MÓR

Sa tseanaimsir, an-fhada siar, bhíodh na liamháin á marú ar an gcósta seo. Gleoiteoga móra a bhíodh ag na hiascairí, báid sé nó a seacht de thonnaí. I mí na Bealtaine a théadh siad chun farraige nuair a bhíodh aimsir sheasta bhreá ann.

Bíonn cúinne mór de chábla láidir agus sleá ar a cheann i ngach bád. Bíonn ceaig beag ar an gceann eile den chábla, ní ar a cheann baileach ach i bhfoisceacht cúpla feá de. Bhíodh ainm an iascaire ar an gceaig agus ar an tsleá.

Théadh na báid an-fhada siar, siar ó dheas d'Árainn Mhór. Bhíodh na Beanna Beola curtha agus ní bhíodh in Árainn Mhór ach mar a bheadh fearsaid tuirne ar bharr na mara móire amuigh ansin san aibhéis choimhthíoch.

Nuair a chastaí liamhán le bád bhí caoi áirid le hé a mharú. Tá geadán bán ar a dhroim agus nuair a leagtaí an tsleá ar an ngeadán sin bheadh sé á bhrú féin aníos ina haghaidh mar a bheadh sórt dinglis nó tochas ann.

Nuair a chuirtí an tsleá tríd bhíodh deis uirthi go n-osclódh sí istigh ann. Ansin d'imíodh sé le buile agus é ag tarraingt an chábla leis. Bhíodh cor den chábla fáiscthe go daingean docht ar an mullard, agus fear ina sheasamh ar an tile tosaigh agus tua ghéar aige ina láimh leis an gcábla a ghearradh dá mbeadh i ndán is go mbeadh an liamhán ag tabhairt an bháid rófhada mar ní bheadh am a scaoilte nuair a bheadh an scóp caite; bheadh sé ródheireanach agus bheadh an bád i mbaol a báite.

Dá ngearrtaí an cábla féin bheadh seans ag fear an bháid ar an liamhán a fháil ó bhí a ainm ar an tsleá agus ar an gceaig pé ar bith áit a dtiocfadh sé i dtír, mar ó chuirfí an tsleá ann bheadh a chuid fola ag teacht ina caisí tréana go mbeadh a neart ídithe agus ansin bheadh sé ag imeacht le sruth agus gaoth, agus

LIAMHÁN MÓR Á THABHAIRT I dTÍR

150

b'fhéidir go gcaithfí isteach ar chladaí garbha fiáine nó ar thránna míne gainimh é ar deireadh thiar thall.

Is minic a chuala mé na seandaoine ag rá, bád ar bith a mharódh trí cinn acu go mbeadh a séasúr déanta aici an bhliain sin, mar bhí airgead mór le fáil ar a gcuid ola. Is soiléir ón bhfilíocht féin go raibh sé i gceist go mór anallód mar dúirt Raiftearaí san amhrán sin "Contae Mhaigh Eo": "Tá an liamhán ag triall ann ón bhfarraige mhóir."

Is cosúil go mbíodh fáilte roimhe ag na hiascairí cois cuain. Níor mhór an t-ionadh sin, "mar ba é an eorna nua" é le teacht aniar in aice an iarthair le cabhair agus le cúnamh a thabhairt do na Gaeil. Nach minic ó shin a tháinig cabhair aniar ar dhroim na bóchna?

AN TURBARD

DÉANAMH leathan atá air ar nós na leatha. Is minic a thógtar le spiléid é in aice an chósta seo, ach tógann na báid mhóra iascaigh a bhíos ag scríobadh an ghrinnill go leor acu. Cuirtear a bhformhór go Sasana úr le díol ar na margaí agus níl mórán breac ar mhargadh éisc is mó a mbíonn tóir air agus is daoire ná é. Bíonn sé ó chloch go leith go dtí dhá chloch mheáchain. Ar éisc eile a bheathaíos sé é féin, ar nós scadáin ghainimh, sprasaí, sólanna agus leathaí beaga.

Níl mórán breac sa bhfarraige is mó a mbíonn eochraí inti ná sa turbard baineann. Deirtear go mbíonn suas le deich milliún uibheacha aici in aimsir shíolraithe a sheasas ó Aibreán go Mí Mheáin an tSamhraidh.

Ní dhearna filí an ochtú céad déag féin dearmad ar an iasc dea-bhlasta sin. Nach minic a bhíodh an tur-bard riabhach i gceist acu? Agus ní hionadh mór go

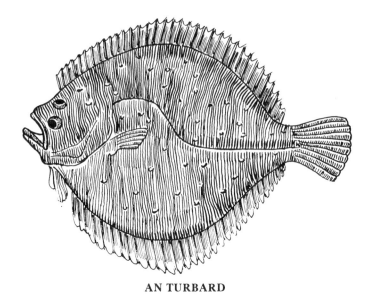

AN TURBARD

raibh, mar breac is ardnósaí ná é is deacair a fháil ar ghrinneall na mara móire.

AN BOLMÁN

AON déanamh amháin atá ar an mbolmán agus ar an ronnach, beagnach, ach go bhfuil go leor lannacha ar an mbolmán agus cuid acu ina seasamh ar a bhfaobhar.

Tagann siad ar an gcósta seo sa samhradh trí na ronnaigh agus tógtar go leor acu i líonta ronnach

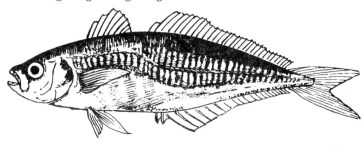

AN BOLMÁN

agus scadán i ndeireadh an tsamhraidh agus i dtús an fhómhair. Sailltear cuid mhór acu le haghaidh an gheimhridh, agus is deas agus is maith an t-iasc iad, úr nó goirt. Bíonn go leor eochraí iontu agus síolraíonn siad ó Mhí Mheáin an tSamhraidh go tús Lúnasa.

Tá súile an-mhór iontu, agus is minic a deirtear le duine a mbeadh súile móra ann, "a shúile bolmáin."

AN CEANNRUÁN

TÁ go leor cineálacha de na ceannruáin ann agus tá siad an-choitianta le feiceáil sna locháin agus mórthimpeall an chladaigh.

Is breac an-chleasach agus cliste é. Is minic riamh a bhí mé á n-iascach nuair a bhínn ag gabháil ar scoil. Amanta chuireadh sé a leiceann faoi agus dhúnadh sé a leathshúil ag féachaint ar mo bhaoite leis an leath-shúil eile, ag déanamh amach nach raibh suim ar bith aige ann. Ach dá dtagadh glasán ná malrach Cháit ná aon bhreac ar bith eile mar sin, agus is minic a thagadh, i ngar ná i ngaobhar don bhaoite bheadh sé ina raic.

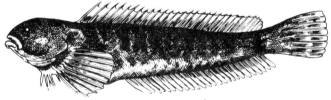

AN CEANNRUÁN

Thagadh colg agus buile ar an gceannruán, agus i leaba leathshúil a bheith dúnta aige roimhe sin, bhioraíodh sé an dá shúil, mhéadaíodh siad agus thagadh scéin iontu. Bheireadh sé lena bhéal ar chuing muiníl ar an mbreac beag agus deirimse leat go mbíodh deifir ag imeacht airsean nuair a bheadh sé

153

glan ó fhiacla beaga géara a namhad, agus go mbeadh sé dh'eire aige, freisin. Agus nuair a thosaíodh an ceannruán ag ithe an bhaoite féin, is á phiocadh agus ag blaiseadh de a bhíodh sé agus is beag baol a bheadh air breith ar an duán.

Go deimhin, is iascaire maith a mharódh ceann acu, agus dá maraíodh féin is olc an maistín é, agus ní bheadh sé sásta go mbaineadh sé fuil amach. Is minic a bhíos siad féin ag troid le chéile agus is iad a thugas an ghreasáil cheart agus an sclamhadh bocht dá chéile. Rud eile, bíonn ceann eile agus a cheann amach as scailp aige ag féachaint go géar ar an bhfadrúscadh a bhíos eatarthu agus ó am go ham téann sé go dtí an áit a mbíonn an comhrac. Nuair a théas, stadann an troid ar feadh tamaillín bhig, ach ar an bpointe boise is a dtéann sé ar ais go dtí a aice (i.e. scailp sa gcarraig), tosaíonn siad an athuair.

Is iasc gan mórán maitheasa le n-ithe iad agus tá siad an-fhairsing. Is cosúil le ceann cait atá air agus tá cuid de mhianach an chait ann freisin lena dhrochbhéasa. Bíonn siad le fáil i locháin ar díthrá i gcladaí fiáine chomh maith le háiteacha cineálta, agus nuair a bhíos sé ina lán mara imíonn siad suas go barr an tsnáithe mara agus téann siad ar ais aríst nuair a thrás sé amach.

Is maith leo cladach scailpeach, mar nuair a imíos an taoille amach fanann cuid acu i scáintí idir na mulláin agus bíonn siad ag crónán dóibh féin go díreach mar a bhíos na portáin.

AN TROSC

NÍL mórán breac sa bhfarraige is fearr agus is tairbhí ná an trosc. Deirtear go mbíodh siad á marú sa tsean-aimsir an-fhada siar, agus níorbh ionadh mór sin, breac chomh luachmhar leis a bhfuil a chuid éisc go dea-bhlasta, láidir, folláin. Ní hé amháin sin ach an ola a bhaintear as a chuid aebha a bhfuil íocshláinte agus leigheas inti don chuid sin den chine daoine a bhfuil sé de mhí-ádh orthu a bheith buailte síos le criotán agus casacht agus drochghalraí eile mar sin.

Na báid mhóra a bhíos ag scríobadh grinnill, tógann siad go leor acu ina gcuid trálanna agus maraítear go leor acu freisin amuigh ar an domhain mhór le spiléid agus le doruithe. Iascach ón talamh a thugtar ar iascach na ndoruithe láimhe. Bíonn na báid a bhíos á dtóraíocht ar luí chuige, is é sin le rá, ag seoladh le siúl beag, na seolta lomtha isteach go maith agus aghaidh cheann an bháid i súil na gaoithe. Ach mura mbeadh mórán gaoithe ann ní bheadh ceann an bháid chomh díreach sin in aghaidh na gaoithe, bhogfaí na seolta beagán agus leagfaí le fána anuas iad, sa gcaoi go mbeadh siúl beag maith ar an mbád.

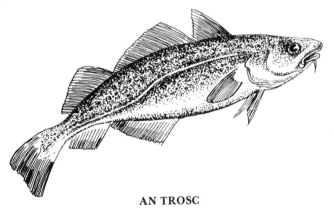

AN TROSC

Dá mbeadh triúr d'fhoireann i mbád ag iascach ón talamh, bheadh duine acu ar an locard, duine ar an seas deiridh agus duine ar an seas crainn. Cónaíonn an trosc go hiondúil ó dheich bhfeá fichead go deich bhfeá agus daichead i gciumhais na stopóige nó idir an stopóg agus grinneall gainimh ghairbh. Is minic a bhíos siad le fáil fairsing go leor in aice áirsí, is é sin poill a bhíos idir na stopóga, cuid acu sin deich

155

bhfeá níos doimhne ná mullach na stopóige.

Bíonn piléar luaidhe timpeall le dhá phunt meáchain ar cheann an dorú, trí feá de shnúda as an bpiléar, duán agus baoite de scadán gainimh, nó luathóg, nó searróg air. Nuair a thiocfas an bád ar bhainc an éisc, baineann an t-iascaire an snúda den philéar luaidhe, cuireann sé ruainne beag gréis (im nó blonag) ar an luaidhe. Ligfidh sé amach sa bhfarraige ansin an luaidhe agus sceithfidh sé an dorú anuas den ghlionda, go mbuaile an piléar tóin an phoill agus nuair a bhuail-feas tarraingeoidh sé aníos aríst é. Beidh a fhios aige ansin cén sórt áit é íochtar na farraige, mar má bhíonn gaineamh greamaithe den philéar is íochtar gainimh é. Beidh a fhios aige an gaineamh mín nó garbh é, geal nó rua, nó dubh. Ar an láimh eile, má thagann an piléar isteach glan is stopóg nó clochar cloch atá ann. Mothaíonn siad lena láimh freisin an bog nó crua a bhíos an t-íochtar, is é sin, nuair a bhuaileas an piléar ina aghaidh.

Nuair a bhíos siad ag iascach ligeann siad síos an dorú ar dtús go tóin an phoill agus ansin tugann siad aníos cúpla feá é agus mar sin bíonn siad á tharraingt ar bhord an bháid síos agus aníos go mbeire an trosc ar an mbaoite.

Is coilgneach go maith an breac é le tarraingt, is má bhíonn ceann mór ann ní mór an geaf a chur ann i mbarr uisce mar bíonn níos mó meáchain ann nuair a chrochtar as an uisce é, agus bheadh sé baolach go mbrisfeadh an greim nó an snúda is go mbaileodh sé leis.

Deirtear, nuair a thagas drochaimsir, go dtógann an trosc ballasta clocha beaga lena choinneáil socair sa stopóg nuair a bhíos an aimsir ina círéibeacha, ar aon chor sa ngeimhreadh.

Tar éis drochoíche, oibriú farraige nó toirní is minic a fhaightear trosc faoi thír agus nuair a osclaítear é bíonn go leor clocha beaga ina bholg.

AN TROSCÁN STOPÓIGE

SEO cineál eile ann agus is cosúil leis an trosc é ach níl sé chomh mór ná chomh ramhar leis. Is minic go dtógtar le líonta é ar stopóga doimhne. Go deimhin, níl an t-iasc a bhíos air chomh maith le breac an chlaib mhóir.

AN BHÓLEATHA

NÍL an bhóleatha an-fhairsing ar an gcósta seo. Mar sin féin, tógtar le spiléid agus le trálanna iad. Maraítear freisin ar an domhain mhór iad le doruithe láimhe. Déanamh na leatha atá orthu, dath dorcha go maith ar an taobh os a gcionn agus dath bán fúthu.

Tá iasc deas blasta orthu agus téann sí airgead mór ar an margadh. Bíonn méid mór go maith iontu, agus deirtear go mbíonn cuid acu suas le sé troithe ar fhad.

AN tIASCÁN NIMHE

SIN iasc nach bhfuil an-fhairsing ar an gcósta seo. Mar sin féin, is minic sa samhradh a fhaigheas lucht tóraíochta baoite agus pioctha faochan iad faoi chlocha i locháin thíos in íochtar an chladaigh. Is coilgneach an breac é le láimhsiú mar bíonn a chuid dealg géar go maith nuair a bhíos sé san uisce. Is beag nach cosúil leis an ngréasaí cladaigh é, murach chomh daite is atá sé. Níl aon dath sa mbogha ceatha nach mbíonn ann go minic, agus deirtear nuair a athraíos sé dath a chasóige nach comhartha soininne é ach comhartha doininne. Buí agus gorm agus dearg na dathanna a bhíos air go hiondúil, agus iad measctha trína chéile.

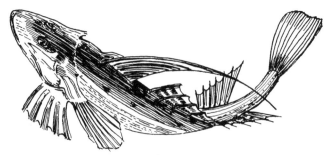

AN tIASCÁN NIMHE

Ach dá áille a chuid dathanna níl aon mhaith ann le haghaidh an bhoird, agus dá bhrí sin ní mórán spéis a chuireas seaniascairí cois cuain ann.

AN RONNACH

BÍONN an t-iasc seo le fáil an-fhairsing ar an gcósta seo sa samhradh, agus sa bhfómhar. Tógtar go leor acu le líonta agus déantar marú mór le doruithe féin orthu. Go deimhin, is deas an breac é, nuair a bhíos sé tar éis na farraige. Bíonn dath an-deas air, dubhuaine agus uaine ar a dhroim, agus bán ar a bholg.

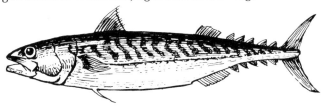

AN RONNACH

Sa samhradh in aice an chósta a sceitheas siad, idir cheithre mhíle dhéag agus leathchéad míle ó thalamh. Deirtear nach féidir iad a mharú le doruithe i dtús an tsamhraidh, go mbíonn siad caoch, mar bíonn scamall eicínt ar a súile agus dá bhrí sin nach féidir leo an baoite a fheiceáil. Ar aon chor, ní bheireann siad ar aon bhaoite i ndeireadh an earraigh ná i dtús an tsamhraidh. Ach amach i ndeireadh an tsamhraidh agus sa bhfómhar maraítear go leor acu le doruithe. Is maith an baoite píosa beag d'fhata fuar, agus tá píosa beag díobh féin ceart.

Le púcáin agus gleoiteoga is mó a thóraítear iad, agus ní mór siúl beag deas a bheith ar an mbád agus mar sin féin is minic gur anuas ó cheann an bháid a thiocfas sé nuair a bheas tú á tharraingt. Ní hionadh mór sin — nach bhfuil sé ráite nach bhfuil aon bhreac sa bhfarraige chomh luath leis.

Is minic a bhíos cluiche an-mhór díobh ar an taobh thiar seo, agus tagann siad isteach in aice an chladaigh sa bhfómhar. Uaireanta, imíonn an taoille amach uathu le taoille trá agus fágtar tirim thuas i mbarr an tsnáithe mara ina n-adhairteanna móra iad.

Tháinig go leor acu i dtír, tá cúpla bliain ó shin go hIorras Mór, ar an mbealach, agus ba mhór an tairbhe do mhuintir na háite iad. Is deas an t-iasc iad úr agus sailltear go leor acu, freisin, le haghaidh an gheimhridh.

AN CNÚDÁN

TÁ go leor cineálacha cnúdán ann. Seo iad na cinn atá coitianta ar chóstaí Chonamara: an cnúdán buí, an cnúdán dearg, an cnúdán glas, an cnúdán breac, an cnúdán soilseach, agus an cnúdán deilgneach.

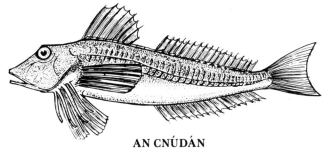

AN CNÚDÁN

Bíonn cur síos go minic sa bhfilíocht ar an gcnúdán dearg. Tá trácht ag Raiftearaí air i gceann dá chuid amhrán, "Bainis an tSleacháin Mhóir." Is coilgneach an breac é an cnúdán glas, mar tá eiteacha air a bhfuil go leor dealg orthu. Is deas séimhí, milis, folláin, láidir an t-iasc é. Deirtear nach iad na hiascairí is mó a fuair call ná gorta sa drochshaol, gur chothaigh go leor acu iad féin ar iascach, go mór mór le hiascach cnúdán. Le dorú is mó a mharaítear cnúdáin ar chóstaí Chonamara.

AN LÁIR BHÁN

BÍONN an t-iasc seo fairsing ar chóstaí Chonamara. Ar thránna móra is féidir iad a fheiceáil in aice leis an meilsceánach.

AN RONNACH SPÁINNEACH

BÍONN go leor ronnach le fáil ar chóstaí Chonamara. Is le líonta a thógtar iad. Tá ronnaigh earraigh ann agus ronnaigh fómhair. Tá sé ráite go mbíonn na ronnaigh earraigh caoch mar ní bheireann siad ar an mbaoite. Bíonn scamall eicínt ar a súile.

AN BALLACH

TÁ na ballaigh an-fhairsing ar an imeallbhord thiar seo. Go deimhin féin, níl mórán treibheanna eile nach bhfuil siad chomh líonmhar leo.

Tá sé éasca go leor ballaigh a aithneachtáil thar éisc eile, is é sin ar a ndéanamh agus a ndath. Tá bruas mór bog ag clúdú an déid dhlúthghil. Nach deas na fiacla iad? Nach minic a deirtear le duine a mbeadh drad deas fiacla ann "is cosúil le fiacla ballach iad?" Níl aon dath sa mbogha ceatha nach bhfuil ina chasog lannacha, atá gan barr cleite amach gan bun cleite isteach, chomh socraithe cothrom le sclátaí slinne a bheadh mar dhíon ar theach, mar a thosófaí thiar ag an drioball agus a chuirfí scair os cionn scaire amach go bruas. Le do láimh a chuimilt siar air ní bheadh a fhios agat an mbeadh lann ar bith air, bheadh sé chomh sleamhain sin. Ach níorbh fhéidir leat do láimh a chuimilt aniar ón drioball mar sheasfadh na lannacha ar a bhfaobhar i d'aghaidh. Tuigfear go bhfuil sin riachtanach de réir nádúir — ar nós an éin ag gluaiseacht tríd an aer — gur féidir leis an mbreac a bheith ag treabhadh na farraige gan bac ná cosc.

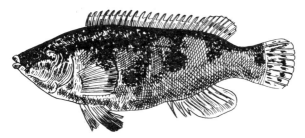

AN BALLACH

Tá go leor cineálacha ballach ann. Tá ballach breac, ballach Muire, ballach cuaiche, ballach fuarleice, ballach meilsceánaigh, agus bochar. Sceitheann na ballaigh sa samhradh, agus déanann siad neadracha i siúntaí na gcloch, de chuile chineál a chastar leo. Ach is iondúil gur feamainn dhearg agus coirleach agus rufaí a chuireas siad taobh amuigh, agus cáithlíneach agus caonach taobh istigh. Is minic a bhíos eochraí na mballach le feiceáil greamaithe den cháithlíneach nuair a chaitear isteach i dtír í.

Deirtear gur féidir aois na mballach a aithneachtáil ar na lannacha, is é sin, de réir na bhfáinní beaga a bhíos ar an lann agus freisin go mbíonn na seanbhallaigh mantach. Bromóga a thugtar ar bhallaigh a bhíos idir ballaigh mhóra agus ballaigh bheaga, leathbhallaigh mar a déarfá.

Bíonn sé an-chonfach alpartha, agus is minic a chailtear lena bholg é. Cothaíonn sé é féin ar dhiúilicíní, faochain, bairnigh, lugacha, agus portáin ghlasa agus rua, ach ní mór na sliogáin a bhaint díobh i gcomhair baoití. Obair dheas a bheith ag iascach ballach, agus maraítear go leor acu de charraigreacha le slatracha iascaigh agus le doruithe, ach ní i chuile áit, arae tá áiteacha áirid lena n-aghaidh. Ach i mbáidis minice a bhíos daoine á n-iascach, amuigh le héadan na leathrach domhain (ach gan a bheith ródhomhain, i.e., timpeall le sé feá).

Ach ní i chuile áit a bhíonn siad le fáil. B'fhéidir nach mbeadh fad an bháid idir áit a bheadh druidte leo agus áit nach mbeadh a shúil. Cruthaíodh é sin go minic cheana. Cuir i gcás bád a mbeadh beirt fhear inti ar mhuráite ballach, duine acu ina shuí ar an locard agus an fear eile ina shuí ar an seas tosaigh: fear an locaird ag tarraingt ar a mhine ghéire ón stopóg, agus mo dhuine thuas chun cinn gan a shúil a aireachtáil ach an oiread agus dá mba i bportach móna a bheadh a dhorú caite. Ach le cor na téide a bhaint den mhullard tosaigh agus cúpla feá scóip a ligean leis an mbád bheadh athrú ar an scéal. B'fhéidir go gcroithfí an ghualainn ag an mbeirt ansin, le teachtaireacht ón stopóg, agus go mbainfí ceol as slat bhoird an bháid, is ea agus fuil as ballaigh freisin.

Is dócha, dá réir sin, go mbíonn áiteacha cónaithe ag na ballaigh, is ea agus ag gach cineál éisc thíos ar ghrinneall na farraige, go díreach mar a bhíos ag gach treibh dá bhfuil ar chonablach na cruinne.

Ar chladaí garbha fiáine diúilicíneacha imíonn siad suas le taoille ag ithe diúilicíní agus péiste beaga eile, agus nuair a thosaíos sé ag trá, tagann siad anuas aríst, ach ní théann siad uilig ar an bhfuarleic; fanann cuid acu sa stopóg i gcónaí. Tá idirdhealú idir iad féin agus an chuid eile. Bíonn ballaigh na fuarleice níos raimhre agus tá a ndath níos duibhe, dath na leice diúilicíní, beagnach.

Taitníonn sé go mór le daoine a bheith ag iascach ar fhuarleic. Bíonn snúda as an dorú agus caitear amach naoi nó a deich d'fheánna den dorú ar an leic. Nuair a bheireas an ballach ansin ar an mbaoite beidh sé ag tarraingt leis an dorú nó go rí sé as láimh an fhir é nach ndéanfaidh aon fhaillí gan é a thabhairt thar bord isteach.

Seo cur síos ar chineálacha eile ballach:

Sna stopóga is mó a chónaíos an ballach buí, agus is beag nach é an dath céanna atá orthu féin agus ar na ceanna slat, is í sin an fheamainn a fhásas san áit a gcónaíonn siad, dath buídhubh. Ní bhíonn an ballach Muire an-fhairsing. Ar stopóga doimhne a chónaíos siad.

Ní haon dath amháin a bhíos ar na ballaigh fuarleice agus ar na ballaigh stopóige. Dath dorcha (beagnach dubh) a bhíos ar na ballaigh fuarleice. Bíonn siad ar aon dath leis an leic nó leis an gcarraig ar a gcónaíonn siad, cuir i gcás go dtéann na ballaigh fuarleice sa stopóg freisin, nuair a thrás sé. Bíonn siad níos raimhre freisin ná na ballaigh nach gcorraíonn as an stopóg, mar bíonn siad ag ithe na ndiúilicíní a bhíos ar an bhfuarleic.

Na ballaigh a chónaíos sa meilsceánach agus a dtugtar na ballaigh mheilsceánaigh orthu, bíonn lannacha móra leathana orthu, dath dubhuaine, dath an mheilsceánaigh ina gcónaíonn siad. Ní bhíonn siad chomh maith le n-ithe le ballaigh fuarleice.

Sa stopóg a chónaíos an ballach breac, i gcás go dtéann siad, corrcheann acu, ar an bhfuarleic uaireanta. Go deimhin, is deas an dath atá air. Níl aon dath sa mbogha ceatha nach mbíonn ann tar éis a thabhairt as an bhfarraige. Bíonn méid mhór i gcuid acu.

Is éard atá sna leathracha (a bhfuil trácht thuas orthu) stopóga doimhne, cothroma, gan ísleán gan ardán. Bíonn slata mara agus feamainn dhearg ag fás orthu. Tugtar leathracha freisin ar an bhfeamainn dhearg chéanna, i.e., ainm na háite a bhfásann sí. Bíonn an-leithneacht i gcuid de na leathracha agus fad maith iontu mar a bheadh páirc mhór, b'fhéidir ceathair nó a cúig de mhílte cearnógacha. Tá an oiread sin méid i Leathrach Mhór Sceirde. Ní bhíonn aon chírín, (i.e., droim, beann) ar an leathrach. An áit a mbíonn na círíní ní leathrach sin ach maidhm.

Briseann na círíní sin go luath nuair a bhíos corraí ar bith sa bhfarraige, ach ní bhriseann na leathracha mura mbeadh an fharraige le buile chuthaigh ar fad.

Tá cineál eile ann, Crenilabrus melops, agus is é an t-ainm a thugtar thart anseo air bochar. Ní bhíonn aon mhéid mhór ann agus cónaíonn sé sa stopóg.

AN MANGACH

IS fairsing an t-iasc iad na mangaigh. Maraítear go leor acu ar chóstaí Chonamara. Is maith an breac é, úr agus tirim.

Tá cosúlacht mhór ag an mangach leis an nglasóg. Dath dubhuaine go maith ar a dhroim, bán ar a bholg measctha le buí. Go deimhin, is deas an breac é tar éis é a bhaint den duán, ach athraíonn an dath ar nós gach breac eile nuair a chailltear é.

Maraítear go leor acu ar an gcósta seo sa samhradh agus sa bhfómhar. Is deas, dea-bhlasta an breac úr é, agus níl aon bhlas loicht saillte air ach an oiread.

Tógtar go leor acu le traimeanna agus maraítear le doruithe freisin iad i ndiaidh báid le siúl beag.

Cothaíonn siad iad féin ar spras, pilséir, scadáin ghainimh, searróga, luathóga agus bíonn siad ag ithe na scothaí freisin sa mBealtaine.

164

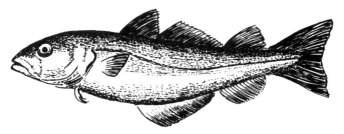

AN MANGACH

Sceitheann siad i rith an earraigh ar an domhain mhór — timpeall leathchéad feá. Baintear ola as a gcuid aebha a bhíos an-úsáideach le haghaidh go leor nithe. Cuirtear in olann í agus deirtear nach bhfuil stuif ar bith le cur i mbróga atá in ann an oiread saoil a thabhairt don leathar léi. Deirtear freisin go bhfuil sí go maith le haghaidh leigheas beithíoch ar ghalraí ar nós casacht agus mar sin.

AN SIORC

TÁ cúpla cineál acu seo coitianta thart ar na cóstaí seo, an siorc gorm, an ghobóg, an scoirneach agus an liamhán gréine.

AN SIORC

GEALLTA BÁD
I gCONAMARA

LÁ breá grianmhar i dtús an fhómhair a bhí ann agus go deimhin duit, ní raibh sé in ann ag Críostaí ar bith aon bhuille oibre a dhéanamh. Bhí na creabhair nimhneacha ag cur a dteanga amach le tart, beithígh, agus fáinne déanta dá ndrioball acu, ag rith le cuthach is le gliondar fíbín ag déanamh ar an bhfarraige le fuarú agus fionnuaras a fháil. Na clocha eibhir á scoilteadh le teas, ró samh trom thart le bun na spéire thiar; toirneach bhodhar ag glúscarnach agus ag búiríl anois agus aríst go leor mílte i gcéin. An ghrian órga ag lonrú agus ag spalpadh anuas as an spéir ghormbhuí ar thailte a bhí ag feo, ar thránna móra gainimh a bhí drithleach, dealraitheach agus ar an bhfarraige a bhí chomh ciúin réidh cothrom le scáthán mór gloine, agus scáile na spéire, na gréine agus na n-éanlaith le feiceáil thíos inti.

Daoine anseo agus ansiúd thart le himeall na mara agus a gcuid éadaigh bainte díobh agus sáite isteach i scailp dhorcha clochair, mar ní raibh sé iontaofa aon fholach éadaigh a leagan ar chloch ná ar leic murar mhaith leat é a bheith ruadhóite. Iadsan go meidhreach, sultmhar, gliondrach, sásta go leor leis an ealaín a bhí orthu; cuid acu ag slubáil is ag slabáil ar easpa aon oscar snámha, cuid eile ag lámhacán in aice bhéal na taoille, cuid eile á thabhairt leo go breá ar na buillí. Bhí píosa tuilte aige faoi seo agus na báid ag teacht isteach ó charraigreacha fiáine an tseanchladaigh, báite go súile lena gcuid lucht coirlí, báid eile ag scaipeadh anseo agus ansiúd amach ar an aigéan, cuid acu i bhfad i bhfarraige i riocht is nach raibh ann ach gur léir don tsúil iad, ar nós cuileoige amuigh ag bun na spéire.

Na foirne i gcuid acu ag iomramh ar a seacht míle dícheall ag iarraidh druidim leis an talamh a chomhuain is a bheadh sruth taoille tuile leo. Báid eile ar meá ar bhainc throsc ag iascach ón talamh, an fhoireann ag goineáil is ag tarraingt a gcuid doruithe de phreab cúpla feá ón stopóg agus á ligean síos aríst ag iarraidh an chluain a chur ar an trosc bocht agus a mhealladh leis an mbaoite breá lonrach de scadán gainimh úr. "Coinnigh ort!" anois is aríst, comhartha ón stopóg a chroithfeadh an ghualainn ag an bhfear thuas. Mo léan! nár fhaillí gan uimhir a sé de dhuán dúghorm a chur sa gcab uachtair ag breac an chlaib mhóir a bhfuil leigheas agus íocshláinte do lucht criotáin agus cársáin in ola a chuid aebha.

Ó bhí an lá ceannann céanna chomh brothallach agus a bhí, bhuail mé féin amach ag snámh ó chlochar an bháid, mar ba mhór an tógáil croí agus fionnuaras do dhuine folcadh breá den seansáile goirt a fháil faoi chomhair an chuid eile den lá. Nuair a bhí mo chuid éadaigh orm agam tar éis turas a thabhairt ar Charraig na bPortán agus tromas agus tuirse an lae caite díom agam, bhuail mé suas go Trá na Dumhaí Bige, mar chuala mé "scríob scríob" ag teacht anuas as leis an gciúineadas. Bhí a fhios agam céard a bhí ar bun ann. Níor thóg sé dhá mheandar orm a theacht i bhfoisceacht "go mbeannaí Dia" den áit a raibh an bád á scríobadh, thuas ar dhá bhlocán i riocht is go rachadh cat maith mór amach idir an trá agus an cíle gan teangmháil dó; blocán eile faoina bolg lena coinneáil ón trá, í sínte siar ó chluais go drioball mar a bheadh sí lá gaoithe móire ar dhroim na bóchna faoi chúrsa beag sa seol mór agus barróg dhomhain sa jib le gargaint na toinne agus mo dhuine ag iompar seoil go díomasach.

"Bail ó Dhia oraibh," a deirimse leis an mbeirt a bhí ar snámh le hallas, sínte ar shlat a ndroma istigh faoina pluc, ag scríobadh caonaigh, bairnigh bheaga agus rud ar bith eile. Bhí crupach ar an gcraiceann mín péine dhearg.

"Go mba hé duit a mhic ó," a deir an bheirt in éindí, "nach cumasach te an lá é?"

"Ná bí ag caint, a dhuine," a deirimse, "ní sheasfadh nigear é."

"Is cuma é ach beimid loiscthe rósta tráthnóna agus cén bhrí ach an bhail a bheas orainn ag gail agus deannach na seantearra sin. Ní fhanfaidh scioltar craicinn ar ár n-éadan ná ar ár lámha nach mbeidh dóite."

"Tá an diabhal in bhur mbarriallacha má théann gail na tearra ar bhur n-éadan," a deirimse, "tá pionós na bpionós i ndán daoibh. Tá sibh ag cuimhniú ar an lá amárach, bail is beannú oraibh is go n-éirí sin libh, tá ciall in bhur leithéidí, ní hé fearacht cleiteachán eile é. 'Leabharsa is furas a aithne cá mbíonn an mianach ceart. Deir siad, agus is fíor é, 'go mbriseann an dúchas trí shúile an chait.' "

"Díth céile, díth céille uilig é," a deir Seán, "ach a dhearthair m'anama thú, níl neart ag an díth céille féin air; bhí sé ann ó thús aimsire agus beidh go deireadh."

"Cé an sórt cainte sin ort?" a deirimse, "ní díth céille ar bith atá oraibh. A chomhuain is a bheas an tsláinte ag na daoine, ní ceart dóibh a bheith ag gearán."

"Tá tú ag caint anois," a deir Cóilín Mhichíl, ag leagan uaidh an scríobáin agus ag caitheamh an allais dá éadan lena mhuinchille agus ag tarraingt a bhríste suas air féin agus ag fáisceadh a ruóg bhásta ina thimpeall go daingean docht. "Cén bharúil atá agat dínn?"

"Barúil mhaith," a deirimse.

"M'anam go bhfuil faitíos orm má sheasann an ciúineadas seo go bhfuil geall an lae amárach chomh fada uainn agus atá bainis ár n-athar mhóir," a deir an guth amach ón maide tile.

"Bíodh misneach agat, a Sheáin, corraigh suas agus ná titeadh an drioll ar an dreall agat mar sin. Níor chaill fear an mhisnigh riamh é," a deirimse, "agus rud eile de, ní cheapaim go mbeidh an lá chomh han-chiúin sin amárach. Peata lae é seo, sílim. Tá an spéir sin amuigh leagtha isteach le gaoth aniar aneas, agus le glasú an lae inniu bhí an clamhsán ag Clochar an Mhadra Uisce mar a ndearna taoille mhór lán rabharta é, agus bhí bun de léasán mór sa bhfarraige thiar os cionn Charraig an Mhíle. Agus féach a raibh de na míoltóga beaga nimhneacha thuas a bhí in ann thú a chur glanoscartha as do chéill."

"An fiabhras tinte orthu mura bhfuil muid ite acu," a deir Cóilín. "Tá mé ag ceapadh go bhfuil claochlú san aimsir mar nuair a bhí mé á cur seo amach as an gcéibh ar maidin, bhí staic de rón liath istigh ar an Ard-Trá agus ní fhaca mé aon cheann cheana chomh fada isteach le mo chuimhne cinn. Agus is fada an lá nach bhfaca mé na Brandáin chomh follasach agus a chonaic mé iad le héirí gréine inniu. Tá athrú eicínt ar an teas céadach seo; bruth báistí, is dóigh."

"M'anam," a deirimse, "ní á bhaint as do bhéal é, go raibh an seanchat sin againne ar a mhine ghéire ag iarraidh gaoth aneas ar maidin inniu."

"B'fhéidir gur bainne a bhí uaidh," a deir Cóilín, "ach an oiread le cat mór rua a tháinig thart anseo inniu agus a thosaigh ag ithe an ime as an mias. Murach gur airigh mé é, bheadh sé pléasctha."

"Faraor nár thacht sé é," a deir Seán, "mar a thacht duán an spiléid an cat sin agaibh féin, tá coicís ó shin. Is beag, beag an baol a bhí ar an mbithiúnach; is iomaí caoi le cat a thachtadh seachas le him."

"Is gearr go mbí an taoille tuile anois orainn," a deir Cóilín, "mar ní bhíonn aon mhoill ar thaoille rabharta ag teacht. Tá lá dhá neart againn inniu, trí lá ag teacht, trí lá ina neart, agus trí lá ag imeacht. Níl a fhios agam an rabharta mór ná meathrabharta é seo."

"Sílim gur rabharta mór a bhí againn cheana; dá bhrí sin, is meathrabharta é seo. Lá maith daoibh," a deirimse agus d'imigh liom abhaile.

Chuir siadsan an bád amach ar an bpoll nuair a shnámh sí agus go deimhin mura raibh sí sleamhain, fágtar mar sin é. Bhearrfá thú féin inti.

Bhí gach rud ina áit féin acu le linn an chlapsholais. Blocanna struipeáilte. Láinnéar nua tróit agus láinnéar nua píce agus taca agus scód nua. Seolta boga bealáilte le tearra dhearg agus blonag. An ballasta socraithe go deas suas ón ruma go dtí an maide teallaigh, agus trí nó a ceathair de mhálaí clocha beaga ar chaon taobh den bhallasta, mar a bheadh siad deas soláimhe le leagan suas chun cinn nuair a bheadh an bád ag imeacht le lán scóid, mar is fearrde an bád a bheith ar a mullach ag imeacht le scód. Ach leis an scéal a ghiorrachan, bhí gach rud ina áit féin le titim dhubh dhorcha na hoíche, agus deirimse leat gur maith a chodail an bheirt an oíche sin, mar bhí siad trom tuirseach de bharr obair an lae.

Leis an mbánsoilse lá arna mhárach, bhí an bheirt ina gcuid éadaigh agus go deimhin féin, ní raibh an mhaidin ar fónamh ach an oiread. Ceobharnach báistí agus greadadh gaoithe aniar agus aniar aneas a bhí ann, ach taca an hocht a chlog, ghlan sé suas. Bhí an ghrian le feiceáil faoi seo os cionn Leitir Móir "nach léitear."

Le seacht bhfocal a chur in aon fhocal amháin, is gearr go raibh a gcuid seolta móra bocóideacha, bacóideacha ardaithe suas acu. Bhí ceathrar mar fhoireann acu, agus glac mhaith daoine a bhí ag gabháil ag féachaint ar an scléip. Tarraingíodh suas ar an ancaire, agus chas an stiúrthóir an bád deiseal. Lomadh isteach na seolta, agus is gearr go raibh sí ag tarraingt na gaoithe síos le leic an Gharraí Gainimh.

Bhí sé gann go maith ar an ngaoth, agus chuir Maidhm Sheáin Thomáis timpeall iad ar an gcéad leathbhord. Scanraigh creathadh an tseoil, le linn a theacht timpeall don bhád, scata roilleach a bhí ag piocadh ar leic chreathnaí. Bhí dhá fhaoileán ina seasamh ar mhullán agus níor chorraigh siadsan; is dóigh gur chuimhnigh na roilleacha ar lá mór na rásaí snáimh a bhí ag na héanacha fadó nuair a thug an roilleach iasacht an tsnáimh don fhaoileán go Luan agus nuair nach dtug an faoileán ar ais riamh é. "Iasacht na roillí faoin snámh" a thugtar air sin.

Bhí tornáil ghéar orthu agus ní raibh a fhios cé a mb'fhearr amach é ná isteach. Tháinig siad timpeall aríst amach ón Trá Mhóir, agus nuair a tháinig, phreab an ghaoth beagán ó dheas siar aneas as múr a rinne sé. Bhí go leor báid eile ag gabháil siar freisin, cuid acu le ghabháil ag rith, agus cuid nach raibh, ach a bhí ag gabháil siar leis an scléip a fheiceáil.

"Feictear dom," a deir Cóilín, "nach bhfuil tú á coinneáil sách gar do ghaoth; mura bhfuil an ghaoth ag gabháil romhainn aon bhlas."

"Sílim," a deir seanfhear a bhí ina shuí ar an seas deiridh, "nach bhfuil sé ag cailleadh tada. Nach é sin tosach an tseoil ag bualadh? Fainic nach bhfuil an ghaoth ag teannadh amach, agus tá freisin; theann sí amach as an gcraobhmhúr sin."

"Nach in é ár mbuaic," a deir an stiúrthóir. "Faraor nach dtéann sí ó dheas díreach agus bheadh sé teann siar againn."

De réir mar a bhí an bád ag breith amach ar an domhain, bhí an ghaoth ag neartú agus ó bhí sruth taoille trá agus gaoth in aghaidh a chéile, rinne sé níos measa é. Bhí crúba arda ann faoina gcuid caipíní, ag briseadh go míthrócaireach ar ghuaillí an bháid agus ag spréachadh farraige cháite go leath an chrainn suas. Go deimhin, ní raibh snáithe ar a raibh inti ach an oiread agus dá mbeadh siad á dtarraingt i ndiaidh an bháid. B'fhéidir go raibh cuid acu ag rá faoina gcuid fiacla "Faraor géar nach sa mbaile a d'fhan mé!

Nach bhfaighinn rud eicínt le déanamh?" Bhí fear eile ón sliabh mar phaisinéir inti a bhí ag gabháil ag breathnú ar rásaí na gcapall. Casadh ar an mbaile ag ceannacht éisc é, agus céard a dhéanfadh sé ach bualadh in éindí leis an gcuideachta. Nach raibh cairde leis i gCloch na Rón san áit a mbeadh na geallta? Nach mbeadh lá croídhílis aige ina measc? Is ea agus bhí capall le duine muintearach leis as an Léim le rith ar Thrá an Ghoirtín. Nár mhór an leithscéal dó sin féin, agus dá mbeadh cothrom na Féinne le fáil, nach aici a bheadh an geall dá mba chóir aon aird a thabhairt ar chomhrá cois teallaigh? Ní raibh seol déanta ach ar éigean ar maidin nuair a thosaigh an sliabhadóir ag caint ar chapaill agus má chuaigh leis, bíodh aige.

"Murach ag tabhairt ómóis don strainséir," a deir Cóilín, "ní bheadh sé air sin aige; ní bheadh sin, ag caint ar chapaill i mbád geallta."

Ach anois, ar a shon sin, nach raibh sásamh breá ag Cóilín air? Bhí sé caite i gcúinne téide sa bpoll tosaigh, agus seacht lúb air le tinneas na farraige. Bhí sé ar creathadh le fuacht, agus ba chuma leis dá mbuailtí an Caolsháile air. "Nach fearrde go deo é," a deir seanfhear a bhí ina shuí ar an mballasta, "deamhan dochtúir a theastós go deo aríst uaidh. Nach bhfuil an sciúradh céadach faighte aige taobh istigh; níl aon tinneas faoin ngrian is measa ná atá ar an bhfear bocht."

"Nach fearr dom a theacht timpeall feasta," a deir an fear thiar ag casadh a chinn thart agus ag féachaint i ndiaidh a leataoibh. "Tá mé do mo leagan an-mhór anois le tamall."

"Cas," a deir Cóilín, "leagfaidh tú an t-oileán má sheasann an ghaoth sa gceard seo."

Agus b'fhíor dó. Bhí sé ag teacht fairsing air, mar b'éigean na seolta a bhogadh uirthi, agus mura raibh sí ag treabhadh farraige ná creidtear mise. Bruth geal óna dhá gualainn agus an sruth a bhí ó chaipín na stiúrach ag coipeadh mar a bheadh sé ag fiuchadh agus an fharraige ina bainne bhán le méad a raibh sí ag cur amach óna taobhanna. Ach leis an scéal a ghiorrachan níor thóg sé mórán achair orthu bailiú béal na gcuanta nó gur stríoc siad a gcuid seolta i gCloch na Rón. Nuair a stríoc agus a d'fheist siad an bád, bhuail siad suas chuig teach ósta lena gcuid tairt a choscadh. Bhí a gcuid éadan chomh geal le cailc ag salann sáile agus bhí cuid de freisin síos ina bpíobáin. Ach is gairid go raibh a gcuid píobán sciúrtha agus maidir leis an sliabhadóir, ba gheall le habainn é á scaoileadh siar. Is beag an chuma mórghalra a bhí anois air, ach é ag déanamh gaisce. "Sin é é," a deir Cóilín, "is maith an bádóir an té a bhíos ar an talamh." Níor mhaith le mo dhuine an tinneas a tharraingt anuas, beag ná mór, os comhair an chomhluadair, mar níor fhan smid aige ar an nóiméad ach an oiread is dá mbeadh an teanga bainte as. Ach dá mbeadh teanga Chóilín faoina chuid fiacla, deirim leat go mbeadh athrú poirt ann.

"Ní tráth dá fhaillí é," a deir Seán, "scaoil siar iad sin agus bíodh muid amuigh. Is fearr a bheith in am ná i n-antráth."

"Beidh deoch eile agaibh," a deir fear na féasóige ón sliabh nuair a bhí siad ag gabháil amach an doras.

"Ní bheidh anois," a deir Cóilín, "go raibh maith agat, tá an saol fada. Tá a fhios agat nach bhfanann siad siúd le torann a gcos nuair a thiocfas an t-am."

"Is fíor duit," a deir fear bunaosta, ag tógáil an phionta dá cheann agus ag cuimilt a theanga taobh amuigh dá bhéal.

Rinne an fhoireann ar an mbád go beo bíogúil agus bhuail an dream eile go righin leisciúil síos ina ndiaidh. Ní raibh smid acu ag teacht aníos ar maidin ach iad ar creathadh le fuacht, ach anois mura raibh caint agus caismirt ann, fágtar mar sin é. Ach is deacair an seanfhocal a shárú: "Dhá dtrian cainte ag lucht póite."

Bhí scata seanbhádóirí sínte ar a leathriasc ar scaineamhán i mbarr an chladaigh. Sin é an áit a raibh an tseoltóireacht! Níl aon bhád maith seoil dá raibh ar an gcósta le leathchéad bliain nár tarraingíodh anuas sa gcaoi go gceapfá go bhfeicfeá na báid ag seoladh os do chomhair le súil d'intinne. Tháinig an dream seo a bhí le Cóilín ina gcuideachta ag éisteacht leis an gcomhrá, agus chuir siad féin a ladar isteach agus má bhí seoltóireacht ar muir, bhí seoltoireacht ar tír. Páistí scoile féin, bhí siad cruinnithe sa deireadh ann, agus a mbéal oscailte ag éisteacht go haireach.

Bhí an bád a raibh coiste na ngeallta ar bord inti amuigh ar pholl ar ancaire, agus í druidte le bratacha, mar chomhartha seachas na báid eile. Na nabaíos na chéad bháid a bhí le rith, agus tháinig gach aon cheann acu de réir uaine, i bpíce le bád an choiste. Nuair a tháinig is gur íoc siad a bpíosa corónach, fuair siad bratach bheag, gach úinéir, agus gan aon dá bhratach acu ar aon dath, le ceangal ar cheann na cleithe, i riocht is nuair a bheadh siad amuigh ar an aigéan go mb'fhéidir leis an gcoiste agus le daoine nach iad a n-aithneachtáil le fadradharcán.

D'inis ceannfort an choiste an cúrsa dóibh go díreach mar a bheadh sé á léamh amach as leabhar. Cluais le héisteacht ar gach duine dá raibh sna báid. Dúirt sé leo a ghabháil ar ancaire in aon líne amháin, go díreach mar a tháinig sé ar a gcrann de réir na dticéad a tharraing siad ar maidin; a gcuid seolta a bheith déanta go daingean, docht, trótáilte, píceáilte agus tacáilte. Ar chloisteáil an urchair dóibh, cáblaí a chaitheamh i bhfarraige agus a thornáil amach faoi Chruach na Cora, a ghabháil timpeall ar Sceirde Mór deiseal, a theacht ar ais le cóir, agus a ghabháil suas deiseal os cionn Chruach na Caoile, a ghabháil timpeall deiseal ar an mbád a bhí ar ancaire i mbéal Thrá an Ghoirtín agus a theacht ar ais anseo aríst, "agus an chéad bhád a sháfas suas," a deir sé, "faoina ceathrú seo, ach na rialacha a choinneáil mar is cóir, is aici a bheas an chéad gheall; ach ar an láimh eile, bád ar bith a bhrisfeas iad, beidh a mhalairt de scéal aici. Cuimhnígí air sin anois! An dtuigeann gach duine na coinníollacha anois? Duine ar bith nach dtuigeann, labhraíodh sé, agus ná bíodh aon leithscéal ann ar ball."

"Tuigeann muid, tuigeann muid thú," a deir siad d'aon ghlór amháin.

"Bígí réidh mar sin anois."

Pléasc! Deatach agus boladh púdair! Cáblaí á gcaitheamh i bhfarraige, mar níor thráth a ghabháil ag tarraingt suas é. Siúl á fháil ar na báid, na seolta á mbogadh amach; sin é an áit a raibh an rírá, an gleo, agus fothram, gach duine ina áit féin, agus iad ag tornáil síos an cuan, agus ag déanamh amach ar an bhfarraige mhór. Ba dheas an radharc a bheith ag féachaint orthu, cuid acu ag tarraingt a chéile in íochtar, cuid eile i bpíce le chéile, agus cuid eile ag plúchadh a chéile. Iad ag treabhadh na farraige folcanta falcanta, brúisc de mhaidhm gheal amach óna srón a bhí ag cáitheadh aníos ar a nguaillí. Fágaí móra ag imeacht i ndiaidh a chéile gan deireadh gan teorainn amach óna bpluca go luath tapa. Maidhm gheal ina ndiaidh a bhí ag coire guairdill, ag fiuchadh agus ag coipeadh. Easnacha na mbád ag sníomh agus ag éagaoin, measctha le ceol caoin cáinteach na gaoithe géire trí na láinnéir chrua mhainile. Na crainnte ag gíoscán agus ag geonaíl sna seasanna, cruit agus staon iontu faoi thromualach gaoithe. Cleith an tseoil mhóir ag lúbadh mar a bheadh slat iascaigh ann. Sin é an uair nár mhór do dhuine cosa báid a bheith aige, bhí sí chomh sínte sin. Is ea, agus níor mhór don bhád gléas maith, idir láinnéir agus éadach agus sparraí a bheith os a cionn freisin.

Scaoileadh amach na báid mhóra ansin ar an gcuma

chéanna ar scaoileadh na nabaíos agus is gearr go raibh siad ag giorrú an bhealaigh, agus má iompraíodh seol ar bhád riamh iompraíodh orthu é. Scaoileadh chun bealaigh na gleoiteoga ansin; na púcáin an rang deireanach de na báid seoil. Bhí cluiche mór de na púcáin ann as gach ceard de Chonamara, agus níorbh iad an díogha iad ach an oiread, ach an chéad scoth. Léadh amach an cúrsa dóibh, agus socraíodh iad in aon líne amháin go díreach mar a rinneadh leis an gcuid eile. Caitheadh an t-urchar, agus mura raibh coimhlint ann, fágtar mar sin é. A leithéid de rúpáil is de ghliondáil agus de ruaille buaille agus de rírá, ní raibh ó thoir an domhain go dtí thiar an domhain. Is ea, gleo agus fógairt agus caismirt, agus deamhan is diabhal, má bhí aon easna ann de bharr an lae sin, is mór an t-iontas é. D'éirigh le Cóilín go raibh sé ar cholbha na mbád le fána ón ngaoth, agus nach raibh toradh an chrainn aige? Nuair a líon na báid amach, bhí siad féin ag plúchadh a chéile de réir mar a bhí siad ard sa ngaoth ar a chéile, ach bhí Cóilín plúchta go maith agus má bhí féin, ní raibh aon drochmhisneach air fós. I dtosach báire, shnámh na báid eile sin amach os a cionn, cé is moite de dhá bhád. Sheol sé fúthu gur tharraing sé faoina ceathrú ar bhord na heangaí iad. Bhí na báid a bhí os a chionn ar bhord na sceathraí ag cur as go mór dó. Bhí sé istigh i ngairdín cailm. Mar sin féin, nuair a theann sé leis an talamh, bhí cúlsruth síos leis. Tháinig na báid eile timpeall an-luath ach d'imigh seisean leis an gcúlsruth, nó go raibh faitíos air go mbainfeadh sé an bairneach den leic. Bhí na báid eile faoi seo amuigh faoi chumhacht sruth taoille tuile; tháinig Seán timpeall siar agus níor fhág sé tada ina dhiaidh ach an oiread. Bhí radadh gaoithe ann agus thosaigh sé ag crochadh.

"Siúlach," a deir an fear a bhí ina shuí ar an gclord, "agus ná coinnigh chomh géar sin cois gaoithe í. Feictear dom nach bhfuil sí ag déanamh aon rath ag gabháil chun cinn. Tá faitíos orm go gcuirfidh an gob sin thiar timpeall mé agus tá mé ag iarraidh gan tada a chailleadh go fóill beag."

"Cuirfidh sé timpeall thú ar aon chor," a deir Cóilín, "mar tá abhainn sruth taoille tuile suas ansin. Is fearr duit gan a bheith chomh santach sin go fóill."

"Tá go maith," a deir an stiúrthóir, agus d'fhan sé ón ngaoth oiread dubh na fríde, agus má d'fhan féin níor chaill sé ceo na fríde leis. Thug sé réidh an achair don bhád, agus bhí sí ag imeacht níos éasca tríd an bhfarraige. Bhí sí ar an gcéad bhád a tháinig timpeall ón talamh an babhta seo, i gcás go raibh púcán mór Ros Muc sáite suas i súil na gaoithe le linn a bheith ag teacht timpeall, agus bád an Chaisil faoi shiúl, agus an stiúrthóir ag sá láimhe faoi, agus ag athrú chor an scóid ó mhullard bhord na sceathraí go bord na heangaí. Bhí dhá bhád eile in aice léi, agus an chuid eile tamall le fán. Bhí siollaí maithe gaoithe ann faoi seo agus é ina thús trá, sruth agus gaoth in aghaidh a chéile, clagfharraige agus farraige trasna i mbéal an chuain sa gcaoi go raibh corrscalach ag teacht isteach go ramhar sa bpoll tosaigh ar an mbord fúithi, agus maidir le farraige cháite, bhí sí ann gan cuntas. Bhí na báid ag crinneadh a chéile agus ba dheas an radharc a bheith ag féachaint orthu ón talamh, agus mura raibh seandaoine á ngrinndearcadh, agus ag sáraíocht ar a chéile, bíodh acu. Is beag bídeach nach raibh siad ag gabháil i gcochall a chéile lena raibh de bhís seol-tóireachta orthu; dáiríre a bhí siad freisin.

Bhí na báid iomartha agus na curacha ag rith faoi seo agus mura raibh sult orthu tar éis dhonacht an lae. Bhí na hiomróirí ina gcuid léinteacha ag lúbadh péine dhearg agus fuinseoige. Uaireanta, théadh na báid in aimhréidh ina chéile agus sin é an áit a mbíodh an gleo agus an clampar, maidí rámha agus cnogaí á mbriseadh agus báid ag pléascadh isteach chun a chéile. D'fhaigheadh siad glan ar a chéile aríst agus théadh siad ar na buillí, á dtarraingt go fada tapa. Bád iomartha as Iorras Mór a raibh an bhratach aici, agus níor mhór di uilig a cuid siúil, agus curach as Inis Ní, is níor fágadh tada ina chónaí inti ach an oiread.

Bhí na púcáin ar feadh an ama seo ag treabhadh na farraige ag déanamh amach ar na Sceirdí, tornáil ghéar agus farraige bhog ghuagach amach san aibhéis choimhthíoch. Bhí cúrsa beag ceangailte faoi seo acu, agus mura raibh fear an ghalúin taosctha gnóthach, castar leis é. Bhí tinneas droma air faoi seo ag coinneáil amach uisce, mar, ar nós na seanscéalta, nuair a chuireadh sé galún amach, thagadh dhá ghalún isteach. Go deimhin, bhí bláth bán ar ghairdín an iascaire an lá úd má bhí sé faoi bhláth cheana riamh.

"Sílim go gcuirfear ag ceangal cúrsa eile muid," a deir Cóilín, "agus beidh orainn barróg a chur sa jib. Fainic nach bhfuil an bád sin fúinn ar luí chuige?"

"Tá freisin," a deir fear an ghalúin, "ag ceangal cúrsaí atá sí. Níl sé i gcumas aon bhád béaloscailte seasamh leis níos faide. Nach bhfuil sé ina ghealstoirm anois, agus tá faitíos orm gur ag cur air a bheas sé le deireadh taoille trá. Tá an fharraige ag ithe a chéile cheana féin ann."

"Ó tharla go bhfuil muid chun tosaigh agus i mbuntáiste ar na báid eile, sílim gur fearr dúinn seasamh leis tamall eile; beidh mé ag fanacht chuige anois agus aríst, agus is gairid go mbí cead leagain againn."

"M'anam go bhfuil na Sceirdí tamall fós uait. Ní raibh siad ag féachaint a bheith i bhfad uainn arú aréir, nuair a bhí muid inár seasamh ag binn an tí an t-am údan. Nár gheall le soithí seoil iad a bheadh curtha ón bhfarraige? Nach iomaí sin sórt caoi a chuireas siad orthu féin nuair a bhíos athrú aimsire air? Ní hé sin amháin, ach ní túisce mar seo iad ná mar siúd, ach tá mé féin a cheapadh go bhfuil siad faoi dhraíocht."

"Meas tú, dá mbeinn ag fáil siúil uirthi le theacht timpeall," a deir Seán, ag casadh a chinn thart agus ag féachaint ar na carraigreacha fiáine a bhí tamall maith uaidh os a chionn.

"Tá sé chomh maith duit a bheith á thabhairt fúithi, tá an t-an-ól amach anseo le taoille trá, agus beidh sé ag baint fúinn amach."

Bhí na báid eile tamall maith uaidh faoi seo; cuid acu fad leagan eangaí, agus cuid eile nach raibh.

"'Bhfuil sé i gcumhacht an nádúir go bhfaighidh muid an láimh in uachtar orthu?" a deir Micil Thomáis, fear an taca, a bhí ina shuí ar an seas tosaigh ag seas an chrainn spreoide.

RÁSAÍ BÁD

"Déanfaidh," a deir Cóilín ag féachaint ar an bhfear thiar san am céanna, agus ag rá, "ná caill tada!"

"Níl aon chall duit a rá, ach sílim go rachaidh sé go dtí snaidhm na stothaí linn a dhéanamh."

"Ná bíodh faitíos ort," a deir Cóilín, "cuirfidh tú in íochtar í." B'fhíor dó, agus nuair a tháinig sé i

179

bpíce leo, bhí air a bheith ag doirteadh le fána agus a chuid seolta a bhogadh.

"Bí ag cur amach do chuid málaí cloch chun cinn agus réitigh amach do chuid bumaile." Níor thúisce ráite é ná déanta. Bhí siad ag imeacht anois le lán scóid isteach ón bhfarraige agus bhí na báid eile ina gceann agus ina gceann ag leagan na Sceirdí agus ag cur amach a gcuid bumaile. Ba bhaolach an áit a bheith iontu ag teacht isteach, mar bhí sé an-díreach ar an aighre. Ní raibh a fhios cén bord ab fhearr an seol a bheith air. Níor mhór don stiúrthóir a bheith go cúramach anois, mar dá gcaití thart an seol, bheadh siad réidh. Bhí sí curtha go súile anois le teann siúil agus bhí an fharraige in aon mhaidhm gheal amháin mórthimpeall orthu. Ach níor thóg sé mórán achair go raibh sí ag breith isteach ar cholbh a Chruach na Caoile, agus na báid eile ina diaidh. Nuair a shroich sí an bád ar ancaire i mbéal Thrá an Ghoirtín, ní raibh sé iontaofa aici an seol a chaitheamh thart; b'éigean di sá suas, agus a lagan as crann. Rinne na báid eile an cleas céanna.

Mura raibh daoine istigh ar Thrá an Ghoirtín níl bia i bhfaocha. Bhí na céadta ann agus maidir le capaill, is ann a bhí a dtabhairt amach. Bhí rásaí coisithe freisin ann, agus gach saghas cleasa lúith agus gaisce. Go dtí fear na méaracán bhí sé ann agus a chuid cleasa glice féin aige, agus a ghlór os cionn ghlór gach duine eile. Is é a bhí ábalta ar é féin a chur i gcéill le briathra bladracha milse.

"Cuirigí suas bhur gcuid airgid," a deireadh sé, "mura dtóga sibh seans, ní ghnóthóidh sibh. Bhí sibh ag teacht anseo cosnocht ach beidh sibh ag gabháil abhaile ar ball i ngluaisteáin," agus mar sin. Fear meánaosta ag gabháil thart agus seanfhear ag fiafraí de céard a bhí sé a rá.

"Gadaí é sin," a deir an fear, "tá mo leathchoróin ghlas thíos ina phóca aige, nár thé sé chun tosaigh ná chun 'tairbhe dó. Go dtachta an diabhal ansin thú, murar agat atá an glór."

"Áiméan," a deir an seanfhear, "ach ná bí ag eascaine."

Bhí lóchrann ar chroí Chóilín agus Sheáin faoi seo, agus bhí Micil Thomáis ag gabháil fhoinn suas i mbéal an tile tosaigh agus é ag breathnú suas ar bharr an chrainn. Nach mbeadh sé thuas ansin ag greamú na brataí faoi cheann leathuaire eile. Cén tsuim a bhí ag Seán ná ag Cóilín sna deich bpunt sin. Ní raibh suim dhá bhiorán, ach an bhratach chlúitiúil a fheiceáil ardaithe.

Bhí sé á sá suas faoi seo go díocasach dóchasach ag ceathrú bhád na brataí. Pléasc! An braon a bhí i mbun a gcos, chuaigh sé suas go mullach a gcinn agus mura raibh gliondar ar a gcairde ar an talamh fágtar mar sin é.

Bhí an chéibh istigh in aon rírá amháin ag glaoch agus caint, nuair a chaith siad amach ceann téide.

"Bhí a fhios agam ar maidin," a deir fear na féasóige, "go mbeadh an t-ádh oraibh agus mise a bheith libh."

Níor fhan Micil le breathnú ina thimpeall, go ndeachaigh sé de chúig nó a sé d'abhóga suas go barr bata agus gur ghreamaigh sé an bhratach ann.

Nuair a bhí na seolta pléatáilte, agus an bád feistithe, bhuail siad suas an chéibh lena mbéal a fhliuchadh. Ní raibh snáithe de na seacht n-éadaí ar a gcraiceann nach raibh fliuch báite, agus cérbh ionadh é agus an lá a bhí ann. Bhí na báid eile faoi seo ag sá suas ina gceann agus ina gceann ag bád na brataí. Bád Ros Muc an dara bád, bád an Chaisil an tríú bád, bád as Cloch na Rón an ceathrú bád agus bád as Béal an Daingin a bhí ina cúigiú ceann. Bhí cúpla bád eile as Iorras Mór, agus mar a dúirt seanfhear as Inis Leacain, nach raibh an fharraige chéanna seolta acu agus a bhí seolta ag an gcéad bhád? Ach cén mhaith sin nuair nach raibh an siúl acu — níorbh fhéidir leis an gcéad duais a bheith ach ag aon bhád amháin.

Bhí Seán agus Cóilín agus a bhfoireann istigh á ngoradh féin le tine mhór i gcisteanach i dteach ósta thuas ag ceann na céibhe. Bhí scata mór eile istigh freisin, agus iad ag ól a gcuid piontaí, cuid acu súgach go maith. Thosaigh píosaí gaisce, seoltóireacht agus amhráin. Bhí Cóilín ag téamh bhonnacha a chos leis an tine agus shéid sé féin suas spéice d'amhrán.

> Chonaic mise an saol a raibh an chraobh ag meilsceán
> Mhuínse,
> An taobh seo isteach ó Luimneach ar aoibhneas
> dea-bháid seoil.
> Nuair a lomtaí suas cois gaoithe iad, le linn ag
> teacht dóibh timpeall,
> Nach dtéadh siad ceathrú míle le brí is le spreacadh
> seoil.
> 'S ní raibh samhail ar bith le fáil aici ach ar nós an
> bhradáin fearna.

"Tá mé ag gabháil amú ann," a deir sé, agus thosaigh sé ag tochas a mhullaigh. "Ní féidir le mo cheann fine cuimhniú ar aon fhocal eile de. Duine ar bith atá le bheith linne, ná bíodh sé ina chodladh ar maidin, mar ní fhanfaidh muide le maidin. Beidh muid chun seoil leis an gcamhaoireach."

Ní raibh an fáinne bán imithe den spéir nuair a bhí siad ag déanamh ar chaladh an bháid, ní raibh aon aithne air sin nach raibh an ghrian thuas i mbuaic na spéire. Gleo agus fothram, rírá agus fógairt, téadracha á scaoileadh, ancairí á dtarraingt, seolta a bhí pléatáilte á scaoileadh agus á gcrochadh go barr bata. Ceol ag rotháin. Ach leis an scéal a ghiorrú, is gairid go raibh Cóilín amuigh sa gcuan.

"Tá sé chomh maith daoibh na maidí rámha a chur amach, agus buille beag a choinneáil léi."

Thosaigh siad féin ag breathnú ar a chéile.

"Leisce," a deir Seán, "an galra is measa ar bith. Is mór an náire daoibh a bheith ag ceartas mar sin, ní

sháróidh muid síos an taoille tuile go deo. Níl fleaim
as aer. Tá na cnogaí thuas i mbéal an tile tosaigh."

Chuaigh Cóilín agus Micil á dtóraíocht go támhleis-
ciúil. Nuair a chuaigh Cóilín ag tóraíocht na gcnogaí,
bhuail sé a bhaithis faoin ngarmain, agus deirim leat
gur ghortaigh sé go maith é féin. Bhí meadhrán air,
agus ní airsean amháin, ach ar a raibh sa mbád de
bharr ragairne agus dhrabhlás na hoíche. Is fíor "gur
oíche shúgach a dhéanas maidin bhrónach," ach mar
sin féin ní raibh an brón gan an t-áthas a bheith
measctha tríd. Bhí gliondar ar chroí Chóilín agus
Sheáin, ní nárbh ionadh agus an bhratach a bheith
ag teacht abhaile acu.

Thosaigh siad ag iomramh go righin leisciúil, buille
sa bpoll tosaigh agus buille ar an seas deiridh. Ní
raibh smeámh ann, agus bhí na seolta istigh sa mbád.
Bhí siad istigh i ngairdín cailm.

"Faraor nach dtagann fuarú gaoithe," a deir Cóilín,
"ach b'fhéidir go dtiocfadh le héirí gréine."

B'fhíor dó, mar nuair a thosaigh an ghrian mhór
órga ag gobadh aníos san oirthear, tháinig friota
gaoithe aduaidh. B'fhearr é ná an t-iomramh ar éigean,
ach bhí sé ag neartú beagán ar bheagán, "mar a d'ith
an cat an meascán," go raibh coinneáil amach an
tseoil go maith ann, agus ní call a rá go raibh áthas ar
na hiomróirí nuair a tharraing siad isteach a gcuid
maidí.

Bhí sé ar aon bhord soir le craiceann na cloiche,
beagán fairsing. Corramharc ag Seán anois agus aríst,
amach faoi chluais an tseoil mhóir, nuair a bhí sé
ag gabháil soir Bealach na Srathra, agus é ag fógairt
ar Mhicil a bheith ina sheasamh ar an tile tosaigh agus
i ngreim in aighre tosaigh an tseoil lena láimh mar
thaca dó. A shúil a bheith feannta aige, go raibh
mulláin bháite in áit eicínt amach ar a ghualainn. Go
deimhin, ní raibh an t-amharc go maith ag Micil an
pointe sin, agus mura raibh féin, ná tógtar air é, mar

níor leag sé a shúil ar a chéile an oíche roimhe sin.

Bhí sé ag breith amach ar am dinnéir nuair a bhí an bád feistithe acu, agus na seolta pléatáilte, agus go deimhin mura raibh áthas ar an dream a bhí ag baile, fágtar mar sin é. Ní call inseacht cén croitheadh láimhe agus an moladh céadach a fuair na bádóirí agus ní bhfuair siad ní b'fhearr ná a shaothraigh siad lá na gaoithe móire ar ucht ard na dtonn.

"Togha na bhfear sibh," a deir duine de na seandaoine a bhí ina dtimpeall, "agus an bhratach a thabhairt aniar."

"Deir tú é," a deir Micil, "ach nach bhfuil muid chomh dona mura dtuga muid an lá anoir coicís ón Luan seo chugainn, as Leitir Mealláin. Is ea go díreach mar a deir tú."

"Bíodh misneach agat," a deir an seanbhuachaill, "níor chaill fear an mhisnigh riamh é."

Nuair a bhí cúpla buidéal de shú an ghráinne eorna ólta i gcomhluadar a chéile ag an bhfoireann, agus píosaí móra gaisce, sáraíocht agus comhrá déanta acu, bhí an lá ag diúltú dá sholas agus néalta dubha na hoíche á scaipeadh, agus nuair a bhí, scaip siadsan freisin, go buíoch, beannachtach agus go carthanach macánta. Chuaigh gach duine abhaile go dtí a bhothán féin, go dtug siad sraith dá gcolainn ar chlúmhach mín na n-éan. Ní gá a lua go raibh siad ina chall agus gur chodail siad go sámh aríst go maidin.

AITHRÍ GAOITHE

1

D'éirigh mo mhuintir ar maidin,
Agus shiúladar síos 'un an bháid,
D'iomair siad siar go dtí an charraig
Ag iomramh le maide ins gach láimh;
Ní raibh siad ach tuairim leath bealaigh,
Nuair a bhreathnaigh Páid i ndiaidh an bháid,
Chonaic sé an chosúlacht shalach,
Is an fharraige tógtha ón gceann.

2

Éirigh a Mhilín i do sheasamh,
Bain anuas an seol tosaigh go beo,
Ná fan le hé a fhilleadh ná é a chrapadh
Go dté tú chuig láinnéar an tróit;
Éirigh a mhilín gan mairg,
'S cuir amach uisce go beo,
Go dtuga mé a haghaidh ar an gcarraig,
Tá Páidín go rímhaith ag gabháil.

3

Tháinig mar Aingeal ó Fhlaitheas
Sheas sé ar bharr an chrainn seoil;
"Inis amach do chuid peacaí,
Mar tá tú i gcontúirt an-mhór;
A' bhfanann tú aon Domhnach ón Aifreann?
Nó an gcoinníonn tú an paidrín i gcóir,
Nó an dtéann tú aon oíche ag ól leanna,
I n-éindí le bean an tseáil mhóir?"

4

Ní fhanaim aon Domhnach ón Aifreann
Agus abraím na paidreachaí is cóir,
Is ní théim aon oíche ag ól leanna
I n-éindí le bean an tseáil mhóir;

Ach téim corrturn isteach tigh chlann Saile,
Agus corrturn tigh Pheadair Mhóir,
Corrturn tigh Bhard i nGaillimh
Nuair a thagaim i dtír sa bPoll Mór.

5

Ná téirigh isteach tigh Chlann Saile,
Is na téigh 'un tigh Pheadair Mhóir
Ní ghabhfaidh tú tigh Bhard i nGaillimh
Má thagann tú i dtír sa bPoll Mór;
Ach nuair a tháinic Páidín abhaile Dé hAoine
Bhí an tseanbhean roimhe os cionn cláir,
Agus a bhean is na páistí á caoineadh;
'S chuaigh seisean a' roinnt óil ar na mná.

ÁBHAR AN PHÚCÁIN

BHUAIL sean-Pháidín agus Máirtín Rua isteach tigh an tsaoir le linn smál na hoíche. Bhí an lampa lasta crochta ar an mballa agus fear déanta na mbád go sócúlach ina shuí ar chathaoir á ghoradh féin le tine bhreá chlochmhóna, a raibh a cuid lasracha ag preabadh go croíúil, ag iarraidh a bheith ag sroicheadh áirse an phoill deataigh, spealóg chailce idir a dhéad agus é ag cur deataigh os a chionn. Nach raibh scíth agus sócúl amuigh aige tar éis obair an lae.

Bhain sé an píopa as a bhéal agus thug sé cuireadh fial fáiltiúil don dís.

"Teannaigí anuas ag an tine. Nach bhfuil an oíche cineál géar?"

"Tá casadh fuar ann," a deir an bheirt d'aon ghuth agus iad ina suí ar dhá chathaoir.

"Nach dtáinig roinnt raice i dtír an mhaidin seo?" a deir an saor.

"Tháinig," a deir Páidín, "agus pleancanna breátha freisin, úrghlan, mar a bheadh siad tar éis imeacht as an long."

"Nach mór an feall gur athraigh an ghaoth ó thuaidh?" arsa an saor.

"Ruaigfear go Ciarraí iad má sheasann an ghaoth sa gceard seo," a deir Máirtín, "ach chuala tú riamh nach bhfuil olc a thig nach fearrde duine eicínt. Beidh muintir Bhreandáin agus na mBlascaod á gcrapadh amach anseo, ní ina ndiaidh orthu é."

"Is deacair tine mhaith mhóna a bhualadh," a deir Páidín agus é ag cur aithinne ar a phíopa. "Ní mórán eile de chompord atá ag na boicht mar a deir an seanfhocal — tús agus deireadh an duine, is ar an tine a tharraingíos. Is maith an fód móna é," ar seisean, ag socrú cois os cionn na coise eile.

"Ní féidir an mhóin atá ag cuimilt leis an gcloch a bhualadh," a deir an saor, "má fhaightear roinnt anró féin uaithi."

"Ní ag teacht romhat ansin é," a deir Páidín, "chuala mé go raibh tú ag deisiú an bháid mhóir do Chóilín Beag."

"Chuala tú an fhírinne," a deir an saor.

"'Bhfuil aon bhaol agat uirthi?" a deir Páidín.

"Chríochnaigh mé tráthnóna agus go deimhin féin bhí sé thar am. Go deimhin ní hé an oiread sin oibre a bhí uirthi, cúpla píosa faoi na hioscaidí ag ceann na strácaí, mar go raibh an craiceann lofa go maith ann. Fáschíle agus maide teallaigh agus beagán corcála mar go raibh sí ag déanamh uisce trí chuid de na siúntaí ag a gualainn."

SAOR BÁID – COLMÁN Ó CATHASAIGH AS MUÍNIS

"Is é an fáth a bhfuil mé chomh caidéiseach," a deir Páidín, "brath atá agam thú a chur ag déanamh bád nua dom, agus ba mhaith liom labhairt leat in am faoin ábhar. Sin é fáth mo thurais anocht."

"Go n-éirí sin leat," a deir an saor, ag méanfach agus á shearradh féin.

"Cén uair is féidir leat freastal dom?" arsa Páidín.

"Am ar bith a mbeidh tú réidh faoi mo chomhair," a deir an saor ag síneadh an phíopa chuig Máirtín.

"Níor mhaith liom mo leas a ligean ar cairde," a deir Páidín.

"Deirtear an té a ligeas nach fearrde go minic é," a deir an saor.

"Deirtear go leor thar phaidreacha," a deir Máirtín ag caitheamh smugairle isteach sa tine. "Ba mhaith liom fios a fháil uait cé mhéad adhmaid, iarainn agus eile a bheas ag teastáil uaim."

"Nuair a gheobhas mé na dintiúirí uait," a deir an saor, "tabharfaidh mé buille faoi thuairim."

"Macasamhail bhád Mhichíl Phádraig atá ar m'intinn — ocht dtroithe déag sa gcíle, sé troithe go leith sa seas crainn agus timpeall le trí troithe agus cheithre horlaí ar domhain agus chúig troithe fichead os a cionn."

"Níl tú i bhfad as bealach," a deir an saor, "mar is mise a chuir le chéile bád Mhichíl."

"I nDomhnach féin, sin í an fhírinne, ach dheamhan féith i mo chroí a chuimhnigh air," a deir Páidín.

"Níl aon dochar déanta," a deir an saor.

"Tá na dintiúirí sin agat cheana," a deir Páidín.

"An maith leat snámh mór a bheith aici?" a deir an saor.

"Ní maith," a deir Páidín, "ní ag múineadh fios do ghnótha duit é; is maith liom beagán ráca a bheith aici agus lagbhord slachtmhar. Líne agus taobh deas comhaireann sé go leor, fíor agus cumachán sleamhain, spéiriúil ar nós an fhaoileáin, ábalta ar lucht maith a iompar ina méid, curtha le chéile go dlúth agus go maith chun seoil. Tá a fhios agat féin an chuid eile."

"Rialacha crua," a deir Máirtín, "ach mura bhfuil an fear seo, slán a bheas sé, i riocht iad a chomhlíonadh, tá mise gan meabhair."

"Ná bí ag fonóid fúm," a deir an saor, "ach déanfaidh mé mo dhícheall ar aon chor. Nach bhfuil an púcán eile agat fós?"

"Tá," a deir Páidín, "ach níl aon éifeacht mhór inti le haghaidh luicht, i gcás go bhfuil sí fíriúil fulangach agus is beag lá dá dhonacht nach bhfuil sí i riocht ceart a bhaint as. Níl sí ach éidreorach le bheith ag tabhairt feamainne ó na carraigreacha fiáine. Nuair a bhínn ag teacht ón bhfarraige an samhradh seo caite le taoscán feamainne, meas tú nach mbíodh a cuid easnacha ag sníomh agus ag grúscán, i gcruthúnas go raibh mo chois ar bhruach na huaighe go minic."

"Creidim nach bhfuil mórán bád cois cuain chomh sean léi," arsa an saor.

"Níl ná ina ghaobhar," a deir Páidín. "Nach mbíodh sí ar bhainc na gcnúdán ag Carraig Iolra in aimsir an drochsaoil?"

"Tá sé in am aici scíth a fháil feasta," a deir an saor, agus é ag tosú ag cur bealadh ar shábh.

"Caithfear an uirnis a choinneáil i gcóir," a deir Máirtín. "Mura miste leat, tabharfaidh mé láimh chúnta duit."

"Nár laga Dia thú," a deir an saor. "Tá ciall ansin; gheobhaidh tú ceirt i gcoirnéal bhosca na huirnise."

"Chosnódh an t-adhmad agus eile roinnt airgid," a deir Páidín, agus é ag tochas chúl a chinn i riocht agus go raibh sé ag cur an chaipín as a háit.

"Beidh sé naoi nó a deich de phunta ort ar a laghad," a deir an saor agus é ar a mhine ghéire ag cur faobhar ar scian scriostail le hoighe chuimilte. "Creidim gur beag nach bhfuil a fhios agat féin an méid a bheas ag teastáil."

"Chuala tú riamh gur fearr comhairle beirte ná aon duine amháin. Thairis sin, níl mise chomh heolasach ar na gnóthaí sin. Deirtear gur dall duine i gclúid duine

BÁD Á DÉANAMH

eile," arsa Páidín a bhí ag cur barr ar pheann luaidhe.

"Tá go maith," a deir an saor, "beidh muid ag tosú in ainm Dé mar sin. 'Bhfuil tú réidh?"

"Seol leat," a deir Páidín, ag sleamhnú amach ar phíosa páipéir a bhí os a chomhair.

"Píosa beithe le haghaidh cíle, ocht dtroithe déag glan le naoi n-orlaí, le trí horlaí, díreach sleamhain agus ar bheagán alt; píosa daraí le haghaidh ball agus graidhp, seacht dtroithe ar fhad le ocht n-orlaí déag ar leithead, cheithre horlaí ar tiús — níl aon dochar é a bheith beagán cam mar gheall ar chor bhogha an bháid. Beidh sé furasta go leor an sábh a tharraingt tríd. 'Bhfuil an méid sin thíos agat?"

"I nDomhnach tá," a deir Páidín, á shearradh féin.

"Lean leat mar sin," a deir an saor. "Ábhar posta deiridh agus posta stiúrach, ocht dtroithe le hocht n-orlaí, le trí horlaí; beidh sé éasca go leor dhá leath a dhéanamh ar a fhad de. Na maidí urláir anois, déanfaidh mé fiche ceann, tuairim dhá throigh go leith ar fhad, cheithre horlaí le dhá orlach, gheobhaidh mé an méid sin as sleab cheithre troithe déag le hocht n-orlaí déag, le dhá orlach."

"Beidh fuílleach go leor agat," a deir Máirtín, ag cur isteach air.

"Fan go fóill anois go bhfeice mé," a deir an saor, "gheobhaidh mé cheithre cinn as a leithead, agus chúig cinn as a fhad, nach in fiche ceann? Agus an píosa a bheas le cois teastóidh sé le haghaidh líosaí agus roilliceacha."

"Tá an ceart agat," a deir Máirtín.

"An casadhmad anois," a deir an saor.

"Daichead ceann," a deir Páidín.

"Ceart, ceann ar chaon sciathán den mhaide urláir," a deir an saor. "Timpeall le trí troithe le cheithre horlaí, le dhá orlach a bheas gach aon cheann. Gheobhaimid ár ndóthain mhór as trí shleab daraí, cheithre troithe déag le hocht n-orlaí déag, le dhá orlach. Tiocfaidh sé cinn déag as an sleab. Teastóidh cuid den fhuílleach le haghaidh crannán agus maidí ceathrún; beidh roinnt le cois."

"Ba cheart go mbeadh," a deir Páidín. "Beidh seacht nó a hocht de throithe le spáráil tar éis an chasadhmaid má tá mise ceart."

"Níl tú i bhfad as," a deir an saor. "Tá muid ag teacht go barraí na n-easnacha anois. Meas tú nach bhfuil learóg ceart dóibh sin?"

"Tá a fhios agam go bhfuil," a deir Páidín.

"Cuir síos dhá shleab, an fad, an leithead agus an tiús céanna learóige."

"Ní theastóidh dhá shleab," a deir Páidín.

"Tá a fhios agam," a deir an saor, "ach a mhic ó, beidh píosaí brollaigh, naprúin, méaracha, bránna, dualanna, cléatanna agus eile ag teastáil. Deir siad gur fearr fuílleach ná easpa."

192

"Tuigim anois thú," a deir Páidín.

"Tá an chnáimh droma, tosach agus deireadh agus na heasnacha againn," a deir an saor.

"An craiceann anois, saltracha péine atá agam lena aghaidh."

"Fainic an bhfuil siad fabhtach ná tollta ag giúirlinneacha," a deir an saor.

"Is beag an baol," arsa Páidín, "theilg mé iad. Chnag mé le méaróg ar a gceann iad, agus Cóilín agus a chluais leis an gceann eile go bhfuair sé an teachtaireacht tríothu. Bhuail seisean go héadrom aríst le hionga a ordóige, tháinig an fhuaim chugamsa chomh binn ceolmhar lenar chuala tú riamh. Sin a fhágas go bhfuil siad folláin. Nach ea?"

"Ní féidir a ghabháil thairis sin," a deir an saor.

"Is iontach mar a ghluaiseas torann agus fuaim tríd an adhmad agus é láidir bríomhar tar éis an aistir, ach deirtear go bhfuil roinnt aibhléise i chuile rud. Cén fad atá sna saltracha sin?"

"Deich dtroithe fichead le cheithre horlaí déag cearnógacha, siúd iad a thóg mé féin agus Cóilín, lá mór na gaoithe aniar aneas fadó."

"Chuaigh sibh i gcontúirt leo freisin," a deir Máirtín.

"Agus is iontach an lán acu a tháinig isteach an bhliain sin," arsa Páidín. "Nár briseadh an soitheach ar na Sceirdí, agus bhí sé ráite san am gur tinteacha 'Jeaicíní', a chuir amú iad."

"M'anam gurb iad a bheadh deas air," a deir an saor. "Tiocfaidh go leor strácaí as ceann féin acu sin, timpeall le seacht n-orlaí a bheas siad ar leithead, le trí ceathrúna orlaigh ar tiús. Ocht dtroithe déag a bheas an stráca íochtair agus beidh cúpla orlach de ag luí isteach sa rubóid, as sin suas beidh na strácaí ag gabháil i bhfad mar gheall ar thimpeallacht bholg an bháid. Ní mórán a bheas in aisce ag deich dtroithe fichead suas ó líne a snámha agus is iondúil gur péine bhán a théas sna strácaí uachtair."

Labhair Páidín agus dúirt go raibh greadadh péine bhán aige, ach go raibh faitíos air nach raibh sí sách solúbtha, nach mbeadh sé éasca a casadh amach ó ghualainn.

"Ná bíodh imní ort," a deir an saor. "Cuirfidh mé faoi ghail formhór na strácaí uachtair. Rachaidh mise i mbannaí go dtiocfaidh siad abhaile go rubóid ansin gan aon stró. Beidh ábhar tilteacha tóna, síleálacha, rancáis, locaird agus bobsgunaileacha le cois an chraicinn sa tsail sin, tá mé a cheapadh."

"Bhí tuairim agam go mbeadh," a deir Páidín.

"Na cláir aimsire," a deir an saor. "Nach bhfuil pleancanna agat? Gearr ceann acu; ocht dtroithe déag ar fhad le seacht n-orlaí, le horlach go leith."

"Tá go maith," a deir Páidín.

"Beidh garmnacha tile, agus locard uainn," a deir an saor.

"Tá píosa péine dhearg agam lena n-aghaidh sin," a deir Páidín. "Tá ábhar ceap treo d'adhmad crua agam agus stumpa eile de dhúdhair thrá. Ní fhaca tú aon rud riamh chomh sleamhain ná chomh trom leis; cheap mé go mba mhaith an t-ábhar rothán agus blocanna é."

"Cheap tú an ceart," a deir an saor, "mar tá sé chomh dochaite lena bhfaca tú riamh. 'Bhfuil ábhar crainn agus crann spreoide agat?"

"Is féidir liom a rá go bhfuil píosa álainn agam le haghaidh crainn. Slat seoil loinge a fuair mé faoi thír ar cheann de na hoileáin an geimhreadh seo caite. Togha na péine deirge, ocht dtroithe fichead ar fhad agus beagnach trí troithe faoi gcuairt, grán chomh díreach agus go ndluífeadh sé ó bhun go barr."

"Chúig troithe fichead a bheas ag teastáil le seacht nó a hocht d'orlaí cearnógacha," a deir an saor.

"Tá sparra agam de mhaidí Thalamh an Éisc, chúig troithe fichead ar fhad agus sách bríomhar le haghaidh

194

crann spreoide," a deir Páidín. "Chúig troithe déag a bheas ag teastáil, nach ea?"

"Is leat féin an fuílleach. I nDomhnach fuair tú go leor den raic a tháinig isteach le gairid," a deir an saor.

"Ós á inseacht duit é, a mhic ó, ní i ngan fhios dom féin é mar is iomaí leagan agus treascairt a fuair mé i gcladaí aimhréiteacha, ag iarraidh bealach a dhéanamh idir ailltreacha arda oícheanta dubha nár léir duit do láimh agus sín uait amach í, scréachadh farraige cáite ó na bristí bána, beagnach ag baint na hanála díom, ag lámhacán, agus ag strapadóireacht formhór na haimsire. Ba mhinic, agus mé ag siúl i gcúr, gur i bpoll uisce a théinn mar nár léir dom cá leagfainn mo chois. Obair mhallaithe go maith í."

"Tuigim go maith thú," a deir an saor, "go deimhin, ní mórán a shiúil mé féin ón am úd fadó a tháinig na bairillí pairifín. Fuair mé chúig cinn déag acu aon mhaidin amháin."

"Rinne tú pingin mhaith," a deir Máirtín.

"Ní dhearna ná cianóg mar gur thóg na pílir iad," a deir an saor.

"Nárbh olc an cás é, ach is amhlaidh a bhí san am," a deir Páidín. "Nach ndearna siad an cleas sin orainn ar fad. Thug siad na bairillí ola throisc leo chomh maith. Bhí cúnamh acu, freisin."

"Shoraidh de mar raic," a deir an saor, "is mairg riamh a chuaigh i gcontúirt leis. Nach minic riamh a cailleadh fir mhaithe leis?"

Bhí an uirnis bealáilte faoi seo. Bhí bosca na huirnise roinnte ina chodanna i riocht agus go mb'fhéidir gach cineál a chur ina áit féin, plánaí, siséil, geantracha in éineacht. Meanaí, gimléid, srathracha agus iarainn chorcála ina n-áit féin. Casúir, máilléid, tuanna, tálanna, itheallar mór agus itheallair bheaga i gcoirnéal eile agus mar sin.

"Ní raibh muid an-fhada leo," a deir Máirtín.

"Go raibh maith agat," a deir an saor, "is mairg

riamh a fuair locht ar an gcúnamh."

"Tá cruas agus sioc air," a deir Páidín, "agus an cat a bheith ag tabhairt a thónach don tine."

"Cuir cúpla fód móna uirthi," a deir an saor, "nó is gearr go mbí sí as."

"Dhá charcair ghiúsaí atá agam le haghaidh glúine," a deir Páidín, agus é ag cur síos na tine, "ocht dtroithe le hocht n-orlaí cearnógacha ceann acu agus an ceann eile sé troithe le troigh chearnógach."

"Gheobhaidh muid ocht sleab astu, dhá orlach, glan. Beidh fuílleach le haghaidh glúine," a deir an saor.

CURACH Á DÉANAMH

"Is maith ann an fuílleach le haghaidh tine mar tá sí lomlán le sú," arsa Máirtín. "Deirtear go raibh an tír seo lán le coillte sa tseanaimsir, agus nach bhfuil a chosúlacht lena chois maidir le giúsach go leor atá sna portaigh agus sna criathraigh."

"Bhí leomhain agus beithígh fiáine eile sna coillte sin," a deir Páidín.

"Ní raibh leomhain ná muca iontu," a deir Máirtín.

"Nach i dtíortha eile atá siad sin?" a deir an saor.

"B'fhéidir go bhfuil an ceart agat," a deir an ceann eile. "Ní raibh agamsa ach mar a chuala mé."

"'Bhfuil ábhar seasanna agat?" a deir an saor.

"Tá pleanc sé troithe fichead. Tiocfaidh seas deiridh, seas tosaigh, seas crainn agus clord as."

"Naoi n-orlaí le trí horlaí?" a deir an saor.

"Ceart," a deir Páidín.

Bhí Máirtín faoi seo ar a chromadh rúta, agus maide aige ag breathnú isteach faoin gcoirín. Luch a chuala sé ag gearradh adhmaid. "Nach iontach nach mbeadh faitíos orthu roimh an gcat," a deir sé.

"Go deimhin," a deir an saor, "dá ndeanadh siad nead ina chluais sin, ní chorródh sé, tá sé chomh leisciúil sin. Tá an aois anois air, ach ní go maith a bhí sé an lá ab fhearr a bhí sé."

"Is beag den ábhar nár labhair muid air, cé is moite d'iarann, ócam agus tairní," arsa Páidín agus é ag cur aithinne ar a phíopa.

"Gheobhaidh tú dhá chloch tairní glasa, orlach go leith agus cloch dhá orlach le haghaidh an chraicinn; leathchloch tairní dhá orlach go leith, agus leathchloch trí horlaí agus leathchloch tairní dubha orlach go leith; trí bharra dhá throigh déag d'iarann leathorlaigh chearnógaigh, dhá chloch ócaim agus dhá chloch puití. Is linn féin an fuílleach. Tá mé cinnte go bhfuil ábhar stiúrach, cleith sheoil, agus maidí rámha agat," a deir an saor.

"Abair é," a deir Páidín.

"Feictear dom," a deir an saor, agus é ag crochadh síos an túláin, "nach bhfuil mórán eile uainn. Ní de dhoirte dhairte a dhéantar aon rud. 'Bhfuil aon bhlas eile ar d'intinn, a Pháid?"

"Ní shílim go bhfuil ach beidh orm bacáin agus insí a fháil le haghaidh na stiúrach, glas crainn, fáinne crann spreoide, soicéid le haghaidh bharr an chrainn, barr agus tosach na cleithe, rothán le cur sa gcrann le haghaidh na láinnéar, síobhanna a mbeidh méaracáin phráis iontu le haghaidh láinnéir jib agus píce. Tá mé cinnte go bhfuil an dúdhair thrá maith go leor le haghaidh blocanna."

"Fág na dintiúrí ag an ngabha," a deir an saor. "Sin é an buachaillín nach mbeidh i bhfad ag déanamh crúcaí, agus fáinní agus gach aon sórt eile mar sin a bheas uait." D'éirigh Máirtín ina sheasamh in ainm a bheith ag téisclim a ghabháil chun seoil.

"Ná cuireadh an bia ruaig oraibh," a deir an saor, "ní rachaidh sibh in áit ar bith go mbí blogam tae agaibh."

D'fhan siad, mar bhí sé chomh maith dóibh a bheith ag taoscadh an chuain le diúltú. Is gairid go raibh an tae réidh. Shuigh siad isteach ag an mbord. Scal tintreach ghorm ar an bhfuinneog.

"Tá athrú san aimsir," a deir Páidín. "Gheobhaidh an raic tiomáint amach."

"Meas tú nach as an long a chonaic muintir an cheann thiar den bhaile a bhí na pleancanna ag teacht?" a deir an saor.

"D'eile," a deir Páidín, "nach bhfaca Colm Thomáis agus a fhoireann í go solasach fúthu thíos sa bhfarraige, na seolta bána crochta go barra na gcrann, na slata seoil ag luascadh anonn agus anall le himeacht na bhfeachtaí, agus pleancanna ag teacht go barr uisce ó am go ham."

"Níl a fhios agam an raibh sí i bhfad amach," a deir an saor.

"Trí nó a ceathair fichead de mhílte amach, tamall amach ó Sceirde," a deir Páidín, "ach ní raibh sí ar thóin an phoill ach ag imeacht idir dhá uisce. Is cosúil go raibh rud eicínt níos troime ná adhmad inti, murach go raibh ní bheadh sí chomh domhain san uisce."

"B'fhéidir," a deir Máirtín, "go raibh gunnaí agus piléir faoin adhmad. Déantar cleas mar sin go minic le dallamullóg a chur ar an namhaid."

"Sílim," a deir Páidín ag iompú amach ón mbord, "go bhfuil sé in am againn a bheith ag teannadh le baile."

"M'anam go bhfuil píosa den oíche caite," a deir Máirtín, ag gearradh mant i bpíosa tobac lena scian phóca agus á shíneadh anonn go dtí an saor.

"Ní bheidh, go raibh maith agat," a deir an saor ag tarraingt amach a phíopa "ní changlaím."

D'fhág siad slán agus beannacht ag an saor agus chroch leo.

"Is mór an t-ionadh nach mbíonn uaigneas air sa mbothán sin," a deir Páidín.

"Cé roimhe?" a deir Máirtín.

"Meas tú nach mbeidh suas le ceithre fichid slat bheaifití ag teastáil uaim le haghaidh seolta?"

"Beidh fuílleach ansin," a deir an ceann eile.

"M'anam go bhfuil orm roinnt costais a dhéanamh idir chuile rud."

"Níl aon dabht air," a deir Máirtín.

"Tá orm labhairt le Cóilín le go mbeidh sé réidh leis an seol a dhéanamh. Caithfidh mé aighrí cnáibe a fháil agus snáth. Sílim go bhfaighidh mé beaifití maith go leor ar réal an tslat."

"Ní thabharfainn leathphingin níos mó air. Caithfidh mise a bheith ag scarúint leat anois. Seo é ceann an bhóithrín," a deir Máirtín.

"Oíche mhaith duit."

"Go mba hé duit," a d'fhreagair an ceann eile agus chuaigh chaon duine go dtí a bhothán féin.

CEILPEADÓIREACHT

Is duine mise a chaith tús mo shaoil i mo chónaí ar oileán in iarthar Chonamara, ag éisteacht le síorchrónán uaigneach na farraige i gcónaí atá ag teacht ina tonntracha móra aniar as an aibhéis choimhthíoch agus ag briseadh go fiáin, borb in aghaidh trá agus cladaigh. Is cuma léi trá mhín réidh nó cladach garbh diúilicíneach. Le méid oibriú agus chartadh na farraige ó lá go lá agus ó bhliain go bliain, tá duirlingeacha de chlocha móra thuas i mbarr an chladaigh atá chomh cruinn le huibheacha.

Ach má tá an fharraige mar sin féin is aisti a bhaineas formhór mhuintir Chonamara a slí bheatha agus ní le hiascach amháin ach ag déanamh ceilpe.

Is obair anróiteach chrua í seo agus tá sí ar bun le fada an lá. D'fheamainn a dhéantar an cheilp. Tá go leor cineálacha feamainne ann agus tá ainm ar leith ar gach cineál acu mar a leanas: scothach, coirleach, ríseach, feamainn dhubh, feamainn bhuí, crúba préacháin, copóga, claimhí, rufaí, cosa crua, míoránach agus caisíneach agus mar sin de. Beidh cur síos amach anseo ar na cineálacha sin faoi leith.

Is í an choirleach agus an scothach, .i. feamainn dhearg, is fearr le haghaidh ceilp mhaith a dhéanamh. Cuirtear na cineálacha eile freisin i gceilp, ach ní dhéanann siad ach ceilp dhona, nó, mar a deirtear, an dara scoth. Nuair a thagas drochaimsir agus oibriú farraige a bhaineas an fheamainn ar na stopóga doimhne agus ar na leathracha, caitear isteach i dtír sa gcladach agus ar na tránna í, agus cuireann na ceilpeadóirí suas le triomú í féin agus na slata mara. Scartar ar na clocha í, agus triomaítear í. Nuair a bhíos sí féin agus na slata mara tirim, sábháilte agus salann sáile orthu, déantar cocaí móra di agus clúdaítear le raithneach, driseacha agus scraitheacha iad. Feamainn

COCA SLATA MARA AGUS FEAMAINNE

gheimhridh a thugtar uirthi seo agus fágtar mar sin í go dtige an samhradh.

Baintear an choirleach le croisín, agus beirt nó triúr fear a théas amach i ngach bád le haghaidh an choirleach a bhaint. Is crua anróiteach an obair croisínteacht mar is deacair agus is an-deacair an choirleach a tharraingt den leic. Bíonn an croisín timpeall le sé troithe déag ar fhad agus bíonn píosa adhmaid trasna i gceann di timpeall le hocht n-orlaí ar fhad a dtugtar an scian air. Téann an bád ar ancaire os cionn na leice coirlí, sáitear síos an croisín ar thóin na farraige agus cuirtear fuinneamh ann, agus de réir mar a bhíos an fear sa mbád ag cur fuinnimh sa gcroisín bíonn an choirleach ag gabháil timpeall ar an scian thíos ar thóin an phoill, agus nuair a bhíos an scian lán leis an gcoirleach ní mór í a tharraingt. Timpeall le cloch mheáchain de choirleach a bhíos ar gach croisín.

Tá sé éasca go leor coirleach a bhaint i nglaschuanta cineálta, is é sin, geadáin a mbíonn foscadh agus dídean déanta ón bhfarraige mhór ag oileáin bheaga nó ag sraith carraigreacha. An choirleach a bhíos ag fás ansin, ní bhíonn sí chomh téagarthach ná chomh

201

ramhar leis an gcineál a bhíos ag fás amuigh le héadan an tseanchladaigh nó ar na carraigreacha fiáine san áit a mbíonn sruthanna tréana na mara móire, agus a mbíonn na tonntracha go síoraí ag coipeadh go fíochmhar colgach, ag teacht aniar ón aibhéis choimhthíoch le luas lasrach faoina gcuid caipíní bána, ag ithe a chéile ag teacht dóibh ar an tanaí agus ag coimhlint le díoltas a imirt ar na hailltreacha dána dubha ag spréachadh farraige cháite sna spéartha, agus ag cur meall mór cúir ag eiteall mar a bheadh faoileáin a bheadh ar lorg éisc lá gaoithe móire — torann na dtonntracha sin mar a bheadh toirneach a bheadh na mílte míle i gcéin.

I ndeireadh an tsamhraidh agus i dtús an fhómhair bíonn thart le himeallbhord Chonamara trí lasadh. Bíonn na céadta tornóg le feiceáil. Nach álainn an radharc iad, a gcuid deataigh le ciúineadas an tráthnóna ag gabháil suas chun na spéire go righin réidh, ag umhlú do gach smeámh gaoithe dá laghad le comhartha a thabhairt do chách cén cheard den spéir a bhfuil an ghaoth ag séideadh as. Is cumhra folláin an boladh

CEILP Á DÓ

202

a bhíos ar an deatach céanna.

Is crua an obair an dóiteoireacht. Deir na ceilpeadóirí nach tada aon trioblóid a fhaightear ón bhfeamainn go dtosaítear á dó. Déantar balla cloiche in aice leis an gcoca, deich dtroithe ar fhad, trí troithe ar leithead agus troigh ar airde. Bíonn dhá líne chloiche ann agus é péacáilte le bruth faoi thír idir iad.

CEILPEADÓIREACHT

Spíontar go maith ansin an fheamainn a chuirtear ar íochtar na tornóige. Cuirtear tine i ngach geadán den leaba sin i bhfoisceacht cúpla troigh dá chéile; brat slata mara ansin os cionn an deirg. Brat feamainne os a cionn sin, agus uaidh sin amach go dtí an dó dhéag a chlog bíonn beirt fhear i muinín a gcroí agus a n-anama ag coinneáil feamainne uirthi.

Taca an dó dhéag, ligtear síos í agus glantar í. Suaitear an méid ceilpe a bhíos inti go maith agus go rímhaith, le rácaí ceilpe agus le lánta; coinnítear feamainn uirthi ansin aríst go tráthnóna. Is trom an obair tornóg cheilpe a shuaitheadh. Bíonn cúigear nó seisear fear mar a bheadh tine ar a gcraiceann ag meascadh agus ag suaitheadh go mbí siad cortha, sáraithe.

Ar maidin lá arna mhárach, bíonn sí ina leic chrua ar nós na cloiche, timpeall le tonna meáchain. Bristear ina dhá cuid déag ansin í, sa gcaoi gur féidir í a thabhairt go dtí na báid go héasca.

Sa dúiche a bhfuil mé ag trácht faoi, an Caiseal agus Cill Chiaráin an dá áit le haghaidh mhargadh na ceilpe. Díoltar go leor di gach bliain sa dá áit sin. In aghaidh na coicíse a bhíos an margadh ar feadh shéasúr na dóiteoireachta. Bíonn na céadta ceilpeadóir ar an talamh lá an mhargaidh, agus carnáin cheilpe le cúl a chéile ó bhun go barr na céibhe, carnáin bheaga agus carnáin mhóra, de réir mar a bhí na foirne in acmhainn a dhéanta.

Bíonn fear na samplaí ag gabháil thart agus casúr agus buicéad aige, ag baint blúire beag de gach aon chloch. Bíonn aithne ag na ceilpeadóirí air sin chomh maith le droch-leathphingin.

Nuair a bhíos an sampla bainte amach tugann sé isteach go dtí oifig an mheasadóra é, agus ainm an duine ar leis an carnán ar thicéad sa mbuicéad.

Gloine mar dheis measa a bhíos ag an bhfear istigh, agus de réir mar a thaispeáineas an ghloine dó is ea a thabharfas sé luach d'fhear na ceilpe.

Bhí ceilp ag gabháil luach mór aimsir an Chogaidh Mhóir — dhá phunt déag an tonna. Ní raibh uirthi roimhe sin ach ceithre phunt.

Roimhe seo mheáití ar an gcéibh í agus chuirtí go hAlbain i long í. I nGlaschú a d'oibrítí í. Is iomaí fóint a bhaintear aisti; is as an gcéad scoth di a bhaintear an t-iaidín, an stuif iontach luachmhar sin a bhfuil trácht i mbaile agus i gcéin air le haghaidh leighis. Ní féidir gallaoireach a dhéanamh gan í, agus deirtear go dtéann cuid di ag déanamh na gloine freisin.

AN FHEAMAINN

AN SCOTHACH

I ndeireadh an Aibreáin bíonn na ceilpeadóirí réidh glan le ghabháil ag oibriú na scothaí. Bíonn a gcuid fataí agus arbhair curtha le deifir, faoi chomhair an tséasúir. D'fheicfeá le linn an tráthnóna iad ag dearcadh amach ar an bhfarraige ag súil go bhfeicfeadh siad scairbh nó láithreach nó tanaí ag guagadh agus ag briseadh. Is maith an comhartha é sin, mar is iad na bristí bána agus tarraingt na farraige na bainteoirí a bhaineas an scothach sna stopóga. Nach bhfuil cabhair agus saothrú le haghaidh na mbocht ar ghoirt an bhaile faoi bharra na dtonn le linn an ama sin?

Is í an scothach plúr na feamainne. Deirtear nach bhfuil mórán difir idir í féin agus an choirleach maidir le neart agus brí agus meáchan a chur sa gceilp. An chuid is fearr den iaidín, baintear é aisti féin agus slata mara agus copóga dóite trína chéile. Mar sin is iondúla a dhéantar, freisin, go háirid i gConamara, gí gur minic a dhóitear cineálacha eile measctha tríothu gan mórán a mhilleadh faoin gceilp.

Ar an domhain a fhásas an scothach. Tosaíonn sí ag fás i dtús an earraigh agus bíonn sí aibithe le titim timpeall Lá Bealtaine, nó bíonn a ham caite mar a deirtear cois farraige. Fásann an dosán scothaí ar bharr an dosáin cheanna slat. An déanamh céanna atá orthu, déanamh beagnach ar nós chrobh do láimhe — an bhois croí an dosáin agus na méaracha na duilleoga — ach go bhfuil siad troigh nó os a chionn ar fhad agus ar leithead. Tosaíonn croí an dosáin scothaí ag fás ar bharr an chinn eile, agus ar an bpointe sin cruinníonn duilleoga an dosáin íochtair go dlúth le chéile as a mbarr le deis a thabhairt don dosán scothaí scaipeadh agus méadú. Ní dhéanann sé aon fhaillí le haimsir gan greim a fháil ó dhuilleog go duilleog de na ceanna slat nó go mbí go leor duilleog mar thaca aige faoi féin. Téann caitheamh san aimsir nó go mbíonn an dosán scothaí in inmhe, tosaíonn an croí atá i bhfostú ar bharr an chinn eile ag caolú de réir a chéile, ó chúig nó sé horlaí ar dtús go dtí cúpla orlach ar deireadh. Má thagann droch-aimsir agus corraí i bhfarraige, agus is minic a thagas, titeann na mílte milliún dosán de bharra na gceanna slat. Ach cuir i gcás go mbeadh an fharraige ciúin agus an aimsir go breá le linn an ama seo ar feadh cúpla seachtain, nach gceapfá go bhfanfadh an scothach ina staic mhagaidh ar bharra na gcrann. Is beag an baol.

AN SCOTHACH

Ní minic a chliseas an nádúr, agus deirtear nár dhún Dia bearna riamh nár oscail Sé ceann eicínt eile. Níor chlis Sé anois ach an oiread le riamh, mar chuaigh na faochain bheaga úd a nglaoitear na sceanairí orthu i mbun na hoibre go fonnmhar agus níor thóg sé mórán achair ar na sluaite líonmhara ocrasacha sin na muiníl a bhí idir an dá chineál feamainne a tholladh agus níor lig siad mórán amú ach oiread nár ith siad. Ar aon chor, tá an-dúil acu inti agus b'fhéidir go raibh siad ag fás mífhoighdeach nuair a bhí sé ag gabháil i bhfad agus go mb'éigean dóibh an obair a dhéanamh. Rud eile, má bhaineann an t-oibriú féin í, itheann siad í, agus is é an croí a ionsaíos siad ar dtús, is é an greim is milse leo é. Deirtear nach neart gan cur le chéile, agus is ceart sin i dtaobh tholladh agus ithe na scothaí leo seo. Má bhíonn drong líonmhar féin acu ag cuidiú le chéile ní féidir ceartas ná leisce a chur ina leith, gí gurb iadsan bainteoirí na scothaí, nó ar aon chor, deifríonn siad léi má chliseann an t-oibriú. Ní go leor buíochais atá ag na ceilpeadóirí orthu mar gheall ar a ndéanann siad de dhamáiste di á tolladh agus á hithe, ach ní fhaightear saoi gan locht eicínt.

Is mór an áilleacht na hadhairteanna úra scothaí tar éis a theacht i dtír ón bhfarraige, go mór mór nuair a bhíos gathanna na gréine ag glioscarnach agus ag lonrú orthu, chuirfeadh siad ór i gcuimhne duit, agus is fómhar órga í freisin do na ceilpeadóirí bochta atá ina call, le deis a bheith acu le roinnt saothrú a dhéanamh dóibh féin agus dá muirín. Roinneann siad le chéile agus cuireann siad suas ar an ionlach an méid a bhíos i dtír le hasail nó le capaill, agus mura mbíonn an cladach faoi dóibh sin níl aon leigheas air ach iad féin á hoibriú suas le cléibh aniar ar a ndroim. Caitheann crainnte uirthi nuair a bhíos sí roinnte. Ní féidir a ghabháil thairis sin mar a bheas toradh a chrainn ag gach duine. Is minic a bhíos corrshlat mhara tríothu; is orthu a fhásas na ceanna slat agus is í an scothach bláthanna na gceanna slat sin. Ní foláir tosú as éadan ar an adhairt ar thaobh na farraige: bíonn an obair níos éasca lena hoibriú mar ar chuir na bruthanna i dtír í — an chuid a charnaigh siad ar deireadh a chruinniú ar dtús agus an chéad bhrat a fhágáil go deireadh. Nuair a bhíos obair an lae de thuas, scartar amach í, coctar í gach tráthnóna ón drúcht nó i bhfaitíos báistí agus scartar aríst í lá arna mhárach go moch, agus mar sin ar feadh cúpla lá nó go mbí sí sách tirim stálaithe, nuair a dhéantar cocaí móra di agus cuirtear caipíní de chineál eicínt eile orthu le hiad a choinneáil sábháilte go haimsir dhóite i ndeireadh an tsamhraidh.

Tógtar go leor di ar phoill chineálta dhoimhne ar fhoscadh na n-oileáin bheaga, le crúcaí iarainn a mbíonn deich dtroithe fichead de chosa péine dhearg astu. Is minic riamh a d'éirigh mé le glao an choiligh le ghabháil á tógáil; ba dhóigh le duine gurb é lár an lae a bheadh ann cois cladaigh le torann agus gleo daoine, graiféid á dtarraingt, seolta á gcrochadh, daoine ag triall ina mbeirteanna agus ina dtriúranna i ngach ceard faoi dheifir. Sheoladh muid amach le gealach dheireadh na hoíche agus lán culaith de ghaoth aniar agus báid eile romhainn agus báid inár ndiaidh nó go sroicheadh muid poll domhain Oileán Lachan agus go dtéadh muid ar muráite.

Is mór an t-ionadh nach ngortaíonn lucht a tógtha a chéile le cosa fada na gcrúcaí, mar go bhfuil an áit an-chúng, beirt fhear i ngach aon bhád, crúca ag gach duine de dhaichead agus iad á gcasadh os cionn mhullaí a chéile gach ala. Ar thógáil na feamainne aníos ó thóin an phoill ní foláir dóibh na cleitheacha sin a shíneadh trasna ar thrí nó a ceathair de bháid. Mar sin féin ní theangmhaíonn siad dá chéile, tá cleachtadh fada acu ar an obair. Ach dá mbeadh dream neamh-eolach sa limistéar beag farraige sin rachainn i mbannaí go mbeadh mullaí tinne ag cuid acu, nuair nach mbeadh an taithí acu go maith níorbh fhéidir leo a bheith ag faire ina dtimpeall agus ag tógáil na scothaí san am céanna. Chuirfeadh na cleitheacha caola fada sin coill de chrainnte loma díreacha i gcuimhne duit, murach go mbíodh siad ag ísliú agus ag ardú agus ag meascadh trína chéile de bharr shaothar na bhfear ar pháirc na himeartha. A chomhuain is a mhaireas an séasúr déantar obair mhór léi. Tógann agus tugann beirt fhear i dtír an lá sin trí lucht báid trí thonna. Nach iomaí lán crúca an méid sin, timpeall dhá chloch mheáchain sa gcrúca sa turas, ó ghrinneall, sin tríd is tríd. D'fhága sin go gcuireadh chaon duine den bheirt suas le cheithre chéad crúca isteach sa mbád. I dtús an tséasúir bíonn go leor di os cionn a chéile ar urlár an phoill agus ní bhíonn sé chomh deacair í a luchtú. Is minic a chuala mé ó bhéal na seandaoine go bhfaca siad féin an saol a dtugadh bád beirte chúig lucht i dtír sa ló ar feadh sé lá na seachtaine, b'fhéidir gan blas a ithe ar feadh an lae ach an cúpla fata fuarbhruite agus braon bláthaí a thugadh siad leo ó bhaile ar maidin. "Sin é an uair a bhí na fir láidre fholláine ann," a deireadh siad, "seachas na séaclaí atá ar an saol anois. Tae agus arán bán agus an iomarca aire agus tréithleachais is ciontsiocair leis an díleá sin."

I séasúr na scothaí tagann go leor cluichí éisc isteach aniar ón bhfarraige dhomhain. Leanann siad féin a chéile — an mór an beag. Ní dhéanann cuid acu stad ná cónaí go mbaineann siad amach an áit a mbíonn an scothach. Bíonn mangaigh go leor, glasóga, pilséir, scadáin ghainimh, searróga, snáthadáin, muireachaoiní, séaclaí agus go leor cineálacha eile gan trácht ar bith ar fhaochain agus sceanairí agus eile, iad sin ar fad in aon mhangarae amháin faoi ghearradh ocrais, cuid acu ag ithe na feamainne agus an chuid eile ag ithe agus ag slogadh a chéile de réir a n-acmhainne agus a nirt agus a nglicis. Is minic a fhaigheas fíogaigh boladh na fola agus an achrainn agus nuair a thagas siadsan ar an sprioc bíonn sé ina raic ar fad, mar déanann siad greadlach ar mhangaigh agus ar ghlasóga. Téann go leor de na treibheanna beaga eile i bhfolach sa scothach agus faoi phluca na mbád má bhíonn siad ann, nó go mbí stad leis an gcomhrac — i gcruthúnas go bhfuil dúil mhór ag na héisc sa scothach. Go deimhin, cuireann siad féin agus na sceanairí drochrath ar chuid mhór di i rith an tséasúir.

Má bhíonn an fharraige oibrithe ar a theacht i dtír di le taoille trá is iondúil go bhfeicfeá mná, fir agus gasúir amuigh go hascaillí i mbéal na toinne á cruinniú agus á tabhairt isteach ar an trá le cléibh. Dá ligtí cead di triomú mhillfeadh an gaineamh go leor fúithi, nó chuirfeadh na súiteáin sa trá bhog í.

Oibríonn siad ar a ndícheall ar feadh an chúpla seachtain; an méid di a bhíos fanta tar éis an ama sin bíonn sí rólofa le láimhsiú. Is féidir le beirt nó triúr ábhar trí nó a ceathair de thonnaí ceilpe a bhaint aisti, má bhíonn an aimsir faoi dóibh. Céad meáchain de cheilp a bhaintear as fiche céad den scothach fhliuch. Ní sheargann sí chomh mór le gaoth agus grian le cineálacha eile. Nuair a bhíos sí tirim stálaithe bíonn timpeall le trí chuid dá meáchan fliuch goidte leo ag an dá chumhacht sin. Sin timpeall le céad ceilpe as chúig chéad den fheamainn thirim a fhaightear.

Lá Bealtaine, is iondúil go mbíonn na cladaí agus na poill lán leis an scothach, ach is gnás ón tseanaimsir gan aon láimh a leagan uirthi mar creideann na daoine go mbíonn na daoine maithe go gnóthach an lá sin ag athrú ón áit a mbíonn siad go dtí áit eicínt eile. Dá bhrí sin, déantar lá saoire dóibh. Tá scéal beag i mbéal na ndaoine faoi fhear den bhaile nár ghéill do rudaí den tsórt sin. Bhuail sé chun farraige ar maidin Lá Bealtaine le lucht scothaí a thabhairt i dtír, ach má chuaigh leis bíodh aige, mar an chéad chrúca a chuir sé go tóin an phoill ar Pholl Domhain Oileán Lachan chroch cuaifeach gaoithe amach thar bord é féin i ndiaidh an chrúca, gí go raibh an mhaidin chomh ciúin nach gcorródh ribe de do chuid gruaige. Níor mhór dá pháirtí chomh luath agus a d'éirigh leis, ceann téide a chaitheamh chuige mar bhí sé i ndeireadh na feide ar a theacht thar bord dó agus, le barr a chur ar an donacht, chaith sé an tseachtain ina dhiaidh breoite ina luí ar a leaba. Ón lá sin ó shin ar scuabadh sean-Chóilín thar bord mar a dhéanfaí le sop tuí is beag a tógadh di Lá Bealtaine. Chreid na daoine níos fearr nár cheart an sean-nós a bhriseadh, go mb'fhéidir go raibh baint eicínt ag na brilleoga léin leis an eachtra úd. Ar aon chor, níor tógadh mórán scothaí san áit Lá Bealtaine ó shin.

Ní sheasann an scothach i bhfad gan lobhadh sna

hadhairteanna. Faoi cheann cúpla lá bíonn sí tinn go leor, go háirid má bhíonn mórán di os cionn a chéile agus gan aon deoir sháile a bheith ag teacht fúithi. Téann sí féin a chéile agus déanann sí cruimhe. Ansin cruinníonn scuaintí líonmhara faoileán agus geabhróg le féasta a bheith acu ar na péiste beaga bána sin. Ní go réidh a bhíos an comhluadar sin le chéile go minic faoin mbeatha. Anois agus aríst bíonn seársaí troda acu, i riocht is nach mbíonn le feiceáil ina dtimpeall ach cith de chlúmhach, feamainn agus gaineamh measctha trína chéile.

An méid a bhíos ar na poill den fheamainn scothaí coinníonn sí úr ar feadh cúpla seachtain mar gheall ar í a bheith á corraí ag tarraingt na farraige. Nach mór an buntáiste é sin féin do na ceilpeadóirí bochta?

Ní raibh cíos ná barr slaite riamh ag an tiarna talún ar na poill, gí go ndearna sé a dhícheall babhta amháin le hiad a chosaint dó féin. Is minic a chuala mé na seandaoine ag cur síos ar an easaontas a d'éirigh idir iad féin agus an tiarna san am sin. Is cosúil go raibh cogadh ar siúl san am céanna agus go raibh luach chuile rud go maith seachas mar a bhí roimhe sin. Dá dheasca sin, cheap an tiarna láimh a bheith aigesean sa mbrabach, agus smaoinigh sé ar an gcíos a ardú. Thosaigh sé ag ceáfráil agus ag bladar leis na daoine ag rá go raibh stuif an-luachmhar ar fad á bhaint as an bhfeamainn, go mba cheart poill na scothaí a chosaint sula dtagadh dream eile thar baile isteach á tógáil, agus seo siúd. Chonaic na tionóntaí an baoite agus níor ghéill siad dó. Chuir sin le buile é, agus thug sé chun cúirte cuid acu faoi a bheith ag tógáil na scothaí. Rinne sé amach dá bhfágtaí mar a bhí sí í go dtiocfadh sí isteach i dtír ar a chuid cladach le hoibriú agus gála mór. Ní raibh sé ceart ann sin; ní hiondúil go gcorraíonn sí de na poill le haon drochaimsir. Ní bhfuair sé aon sásamh ón gcúirt mar gur chinn sé amach agus amach ar an mbreitheamh a dhubh ná a dhath a dhéanamh den chúis, i gcás gur thóraigh sé féin agus a chuid lucht freastail tríd síos agus suas. Leabhra nár baineadh aon chor astu leis na cianta, b'éigean iad a dhúiseacht agus na bréidíní damháin alla agus an caonach liath agus an deannach a scuabadh díobh. Ach ní raibh aon mhaith ann mar ní raibh aon fhaisnéis faoi dhlí na scothaí iontu. Dá bhrí sin níorbh fhéidir leis an mbreitheamh aon bhreithiúnas a thabhairt. Cheangail sé suas an chúis go scríobhfaí chuig an Rialtas le hiadsan a chur scéala chuig an aimiréalacht le go gcuirfeadh siad alt beag faoin scothach i leabhar dlí na farraige. Cheap an breitheamh gurb é sin an rud ceart le déanamh. Níor chuala aon duine aon bhlas faoin scéal níos mó, ach is iomaí scothach a tógadh ar an poill sin ó shin i leith: creidim go bhfuil sé trí fichid bliain nó beagán os a chionn ón am sin. Níor baineadh bac ná eile as aon duine riamh ó shin agus níor chuir rialtas ná tiarna a ladhar ná ladar isteach faoi thógáil na feamainne.

Ó tharla go mbíonn formhór an chuir déanta roimh aimsir na scothaí ní mórán a chuirtear amach di mar leasú fataí ach cuirtear ar thornapaí agus ar mheaingilí í, anois agus aríst. Is maith an t-ábhar leasaithe í ach mar sin féin is fearr a íocas sí le ceilp a dhéanamh di agus sin é an rud céanna a dhéantar.

Go deimhin, ní mór gur fiú dom cur síos níos mó a dhéanamh ar an méid a tharlaíodh i rith shéasúr na scothaí mar is beag nach é an scéal céanna é gach lá — á roinnt, á cur suas ar an talamh agus á triomú, á tógáil sna báid, á tabhairt i dtír, á scaradh agus á cocadh.

Tagann an lá deireanach den séasúr, nach mbíonn le fáil ach bruscar gearrtha ramallach lofa lán le péiste bána nach mbíonn mórán tairbhe ná maitheasa ann. Níor mhór go mb'fhiú an trioblóid a fháil á tógáil ná á tabhairt i dtír — fuílleach na dtógadóirí, na n-iasc agus na sceanairí.

Is maith is cuimhneach liom lá mar sin i ndeireadh mhí na Bealtaine. Go deimhin, ní raibh go bord féin againn ná ag aon bhád eile ach ag teacht go héadrom isteach ón bhfarraige. Nuair a bhí an ghrian ag gabháil faoi sa bhfarraige thiar agus na Beanna Beola ó thuaidh ag athrú dathanna aisteacha iontacha de bharr gathanna deireanacha na gréine a bheith ag soilsiú orthu le linn an ama sin, bhí an scothach thirim á cocadh, mar bhí an drúcht ag tosú ag titim go trom cois cladaigh. Bhí an chailleach dhubh agus an broigheall ag déanamh amach ar na carraigeacha uaigneacha faoi chomhair na hoíche, an rón a bhí ó mhaidin roimhe sin ag soláthar dó féin sa gcuan, ag máinneáil siar thar an bpointe anois lena phluais dhorcha féin a bhaint amach, cluichí scadán gainimh á gcur féin i bhfolach faoin ngaineamh sula n-imíodh an taoille amach, na daoine ag triall ar a gcuid tithe tar éis an scothach a bheith coctha acu agus an slám a thóg siad an lá sin a bheith scartha le súil is go mbeadh lá arna mhárach go maith. Nach raibh siad ag smaoineamh ar chroisínteacht agus ar bhaint na coirlí anois?

Bhí na lampaí á lasadh, mar bhí an lá ag diúltú dá sholas agus néalta dorcha na hoíche ag scaipeadh, gach rud ag gabháil chun suaimhnis. Nach bhfuil sé chomh maith agamsa aithris a dhéanamh orthu agus críoch a chur leis seo, slán a fhágáil ag an scothach go dtí am eicínt eile, agus tosú ag cur síos ar chineál eile, le farasbarr aithne a fháil air.

AN CHOIRLEACH NÓ DUILLEACHA

AMACH i lár mhí na Bealtaine, nuair a bhíos an scothach tirim, sábháilte agus na cruacha móra curtha do leathaobh tosaíonn na daoine ag smaoineamh ar chroisínteacht agus ar ghearradh na coirlí, mar bíonn a séasúr ar ghoirt an bhaile; nár mhór an gar ábhar cúpla tonna eile a bhaint aisti leis an aimsir bhreá?

Fásann an choirleach ina duilleoga fada tanaí sleamhna agus an-mhín a shroicheas ceathair nó a cúig de throithe ar fhad i bhfás bliana. Dath dúdhonn atá uirthi gan fréamh ná mant ón bhfadharcán atá i ngreamú den chloch, suas go barr. Tá cois chaol rónta idir an fadharcán agus na duilleoga, atá chomh sileánach le píosa de théad. Bíonn a formhór tirim ar dhíthrá rabharta mhóir, agus go deimhin, is álainn an radharc í le linn an ama sin. Níl mórán difir idir í féin agus an scothach le haghaidh ceilpe; measctha trína chéile is fearr iad. Níl dath sa tuar ceatha nach bhfuil breactha sa gceilp a bhaintear astu. Ar thránna rabharta sa samhradh agus sa bhfómhar le farraige chiúin agus aimsir bhreá d'fheicfeá go leor bád in aice na n-oileáin bheaga agus na gcarraigreacha uaigneacha, iad go dlúth leis na cladaí, na foirne ar a mine ghéire le corráin agus le sceana ag feannadh na gcloch agus ag déanamh carnáin di anseo agus ansiúd go n-iompaí an taoille. Ansin cuireann siad isteach lena lámha an méid a bhíos cóngarach don bhád agus an chuid nach mbíonn sé faoi dóibh siúl ann faoi chléibh, oibríonn siad le téad í. Fanann duine sa mbád agus an fear eile ag cur cor de cheann na téide faoi na slámanna coirlí. Tarraingeoidh fear an bháid isteach an scuaidrín feamainne agus socróidh sé í i gcabhail an bháid, déanfaidh sé cúinne den téad agus caithfidh sé chuig fear an líonaidh í aríst ar ais agus mar sin nó go mbí an slám deireanach ar bord agus an bád luchtaithe. Seolann siad leo abhaile ansin le taoille tuile agus iad tuirseach go maith, mar nach maireann an trá ach seal gearr. Oibríonn siad crua go leor, deirim leat.

Baintear le croisíní í ar mallmhuir. Níl mórán oibre ar bith chomh trom le croisínteacht, go háirid ar chladaí fiáine Chonamara, agus níl áit ar bith dá oibrithe nach ann a fhásas an cineál is fearr agus dá dhuibhe agus dá throime í is amhlaidh is fearr tairbhe í, maidir le sú agus brí agus meáchan a chur sa gceilp. Ní féidir coirleach Sceirde a bhualadh. Ach go deimhin ní foláir aimsir bhreá agus farraige chiúin le ceart a bhaint as na carraigreacha uaigneacha iargúlta sin, mar tá bun agus tarraingt ag an bhfarraige ann an lá is aoibhne ar bith, agus ní mór nach bhfuil Leic Mhór Charraig na Meacan chomh dona ach nach bhfuil sí chomh fada ó bhaile.

Nuair a bhíos bád trí thonna luchtaithe ag beirt fhear lena gcuid croisíní ní mórán a bhíos in aisce acu. Is iomaí uair nach foláir dóibh a gcur i bhfarraige i rith an ama. Mar sin féin, bíonn siad á tabhairt thar bord beagán ar bheagán nó go mbí an bád go súile acu. Ó tharla go dtagann roinnt mhaith uisce isteach léi ní mór an bád a thaoscadh leis an ngalún, anois agus aríst. Is minic riamh agus mé ag croisínteacht a chomhair mé cé mhéad lán croisín coirlí a líonfadh an poll tosaigh, agus le coirleach mhaith i bhfás dhá bhliain, daichead ceann a rinne na gnóthaí. Ba é sin séú cuid an luicht; d'fhág sin gur dhá chéad agus daichead ceann a luchtódh an bád. Bhí an choirleach bríomhar trom, radadh ceoil agus grúscán le cloisteáil agus í ag scarúint ón gcloch, baiscíní diúilicíní i ngreamú de bhun na bhfadharcán agus na cosa breactha le bairnigh bheaga, na duilleoga fada dúdhonna téagarthacha agus loinnir iontu le míneacht, agus iad ag liathadh faoi chaonach ar a mbarra agus péiste fada caola bána ag lúbarnach orthu, boladh trom folláin na farraige uaithi le farasbarr goile a thabhairt don chroisíneadóir, rud nach mbíonn riachtanach go minic, mar bíonn ocras i gcónaí ar an gceilpeadóir, gan mórán le hé a mhaolú go minic.

Gí gur aisteach an rud le rá é, is éasca go mór í a tharraingt le taoille tuile ná le taoille trá. Ní bhíonn an greim ag na fadharcáin chomh crua ar an eibhear, ní mé beo cén fáth. Nuair atá éadan ar leic choirlí níl sé chomh deacair í a strachailt. Baineann sí féin a chéile ach tarraingt a bhaint as an gcroisín nuair a bhíos beagán fuinnimh curtha, i riocht agus go mbeidh na duilleoga casta ar a chéile go daingean crua mar a bheadh cábla ramhar ann. Ansin nuair a bhíos slám di thar bord, í a chur i bhfostú faoin tslat bhoird agus nuair a ardós an bád leis an bhfeacht is mór an lán fadharcán atá ag cuidiú le chéile ar an gcloch nó bainfear grúscán agus ceol astu. Sa mbealach sin tá cumhacht mhór ag an mbád ar chrochadh di agus b'fhéidir leat céad meáchain a thabhairt thar bord in aon scuaidrín amháin den iarraidh sin. Ní furasta sin a dhéanamh ach ar chladaí garbha fiáine san áit a mbeidh fás cúpla bliain agus nach mbeidh aon ramallae uirthi, mar ar fhoscadh na n-oileán tá sí róshleamhain agus sciorrfadh sí as greim óna chéile sularbh fhéidir leat í a cheangal, le cumhacht éirí an bháid á baint de ghrinneall. Ní hiondúil go mbíonn an áit thar chúig nó a seacht de throithe ar domhain le linn díthrá mhallmhuireach. Is amhlaidh is éasca í a tharraingt, leis an gcroisín a choinneáil amach beagán, is é sin gan í a shá síos fút díreach. Tá i bhfad níos mó cumhachta agat leis na fadharcáin a stróiceadh den leic ach an croisín a bheith ar fiar, beagán. Is minic a bhí mé ag croisínteacht in áiteacha nach dtabharfainn punt meáchain isteach san iarraidh, de choirleach na gcos caol dearg, san áit a mbíonn sraoilleacha ag fás tríthi. Sin í atá deacair! Bheadh sé chomh maith duit an diabhal spágach a tharraingt i ndiaidh a dhriobaill léi. Míle croisín di nár mhór le bád a chur go súile. Timpeall le huair go leith roimh dhíthrá a théas na báid ar muráite os cionn mháith-reacha na coirlí agus le huair go leith dá thuile a scoireas siad le ghabháil abhaile. Nuair a shroicheas siad an trá in aice leis an ionlach tosaíonn siad á cur amach. Is iondúil go mbíonn duine á líonadh i gcléibh ar an tslat bhoird agus beirt á tarraingt ar a ndroim, go dtí a gcromán san uisce. Bíonn an bád chomh fada suas agus a ligfeas an taoille í agus de réir mar a bhíos sé ag tuile bíonn sí ag teannadh suas leis an ionlach. Nuair a bhíos an dlaoi dheireanach ar an talamh di scartar amach í. Coctar gach tráthnóna í ón drúcht agus scartar aríst ar maidin í, iompaítear sa meán lae í agus mar sin ar feadh cúpla lá nó trí go mbí sí sách tirim faoi shalann sáile. Déantar stumpaí di ansin go ceann seachtaine go dtaga fúithi, is é sin go mbí sí sa triomach ceart le cur sa gcoca mór. Fágtar mar sin í go ham dóite, is é sin mura ndíoltar le comhlacht eicínt tirim í agus is minic a dhéantar sin féin. Le cúpla scilling an céad tirim is fearr a d'íocfadh sí fear a bainte ná ceilp a dhéanamh di agus ocht bpunt an tonna a fháil, gan trácht ar thrioblóid a dóite.

Tá an cladach roinnte le fada an lá idir na daoine agus de réir mar a bhíos méid ina ngabháltais talún is ea a bhíos a gcuid den chladach, chomh fada le díthrá rabharta mhóir. Tá teorainn idir gach teideal i riocht agus go bhfuil a fhios ag gach duine cá bhfuil a chion féin. Nach gceapfá nuair a bheadh siad ag croisínteacht nárbh fhéidir leo, ó bheadh siad in aice leis an teorainn, gan a ghabháil thairsti beagán. Daoine cneasta geanúla na ceilpeadóirí agus má théann siad beagán i bhfoghail ar a chéile anois agus aríst ní bhíonn mórán clampair eatarthu. B'fhéidir má bhíonn duine cantalach crosta ann go gcloisfí roinnt gramhlóide agus tafainn uaidh, amanta, ach ní fiú biorán é sin.

Bhíodh cíos agus cáin ar an gcoirleach chomh maith leis an talamh. Go deimhin, ní mórán a bhíodh fágtha de luach na ceilpe nuair a bhíodh an cíos bainte as: b'fhurasta a chomhaireamh. Ag saothrú don tiarna a bhí na ceilpeadóirí. Ba ghearr air an méid airgead cíosa — timpeall le cheithre chéad punt sa mbliain. Bhí sé ag fáil ó thrí nó a ceathair d'fhichid ó lucht déanta ceilpe. Deir lucht an eolais a bhí ag cuimilt leo nach mairfeadh cheithre chéad punt uair an chloig do chuid acu ag imeacht lena gcomhairle féin i gcathracha móra Shasana, idir chapaill agus ól agus ragairne agus greann agus spórt. Ba bheag an lóchán orthu é; nár mhaith ann é! Is beag an chuimhne a bhí acu gur iomaí braon allais a chaill na créatúir bhochta a shaothraigh dóibh é. Bhí siad á mbeathú agus á ramhrú féin, agus saol maith acu ar shaothar na mbocht, mar a bheadh míola ann a bheadh ag sú na fola agus an smior as seanchaora, á gcur féin i gcruth pléasctha le raimhre.

I dtús an chéid seo b'éigean do mhuintir Mhuínse féin a ghabháil chun dlí leis an gCoirnéal Ó hUallacháin as Tuaim, an drochthiarna a bhí os a gcionn. Bhí sé ag iarraidh cíos trom a chur orthu "mar gheall ar na ciumhaiseanna óir," mar a deir sé féin, a bhí leis an bpáirt sin dá dhúiche. An choirleach an lása óir sin. Chuaigh cúpla cainteoir maith Gaeilge de lucht déanta na ceilpe go Baile Átha Cliath chuig an gcúirt, ach leis an scéal a ghiorrachan fuair na tionóntaí an láimh in uachtar air an babhta sin, cé go mba mhór an t-ionadh go bhfuair. Bíodh a bhuíochas ar an Athair Micheál Mac Aodha agus ar chairde eile a thóg láimh le lucht na feamainne agus a throid go dílis dúthrachtach in aghaidh tíorántacht agus drochdhlithe. Tá cuid acu ar shlí na fírinne anois, ar dheis Dé go raibh a n-anamacha.

Baintear go leor coirlí san earrach le haghaidh leasú. Is fearr í ná an scothach le borradh agus bláth a chur suas. Ní foláir roinnt aimliú a thabhairt di ar an iomaire go mbí sí breactha de bharr fearthainne nó drúchta. Iompaíonn sí bán tar éis goradh na gréine agus triomach a fháil agus ansin báisteach. Is fearrde í a bheith tirim am a curtha. Go deimhin ní mórán a bhaintear di le haghaidh leasú go háirid, mar níl sí rófhairsing ag na daoine. Fágtar le haghaidh na ceilpe í. Is é a locht a ghainneacht is atá sí, mura mbeadh samhradh breá agus farraige chiúin ann i riocht agus gur féidir na maidhmeanna agus na carraigreacha fiáine a mharcaíocht. Is gearr a mhaireas an méid a bhíos in aice baile, mar ní hé an oiread sin de chladach atá acu.

Bhí aighneas idir an tiarna talún agus na tionóntaí faoi bhaint na coirlí. Thug an tiarna talún dlí orthu. Cheap sé go raibh sé ina sheol mór aige, ní nach ionadh. Lá na cúirte bhí an croisín ag duine de na croisíneadóirí i láthair an bhreithimh le taispeáint dó cén bealach a raibh siad ag obair léi. Bhain Micheál Shéamais a chuid éadaigh de go dtí an léine agus an bríste, "teannaigí amach uaim," a deir sé, leis an slua a bhí ina thimpeall, gí nach raibh faoi ach an t-urlár lom, tirim. Bhí sé ag cur fuinnimh agus ag tarraingt, anois agus aríst ag cuimilt a mhuinchille siar dá bhaithis, mar a bheadh sé ag triomú an allais de féin, go díreach mar a dhéanfadh sé amuigh ar an bhfarraige. Chaith duine eicínt a bháinín faoi scian an chroisín, cheap sé go mb'fhearr sin féin ná gan tada. Níor thóg sé i bhfad air fuinneamh a chur ann, a chrochadh in airde, an breitheamh ag faire ar feadh an ama, ach ba é críoch agus deireadh na mbeart breithiúnas a dhéanamh ar chúpla punt an bád, timpeall le ceathrú cuid an mhéid a bhí éilithe. Ní raibh sin ródhona do na boicht mar rinne siad saothrú maith go leor de bharr na feamainne agus bhí a luach go maith faighte ag an bhfear eile. Gheobhadh siad garbh é murach cairde maithe de lucht Chumann na Talún a bhí i bhfabhar leo agus in aghaidh an fhir eile. Rinne Cumann na Talún go leor maitheasa san am, ach sin sceál eile nach bhfuil aon áit dó anseo.

NA COPÓGA

Ní mór nach cosúil le chéile na copóga agus an choirleach, murach gur leithne na duilleoga atá ar na copóga, gan a bheith fada agus iad cúbtha isteach as a mbarr. Is iondúil gur in áit chineálta a fhásas siad, go mór mór má bhíonn sruth tréan ann. Bíonn siad tirim le linn díthrá rabharta mhóir. San am sin gearrtar go leor acu le sceana agus le corráin, le cur suas ar an talamh le cléibh nó le luchtú isteach i mbáid. Ar an mallmhuir a dhéantar an chroisínteacht. Níl sí chomh deacair a bhaint leis an gcoirleach, mar níl an greim ag an bhfadharcán ar an gcloch chomh daingean ó tharla go mbíonn go leor gruán ar na clocha. San áit a mbíonn siad téann cuid acu i bhfostú ar chiumhaiseanna na bhfadharcán a dhéanas so-bhainte iad. Tá siad chomh maith le coirleach le haghaidh ceilpe agus má thriom-aíonn siad gan aon bháisteach a fháil is féidir céad meáchain de cheilp a bhaint as fiche céad meáchain de chopóga tar éis na farraige.

Is minic a chaitear go leor acu isteach i dtír sa ngeimhreadh nuair a bhíos an aimsir go holc. Faightear trí na cineálacha eile iad agus cuirtear suas iad mar nach bhfuil aon bhlas amháin loicht orthu mar shean-leasú, ach ní mór clocha a leagan orthu nó meáchan eicínt, mar tá siad éadrom agus tá sé éasca iad a fhuad-ach ag an ngaoth. Seargann siad go mór le gaoth agus grian, i bhfad níos mó ná an choirleach. Tréigeann siad ó dhonn go dtí bán le báisteach nó le drúcht. Nuair a chuirtear i mbéal feamainn bhuí nó barrchonla iad san earrach le haghaidh leasú ní foláir aimliú agus cead breactha a thabhairt dóibh roimh an talamh a fhódú. Ach an oiread leis an gcoirleach, is mar sin is fearr a chuireas siad borradh agus fás faoi na barranna. Má thagann bliain chóiriúil is maith an cúnamh iad le brabach maith a bheith ag fear an chuir lá an fhómhair.

Aimsir dhóite na feamainne is iad na cleití is fearr i sciathán an cheilpeadóra iad, mar tá siad thar barr os cionn slata mara agus ina leaba faoin dearg le moch na maidine leis an tornóg a fháil faoi sheol, agus má chastar lá báistí leis an gceilpeadóir, níl aon bhaol go rachaidh an tornóg in éag má bhíonn roinnt acu sa gcoca. Is maith an dochtúir dóite iad agus is maith na cairde don cheilpeadóir iad féin agus slata mara.

Mar is ar an gcineáltas a fhásas siad is féidir iad a bhaint ar dhrochaimsir nuair nach féidir an choirleach a thaobhachtáil agus dá bhrí sin fágann an ceilpeadóir le haghaidh na coise tinne iad. D'fheicfeá croisínteacht á déanamh sna bléantracha agus sna crompáin ar an bhfoscadh laethanta gaoithe móire agus oibriú farraige. Is deacair fios a ngnótha a mhúineadh dóibh siúd, a raibh a seacht sinsir a tháinig rompa sa ngnótha céanna, ag faire an chladaigh agus geáitsí na farraige in iarthar na hÉireann.

NA RUFAÍ

I mbléantracha cineálta nó in aon áit a bhfuil foscadh agus dídean ó gharmaint na toinne agus ó shiollaí tréana na gaoithe, a fhásas na rufaí. Tá cosúlacht mhór acu leis na rufaí a bhíodh ar ghúnaí na mban sa tseanaimsir. B'fhéidir gur mar sin a fritheadh an t-ainm freisin. Duilleoga donna agus buí atá orthu,

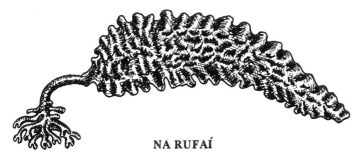

NA RUFAÍ

221

cúig nó a sé de throithe ar fhad agus timpeall leath-throigh ar leithead, lán le fillteacha agus mantach go maith sna ciumhaiseanna agus cosa giortacha caola. Fásann siad le cúl a chéile ar na clocha i riocht agus go mbíonn cuid de na fadharcáin ag marcaíocht ar a chéile. Gheofá corrcheann acu ag fás tríd an gcoirleach agus nuair a bhíos lucht na croisínteachta ag tarraingt na coirlí ní fhágann siad ina ndiaidh iad. Seargann siad go han-mhór le gaoth agus grian agus cailleann siad timpeall le cúigiú cuid dá meáchan. Níl mórán tairbhe iontu le haghaidh ceilpe. Mar sin féin triom-aítear iad sa bhfómhar nuair nach mbíonn mórán den choirleach le fáil. Go deimhin, is beag cineál nach ndéanann an ceilpeadóir úsáid de — rud ar bith a chuirfeas meáchan sa gceilp. Ruaigtear go leor acu isteach i dtír sa ngeimhreadh trí chineálacha eile.

Ní dhéantar aon dealú ach gach cineál a scaradh amach ar na garranta le haghaidh leasú. Ní foláir meáchan créafóige nó clocha a chur orthu sula bhfuadaíodh an ghaoth sna spéartha iad. Ní shnámhann siad ach ag imeacht le sruth agus taoillí ar nós na scothaí nó na coirlí.

NA SRAOILLEACHA

FÁSANN na sraoilleacha ar chladaí garbha fiáine tríd an gcoirleach in áiteacha áirid. Is deacair iad a bhaint le croisín mar tá greim an-chrua acu ar an gcloch. Ní hé sin amháin ach an choirleach féin a bhíos san áit chéanna ní furasta í a tharraingt, agus dá bhrí sin seachnaíonn lucht déanta na ceilpe iad. Ach le linn tránna móra nuair a ghearrtar an choirleach thirim fágtar na sraoilleacha tríthi i gcás nach mórán tairbhe atá iontu le haghaidh ceilpe, agus seargann siad go mór le gaoth agus grian mar tá go leor uisce iontu. Is beag an mhaith iad le haghaidh leasú, freisin, ach mar sin féin nuair a bhíos siad san adhairt trí chineálacha eile scaoiltear an bealach leo. Is iad na fadharcáin féin an chuid is fearr díobh. Is beag nach cosúil le coirleach iad ach go bhfuil na duilleoga an-lag, fréamhach agus mantach de bheagán sa gcolbha agus tá an fadharcán níos leacaithe leis an gcloch. Is iondúil gur trí choirleach na gcos dearg a fhásas siad agus bheadh sé chomh héasca an diabhal a tharraingt i ndiaidh a dhriobaill leo sin.

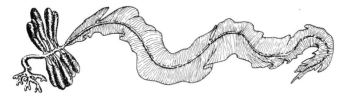

NA SRAOILLEACHA

Oíche fadó ar mhian le cuid de bhuachaillí an bhaile cleas a imirt ar Mhicheál Mharcais, an file a bhí san áit, fuair siad mada mór socair agus ghléas siad suas é le sraoilleacha agus le coirleach i riocht agus go raibh duilleoga á thimpeallú ó bharr a dhriobaill go barr a shróine. Bhí sé ó aithne. Ghléas siad gasúr chomh maith, chuir siad crios coirlí air, sraoilleacha go leor timpeall a mhuiníl agus timpeall a choime agus ag sliobarnach síos go sála leis. Chuir siad ag marcaíocht ar an mada é, dlaoi shraoilleach mar adhastar ina láimh agus stíoróip díobh chomh maith a raibh sé ag baint teannadh as lena chosa. Sa gcóiriú sheol an dís thar dhoras an fhile. Nuair a chuala sé an troimpléasc d'éirigh sé suas agus sheas sé idir dhá ghiall an dorais, dhearc sé an t-iontas an feadh tamaill. Caitheadh craobhmhúr báistí thart agus tháinig an ghealach bhreá shoilseach amach, agus bhí an choirleach, na claimhí (mar bhí claimhí faoi chrios an ghasúir agus slat mhara ar a ghualainn) agus na sraoilleacha a bhí ar an mada ag glioscarnach go

223

dealraitheach ó shoilse ré agus réaltóg, agus le barr a chur ar an áilleacht bhí spréacharnach lóchrannach ildathach ó mhearbhaill, ag preabadh agus ag damhsa ar na cótaí feamainne tar éis na toinne.

Níor chuir sin aon mhúisiam ar an bhfile; is beag an baol. Chúb sé isteach, shuigh sé síos, chuir sé bois faoina leiceann agus dhearc sé isteach sa tine agus thosaigh air ag cumadh an amhráin, "An Marcach Tréan," faoin ngasúr agus faoin mada.

Rinne Micheál go leor amhrán lena ló. Is deas an t-amhrán "Loch na Nidhe" a rinne sé faoi bhanríon na bruíne. Is fadó an lá a d'fhoghlaim mé de ghlanmheabhair "An Marcach Tréan."

1

Go deireanach aréir is ea a dhearc mé an marcach
   tréan
A' teacht 's níor ghéill sé don bháistigh;
Bhí a chulaith ghaisce gléasta air, a chlaimhe lena
   thaobh,
Is as sin síos dá réir gach ball de.

2

Ní magadh ar bith ná bréag gur gheit mé uile go
   léir,
Dá mba thig liom leath mo scéil a dh'insean,
Ach a dhuine bhoicht gan chéill, tabhair aire mhaith
   duit féin,
Mar ní agatsa atá léas ar Mhuínis.

3

Is 'réir mar fuair mé tuairisc nach mac do Ghrand
   Signor é
A cuireadh de dhroim seoil le fána,
'Gus é teacht a' déanamh spóirt go teach solais
   Iorrais Mhóir,
Is táim cinnte go raibh ór a sháith leis.

4

Dá maireadh Fionn na Féinne's election a chur ina
   shuí,
Nach iomaí fear a dhéanfadh gáire;
'S an capall a bhí faoi nuair a tháinig sé 'un mo thí,
Go ruaigfeadh sé an eilit mhaol as gleannta.

5

Nárb iúd é an capall sáimh is deise a bhí i gCrích
   Fáil
Go leagfadh sé an ghaoth Mhárta ar luathaichte;
Mar thug sé leis an barr ó chuile chúrsa rása,
Ó Shasana go dtí barr na Cruaiche.

6

Bhí diallait air as an Spáinn, is srian as an nGearmáin,
Agus soit crúití ó Rí na Fraince, cruachghlas,
Is go gcuirfinnse mo gheall a mhacasamhail nach
   raibh le fáil,
De mharcaigh ar bith ab fhearr ná an buachaill.

7

Is caithfidh muide cúirt a dhéanamh anois go dlúth
A mbeidh acra talúna fúithi gearrtha,
Agus soit de ghunnaí móra bheith reastáilte os a
   comhair,
Le bua a fháil ar chumhacht a namhaid.

8

Mo thruasa Clanna Gael is deise uilig faoin saol,
Nach iontach iad ar éadan an Champa;
Is mura bhféada muide an léad a dhéanamh amach
   sa mbaol,
Is mór m'fhaitíos nach bhfaighidh Éire aon tsásamh.

225

NA CLAIMHÍ

IDIR na ceanna slat agus an choirleach a fhásas na claimhí gí gur minic a théas siad thar teorainn ar an gcoirleach. Blianta áirid bíonn siad níos fairsinge ná a chéile. Dosáin mhóra láidre ghéagacha bhríomhara agus iad suas le chúig troithe seasta díreach ón gcloch, fadharcáin orthu chomh mór le liathróid choise agus iad folamh taobh istigh idir fhadharcán agus eile. Bíonn ceann acu suas le leathchéad meáchain, i gcás nach bhfuil mórán maitheasa ná sú iontu.

NA CLAIMHÍ

Baintear iad le haghaidh ceilpe. Tá sé deacair iad a thriomú mar gheall ar a dtoirt ach mar sin féin, nuair a scartar ar chladaí iad stálaíonn an ghaoth agus an ghrian iad le linn aimsire. Rud eile, níl mórán beann acu ar aimsir fhliuch agus dá bhrí sin tugann na ceilpeadóirí go leor acu i dtír ar dhrochaimsir.

Is minic sa ngeimhreadh nuair a bhíos oibriú sa bhfarraige go gcaitear go leor acu i dtír. An chuid acu nach mbíonn rómhór fágtar trí na cineálacha eile iad agus cuirtear amach mar sheanleasú ar na garranta iad. Go deimhin, níor mhór go mb'fhiú an tairbhe an trioblóid, mar nach ábhar maith le bláth ná eile a chur suas iad. Deirtear gur beag an dealg a dhéanas sileadh, sin é fearacht ag an gclaimhe é ba chiontsiocair le bád a bhá.

Bád iomartha as Leitir Mealláin a bhí ag teacht ó Charraig na Meacan agus lucht coirlí agus claimhí inti. Bhí an bheirt fhear ag iomramh agus bean ar an tile deiridh ag taoscadh. San ám úd bhíodh na mná chomh cliste i mbád leis na fir, ábalta ar fheamainn a bhaint agus gach aon tsórt eile. Ar aon chor, bhí fadharcán claimhe ar sliobarna leis an maológ agus é sa bhfarraige le taobh an bháid. Shíl an bhean é a tharraingt ach chinn uirthi agus tháinig duine de na fir de chabhair uirthi agus nuair a shíl siad a tharraingt beirt sciorr an méid feamainne a bhí os cionn boird do leataobh agus d'iompaigh an bád agus caitheadh an fhoireann chomh maith leis an bhfeamainn thar bord.

M'athair mór agus a dhearthráir Páidín a bhí ag teacht ó Árainn i bpúcán agus lucht fataí leo, pé ar bith breathnú a rinne an fear tosaigh den chrann amach faoi thosach an tseoil chonaic sé an bád á bá. Rinne siad ar an áit chomh luath agus ab fhéidir leo; ar éigean a bhí siad in am mar bhí an bhean ag gabháil síos, ach d'éirigh Dia le m'athair mór gur rug sé ar láimh uirthi. Thóg siad isteach an bheirt fhear a bhí dona go leor, ach bhí an bhean i ndeireadh na feide. Ní dhearna siad filleadh ná feacadh ach tosú á cuimilt gur sciob siad ó bhéal an bháis í. Chuir siad cuid den éadach tirim olla a bhí orthu féin lena craiceann, ach le scéal gairid a dhéanamh de bhí feabhas mór uirthi i gceann tamaill.

Chuir siad ceann téide ar an mbád a bhí idir dhá uisce, agus ó bhí lán culaith de ghaoth fhabhrach níor thóg sé mórán achair orthu í a tharraingt go Trá Fhada Mhuínse. Bhí na claimhí agus an choirleach ar iarraidh. Nuair a bhí an bád taosctha agus an t-ocras bainte den dream a tógadh de bharr na farraige d'fhág siad slán agus beannacht ag muintir an bhaile agus thug siad Leitir Mealláin soir dóibh féin.

Baintear go leor coirlí agus claimhí fós i gCarraig

na Meacan chomh maith agus a baineadh an t-am sin atá cheithre fichid bliain ó shin. Báitear daoine agus téann daoine i gcontúirt ó shin i leith ach níl fúmsa, anois go háirid, níos mó cur síos a dhéanamh ar na heachtraí sin agus dá dheasca sin, tá orm mo chuid seolta a stríocadh agus tamall a chaitheamh ag mach-namh ar gheáitsí na farraige agus ar na claimhí mallaithe úd a chuaigh gar go leor do thriúr a chur ar mhalairt beatha. Ó tá siad go léir ar shlí na fírínne anois, ar dheis Dé go raibh a n-anamacha.

NA SLATA MARA

AR an domhain mhór a fhásas na slata mara agus bíonn cuid acu suas le dhá throigh dhéag ar fhad, go háirid na cinn atá sna gleannta ar an bhfoscadh ó tharraingt agus suaitheadh na farraige. Ní mór tuiscint go bhfuil ísleáin agus ardáin, cnoic agus gleannta ar íochtar na farraige chomh maith agus atá ar uachtar na talún. Is cosúil le coillte iad na slata mara agus bíonn siad á mbogadh agus á luascadh anonn agus anall le corraí na farraige, go díreach mar a bhíos na crainnte le siollaí na gaoithe. Dá mbeadh lá breá ann agus thú a bheith amuigh ar an bhfarraige d'fheicfeá na héisc ag máinneáil thart agus á sníomh féin gan deifir gan deabhadh idir na slata agus níl aon dath sa mbogha ceatha nach mbeadh le feiceáil breactha agus measctha ar fud na bhfud. Radharc álainn iontach é a chuirfeadh éad ar aon dathadóir dá chlisteacht. Sa ngeimhreadh baineann an t-oibriú go leor de na slata mara, agus i gcás nach snámhann siad, ruaigtear i dtír isteach ar na tránna agus sna cladaí go leor acu. Nuair a bhíos adhairteanna móra acu i mbarr an chladaigh bíonn siad in aon mhangarae amháin fite fuaite agus casta go crua ar a chéile i riocht agus go bhfuil sé an-deacair ceann a bhaint astu. Ní féidir cur síos ar chumhacht agus ar oibriú na farraige.

Níl ábhar ceilpe ar bith chomh maith leo, agus dá bhrí sin, cuirtear go leor acu ar chlaíocha le hiad a thriomú sa ngeimhreadh, agus nuair atá siad stálaithe agus tirim tá siad chomh righin sileánach le píosa de théad; is minic a nítear an fíochán i bpotaí gliomach leo. Níl siad láidir a ndóthain le haghaidh easnacha. Deirtear gur fearr iad ná potaí a bheadh déanta de choll ná de shaileánach le haghaidh iascaigh. B'fhéidir go mbíonn an nádúr ag an ngliomach leo faoi theacht as a ríocht féin ar dtús.

Tá siad thar barr le haghaidh tornóg a fhadú ar maidin agus a coinneáil dearg ar feadh an lae má bhíonn an lá go dona. Lasann siad go breá de bharr a bhfuil de shú iontu. Is iad an cleite is fearr iad i sciathán an dóiteora ar aon chor.

Is minic a níos gasúir liathróidí de na fadharcáin, agus camáin de na slata le haghaidh báire camáin a imirt. Déantar cosa sceana díobh freisin; nuair a bhíos an tslat úr an t-iarann a shá inti agus nuair a bheas sí stálaithe beidh an-ghreim aici ar an scian. Is minic nuair a bhíos báid á sá síos nó suas go gcaitear ar an trá faoi chílí na mbád iad; nach bhfuil siad breá sleamhain crua acu le rith orthu? Déanann siad an obair níos éasca do na sáiteoirí freisin.

Is luachmhar an cineál iad le haghaidh ceilpe; roinneann na daoine le chéile iad ar nós aon tsórt eile. Triomaíonn siad go luath ar na claíocha de bharr na gaoithe a bhíos ag teacht trí na scailpreacha. Is minic a fhágtar na dosáin orthu agus cuirtear ar an taobh thoir den chlaí iad, taobh an fhoscaidh. Níl mórán beann acu ar bháisteach ansin agus déantar cocaí díobh nuair a bhíos siad stálaithe tirim faoi shalann sáile. Ní dhearna an file féin dearmad orthu san amhrán:

'S nach éard dúirt a' mac seo Maitias gur deas an
baile é Muínis.
A bhfuil neart de thogha na talúna agus an leasú
teacht i dtír ann,
Nach mór i gceist Coill na Garman, nó coillte
Bhaile na hInse,
Is gur mór is fiú a bhfuil de shlata mara teacht
isteach faoi thóin mo thíse.

Níl aon dabht nach raibh go leor den cheart aige
sa méid sin, mar le linn aimsire is mór an lán airgid
is fiú an méid ceilpe a bhaintear astu. Deirtear gur
féidir suas le céad ceilpe a bhaint as dhá thonna
díobh úr tar éis na mara. Ansin nuair a bhíos na mílte
tonna ag teacht gach bliain is iomaí tonna ceilpe atá
le déanamh astu. Níl a fhios agamsa beo cé mhéad
atá ar an gceilp anois agus dá bhrí sin tá mé ag éirí
as faoi láthair agus ag clúdú an fharasbairr go dtí
am eicínt eile. Deirtear gur fearr roinnt de gach scéal
a fhágáil gan inseacht.

AN FHEAMAINN GHEIMHRIDH

FEAMAINN gheimhridh a thugtar uirthi seo mar go
dtagann go leor di i dtír an t-am sin den bhliain agus
cuireann na daoine amach mar sheanleasú ar a gcuid
talún í. Is mór an chabhair í agus, dá bhrí sin, bíonn
gliondar mór ar lucht cladaigh nuair a fheiceas siad na
hadhairteanna móra dearga ag glioscarnach i dtrá agus
i gcladach. Is maith an t-ábhar leasaithe í agus bíonn
cineálacha go leor eile measctha tríthi, arae ní dhéanann
bainteoirí na toinne ach gach rud a bhíos ina mbealach
a sceanadh. Is minic a bhíos na slata mara i bhfostú
de na dosáin ag teacht isteach agus b'fhéidir clocha
móra i ngreamú de na fadharcáin, i gcruthúnas gur

mór an chumhacht oibriú na farraige. Is minic a bhíos ar na daoine na slata mara a bhriseadh de na dosáin mar nach ndéantar aon leasú de na slata ach cuirtear suas iad le haghaidh ceilpe. Nuair a bhíos corraí sa bhfarraige bíonn ar na daoine a ghabháil i mbéal toinne mar dá bhfaigheadh sí cead triomú le taoille trá chuirfeadh na súiteáin síos sa ngaineamh bog í agus bheadh sí ó mhaith.

Is minic i lár an gheimhridh, maidineacha seaca, a d'fheicfeá fir agus mná amuigh go muineál sa bhfarraige ar na tránna, tuilleadh ag freastal ag tabhairt na gcliabh folamh amach agus na gcliabh lán isteach ar an trá thirim. Is minic freisin a bhriseadh an fharraige isteach in aon phraiseach amháin orthu á mbaint dá gcosa agus á gcaitheamh isteach ar an trá mar a bheadh slata mara ann. Ní bhíodh blas suim acu sa méid sin; nach raibh seanchleachtadh acu ar ghoití aisteacha na mara! Bhíodh siad amuigh aríst sa maidhm ar an nóiméad. Is minic, an chuid acu atá sách eolasach ar chleasa na farraige, gur féidir leo fanacht ar a gcosa agus an mhaidhm a scaoileadh thar a mullach, le cromadh a ngualann a thabhairt go teann in aghaidh na feachta. Is féidir sin a dhéanamh. Deirim leat go mbíonn an t-uisce fuar go leor ar shiúl amach duit an chéad bhabhta. Mar sin féin, faoi cheann tamaill beidh tú breá te de bharr na hoibre ag líonadh nó ag tarraingt na gcliabh isteach, agus ag briseadh slata mara de na dosáin má bhíonn siad orthu agus is minic a bhíos.

Is maith an t-ábhar ceilpe í agus má bhíonn an aimsir go maith triomaítear roinnt di ar na claíocha agus déantar cocaí di go dtaga aimsir dhóite sa samhradh dár gcionn. Deirtear nach gcailleann sí tada le haois ach an oiread ach bíonn sí chomh leacaithe agus chomh fáiscthe ar a chéile sna seanchocaí tar éis na bliana agus gur beag nach mbeadh pionsúr ag teastáil le hí a bhaint ó chéile lá an dóite. Is crua an obair coca a spíonadh agus a tharraingt ó chéile, ach déantar é beagán ar bheagán le ham.

Tugtar ceanna slat ar an gcineál seo, agus ar thránna móra san earrach gearrtar go leor acu le haghaidh leasú, go mór mór aon bhliain nach mbeidh an seanleasú déanta, mar nach dtriomaíonn siad ach ar thrá an-mhór. Bíonn ar na daoine go minic iad a ghearradh le corráin chama agus a dtabhairt isteach le crúcaí iarrainn ina gcuid bád, obair crua go maith freisin, ach ní bhíonn mórán le fáil bog ag an té a bhíos ag plé le farraige; ní raibh riamh agus is dócha nach mbeidh go deo.

AN FHEAMAINN MHÍN

NUAIR a thiteas an scothach fásann an cineál seo ar bharr na slaite. Ní mór nach cosúil leis an scothach í ach níl sí chomh trom ná chomh téagarthach. Le linn an lae is faide a bhíos sí aibithe agus le corraí agus tarraingt na farraige titeann sí agus ruaigtear i dtír i dtrá agus i gcladach í. Cuireann na ceilpeadóirí an méid a thagas i dtír suas le cléibh ar an ionlach le hí a thriomú agus tógann siad go leor di le crúcaí móra ar na poill. Tugann siad i dtír i mbáid í agus, nuair a bhíos sí tirim sábháilte faoi shalann sáile, déanann siad cocaí móra di nó go dtí aimsir dhóite. Cuirtear ar an tornóg ansin í trí chineálacha eile. Seargann sí go mór le gaoth agus le grian agus níl an oiread iaidín le fáil aisti le scothach ná le coirleach agus ní féidir an oiread ceilpe a fháil aisti ach an oiread.

Ó tharla go mbíonn an cur déanta nuair a thagas sí i dtír ní bhaintear aon úsáid aisti le haghaidh leasú. Mar sin féin, is minic a chuirtear ar thornapaí agus ar thorthaí eile mar sin í agus más ea féin níl aon cheo loicht uirthi. Is minic a théas na daoine i mbéal toinne le hí a chrapadh, duine amuigh go hascaillí sa bhfarraige ag líonadh cléibh léi, duine eile á tabhairt isteach ar an trá thirim agus á doirteadh ag fágáil cliabh folamh ag an bhfear amuigh i gcónaí. Ní foláir sin a dhéanamh, má bhíonn aon oibriú ann go háirid, mar cuireann na súiteáin an fheamainn mhín sa ngaineamh le linn triomaithe di ar an trá. Níl mórán maitheasa i bhfeamainn ghainimh le haghaidh ceilpe ná aon tsórt. Thairis sin bíonn sí trom le cur suas ar an talamh.

AN RÍSEACH

IS cosúil le ruóga buí í seo. Fásann go leor di ar chladaí Chonamara. Sa samhradh agus sa bhfómhar baintear go leor di le haghaidh ceilpe. Tá sí lomlán le sú, ruaim agus ramallae. Ní lobhann sí chomh luath ar dhrochaimsir fhliuch le coirleach agus, dá bhrí sin, nuair nach mbíonn an aimsir ar fónamh, tugtar roinnt mhaith i dtír di le báid, isteach ó na hoileáin. Ní féidir í a bhaint le croisíní mar tá sí róshleamhain; sciorrfadh sí de scian an chroisín. Má bhíonn trá mhór ann gearrtar le sceana agus le corráin í, nó is féidir an bád a scaoileadh tríthi agus a tarraingt le lámha thar bord ó tharla go bhfuil sí insnáfa. Nuair a bhíos an ghaoth os cionn na talún is minic a bhaintear í ar díthrá agus seolann sí suas go barr an tsnáithe mara le sruth agus gaoth. Trá ghaoithe a thugtar uirthi sin.

AN RÍSEACH

233

Níl aon bhlas loicht uirthi le haghaidh leasú ach aimliú a thabhairt di ar feadh seachtaine. Cineál antrom í, tá sí faoi dhó níos troime ná coirleach. Mar sin féin, snámhann sí go héadrom ar bharr an uisce agus ní shnámhann an choirleach ná an scothach. Timpeall le sé troithe ar fhad a bhíos sí in áiteacha áirid i bhfad bliana. Baintear í in éadan na bliana, mar bhainfeadh an t-oibriú í dá mbeadh sí rófhada. Ní foláir í a dhó trí chineálacha eile mar bíonn sí támáilte tais agus lán le sú. Cuireann sí go leor meáchain sa gceilp ach ní mholtar í mar ábhar maith ceilpe, ar nós slata mara nó coirleach. Is maith an áit bhallach i measc na rísí; bíonn péiste beaga san áit a bhfásann sí a mbíonn an-tóir acu uirthi. Is minic riamh a chuir mé eangach in áit den tsórt sin agus más ea féin ní bhíodh aon údar casaoide agam.

Aimsir fhliuch a bhí ann i dtús an fhómhair agus dá bhrí sin is ag baint rísí a bhí muid an lá seo ar Leic na Cora. Bhí muid ag baint slám anseo agus ansiúd agus ag imeacht ó charraig go carraig mar is gnách. Líon muid isteach go slat bhoird í leis an ríseach. B'éigean dúinn claimhí a bhaint le haghaidh na maolóige mar ní féidir í a dhéanamh de ríseach tá sí chomh sleamhain sin. Ar aon chor luchtaigh muid síos go súil, ach le scéal gearr a dhéanamh de nuair a bhí muid leath bealaigh isteach neartaigh an ghaoth agus ós rud é go raibh muid luchtaithe domhain, thosaigh corrsteall ag teacht isteach. Chas muid ceann an bháid suas sa ngaoth agus, ar chasadh, sciorr an ríseach do leataobh i riocht agus gur chuir sí a taobh faoi fharraige agus gur líon sí. D'imigh an fheamainn le bord agus bhí mé féin agus mo dhearthláir ar bharr na farraige. Phioc bád eile suas muid a bhí ag teacht ón bhfarraige agus chuir muid ceann téide ar an mbád a bhí idir dhá uisce agus tharraing muid i dtír í.

Is maith is cuimhneach liom lá breá sa bhfómhar a raibh mé féin agus fear eile ag dó feamainne. Tar éis

am dinnéir bhí timpeall le tonna rísí in aice na tor-
nóige. Tháinig gasúr thart agus dúirt sé go raibh fear
na ceilpe ar an mbaile, agus pé ar bith breathnú a
rinne mé féin siar cheap mé go bhfaca mé é.

"Féach thiar é," a deirimse.

"Dar brí an leabhair ach sin é é," a deir Pádraig
agus cuma scanraithe go maith air. "T'anam ón
diabhal," a deir sé, "déan deifir go beo agus cuir an
slám rísí sin as an mbealach."

"Cuirfidh mé coirleach os a cionn," a deirimse.

"Céard tá tú a rá?" a deir sé. "Cá bhfios duit nach
mbainfeadh sé siúd iompú aisti; bheadh an scéal ina
phraiseach ansin."

"Céard faoi í a chaitheamh ar thaobh an fhoscaidh
den tornóg sa deatach?" a deirimse.

"Ó a dhiabhail, ná déan é sin ar aon nós," a deir
seisean.

"Tuige?" a deirimse.

"Ná bac le tuige, ach fearacht an fhir eile a éirí
duit," a deir sé. "Caith soir le fána na haille sa gcladach
í. Ní am le haghaidh cainte é."

Bhí brat trom feamainne ar an tornóg agus ó bhí
thug sé am dúinn beirt leis na gnóthaí a dhéanamh. An
chéad ghabháil a chaith mé le fána na haille is beag
bídeach nach ndearna mé damáiste d'fhear a bhí
thíos ag bun na haille; is beag nach dtáinig sí sa mullach
air. B'fhearr rith maith ná drochsheasamh dó. Nuair a
d'éirigh sé amach agus cuma mhaith mhallaithe air,
labhair sé go feargach ach níor fhan muide le mórán
dá chuid glamhaíle a chloisteáil. Ach leis an scéal a
ghiorrachan, nuair a bhí an cósta glan, "hóra a
Phádraig," a deirimse, "céard a d'éirigh don fhear eile
údan?"

"Ó is ea," a deir sé, "bhí fear na ceilpe ag gabháil
thart agus cheap sé go mba mhaith an áit i bhfolach i
ndeatach na tornóige. Nár ba é amháin don ghaoth
nár athraigh agus fear na ceilpe ina sheasamh ann, an

ríseach os comhair a dhá shúl nuair a nocht an deatach
í agus leis an scéal a dhéanamh níos measa, máilín
cloch."

"Nár bhocht an scéal é," a deirimse, "nó an bhfuair
sé aon ghiorrú i luach na ceilpe?"

"Giorrú, a deir Pádraig, "ní bhfuair sé pingin rua
uirthi, ach í a dhathú le huisce aoil i riocht agus
nárbh fhéidir leis í a dhíol in aon áit eile."

"Nárbh olc an dlí é?" a deirimse.

"Níl aon dabht," a deir sé, "nach raibh saol dona
ann san am sin," agus é ag deargadh a phíopa le
píosa de shlat mhara.

"Féach aniar é," a deirimse. Cé a bheadh ann ach
an fear ceannann céanna a raibh muid ag déanamh
fhear na ceilpe de.

"I nDomhnach féin," a deir Pádraig, "is é fear
thaisteal na ród é," agus mura ndearna Pádraig
eascaine air. B'éigean domsa mo chliabh a thabhairt
liom agus an ríseach a thabhairt ar ais, agus nuair a
bhí sí dóite againn trí choirleach bhí sé in am an
tornóg a ligean síos agus a ghlanadh agus barainn a
chur ar an méid a bhí leáite mar go raibh deireadh na
rísí dóite.

AN TURSCAR TRÁ

TÁ cuid de gach cineál dá bhfuil ag fás ar an domhain
mhór sa turscar trá, millte gearrtha agus measctha go
hildathach trína chéile de bharr oibriú na farraige.
San earrach, aimsir churtha na bhfataí bíonn go leor
de le fáil ar na tránna. Bíonn cuid de chomh mion le
tobac a chuirfí i bpíopa. Ní locht é sin air, mar ní
bheadh aon chall a bheith á stróiceadh ná á tharraingt
ó chéile le linn a scartha ar an iomaire i mbéal an
bharrchonla nó na feamainne buí. Ní mór roinnt
aimliú a thabhairt dó sula leagtar an sceallán air.

B'fhéidir go loicfeadh sé an síol dá mbeadh sé ró-úr tar éis na toinne. Ní maith an rud feamainn a fhódú fliuch ná úr; téann an ghrian agus an ghaoth go maith di. Tá a fhios ag an dream a bhíos ag plé leo sin, ó chleachtadh fada, agus dá bhrí sin féachann siad le chuile shórt a dhéanamh chomh ceart agus is féidir é.

AN FHEAMAINN BHUÍ

IS í an fheamainn bhuí an sméar mhullaigh le haghaidh leasú. Níl aon tor dá bhfásann trí thalamh nach bhfuil sí ábalta ar bhorradh a chur faoi. Is deacair í féin agus an barrchonla a bhualadh nuair a bhíos siad measctha trína chéile. Deirtear gur mar sin is fearr iad.

Fásann an fheamainn bhuí in aice leath-thrá, trí chineálacha eile nó ar a n-aghaidh féin. Tá sí lomlán le sú agus ní sheargann sí rómhór le gaoth agus grian. Fágann sin nach bhfuil mórán uisce inti. Le linn taoille trá, maidin bhreá earraigh, is álainn an radharc í ag lonrú faoi sholas na gréine. Chuirfeadh sí ór leáite i gcuimhne duit, na dosáin ladhracha shleamhna ag bogadh anonn agus anall de réir mar a bhíos an taoille ag éalú amach uaithi.

AN FHEAMAINN BHUÍ

Baintear go leor di san earrach agus luchtaítear isteach i mbáid í agus ní mórán a bhíos in aisce ag beirt fhear le dhá scian mhaithe ghéara agus bád trí thonna a chur go súile an tráth sin. M'anam gur crua an obair í freisin agus gur minic riamh a bhí tinneas droma orm ó bheith crom ag feannadh na gcloch. Ní fhanann an taoille tuile le haon duine agus dá bhrí sin ní foláir deifir a dhéanamh agus an bád a bheith luchtaithe in am. Is iondúil go mbíonn an fhoireann ag gearradh ar a mine ghéire go díthrá agus is maith an píosa cladaigh a bhíos nochtaithe acu san am sin, an fheamainn ina carnáin anseo agus ansiúd timpeall an bháid. Cuireann siad isteach le pící an chuid atá in aice láthair agus an chuid eile le cléibh. Nuair a bhíos an bád ar snámh agus luchtaithe seolann siad abhaile agus cuirtear amach an lucht nuair a bhíos sé ina lán mara.

Is minic nuair a bhíos an ghaoth fabhrach, nach mbactar le bád, ach í a bhaint agus a fágáil ina spreas scaipthe ar fud an chladaigh faoi chúram na taoille tuile agus an chóir ghaoithe, agus más ea féin ní dhéanann an dá chumhacht sin aon fhaillí ina ngnótha go bhfágann siad i mbarr an tsnáithe mara go barainneach í gan aon dosán amháin ar iarraidh. Is minic,

CLIMÍN

238

freisin, a dhéantar climín di, is é sin maidí rámha a shíneadh ar an gcladach, carnán cruinn a dhéanamh den fheamainn orthu agus téadracha a chasadh timpeall uirthi agus ar shnámh di í a shá le cleith go ceann cúrsa; go hiondúil ní bhíonn an turas fada. Fágtar i mbarr an tsnáithe mara ansin í nó go bhfaighe an t-úinéir deis le hí a tharraingt ar an ngarraí. Má fhágtar os cionn a chéile í ar feadh seachtaine téann sí, lobhann sí agus déanann sí cruimhe. Dá bhrí sin, ní mór í a chur i bhfearas go luath tar éis a bainte. Deirtear go bhfuil sí i riocht meáchan a chur i gceilp i gcás nach moltar í le haghaidh an ghloine mheasa, ach ní go minic a théas ceannaitheoirí ceilpe de réir na gloine.

AN BARRCHONLA

NÍL mórán difríochta idir an barrchonla agus an fheamainn bhuí le haghaidh leasú. Ní féidir ceachtar acu a bhualadh le haghaidh fataí ná torthaí, ná le haghaidh móinéir dá dtéadh sé chuige sin. I bhfás bliana is fearr an barrchonla nuair a shroicheas na craobhacha donnduilleogacha timpeall le troigh ar fhad. Mar sin féin is minic a scaoiltear i bhfás dhá bhliain í mar go mbíonn sí níos faide agus níos téagarthaí agus dá bhrí sin is féidir le lucht a bainte an bád a luchtú níos éasca. Fásann sí idir díthrá agus lán mara ar an gcineáltas i gcomharsanacht leis an bhfeamainn bhuí; is minic a bhaintear an dá chineál acu trína chéile. Deirtear gur mar sin is fearr go mór le haghaidh talamh gainimh. An chuid di a fhásas le ciumhais na trá bíonn sí ó mhaith lena mbíonn de bhairnigh bheaga ag fás uirthi. Snámhann sí ar barr uisce ar nós na feamainne buí mar tá go leor boilgíní ar na dosáin. Baintear i mbáid san earrach í le haghaidh leasú fataí agus eile. Déantar "trá ghaoithe" uirthi chomh maith. Gearrtar de na clocha í ar díthrá agus fágtar scaipthe sa gcladach í faoi chúram srutha agus gaoithe le hí a fhágáil i mbarr an tsnáithe mara le linn ardú na taoille.

Ní mórán tairbhe atá inti le haghaidh ceilpe agus, dá bhrí sin, ní mórán a fhaigheas ceilpeadóirí uaithi. Tá an fheamainn bhuí i bhfad níos fearr ná í le cur ar thornóg. Feamainn bhog shúmhar, thorthúil é an barrchonla ar féidir barr maith beatha a bhaint de má bhíonn an bhliain córiúil, nó mar a deir na seandaoine, "Márta tirim gaofar, Aibreán bog braonmhar, Bealtaine cheathannach shoilseach, agus fómhar taitneamhach grianmhar." Sin iad na comharthaí atá acu agus is iondúil go mbíonn siad ceart. Ar an taobh thoir de Mhuínis tá cúpla míle de thrá chothrom réidh ag síneadh ó thuaidh agus ó dheas agus triomaíonn sí leathmhíle soir an cuan ar dhíthrá rabharta mhóir. Is minic sa ngeimhreadh a d'fheicfeá fir ag coiléaracht cloch as na hailltreacha atá le craiceann na talún agus nuair a thagas an trá ní dhéanann siad aon fhaillí gan na clocha sin a tharraingt amach ar a ndromanna nó le barra ar an trá lom chrua. Amanta eile nuair a bhíos an lá faoi dóibh agus an taoille oiriúnach luchtaíonn siad isteach ina gcuid bád iad agus nuair a shroicheas siad amach go dtí an áit cheart caitheann siad i bhfarraige iad. Ansin aríst ar díthrá d'fheicfeá iad ag socrú na gcloch i ndiaidh a chéile mar a bheadh siad ag déanamh bóthair. Is ea, tá siad ag socrú na gcloch i riocht agus go bhfásfaidh feamainn orthu le ham. Dá dtagtá thart faoi cheann cúpla seachtain d'fheicfeá duilleoga beaga bídeacha donna ag teacht ar chraiceann an eibhir. Sin é an barrchonla ag tosú ag fás. Ní gnás le feamainn bhuí fás ar chlocha reatha; ní foláir léi an chloch a bheith níos daingne agus níos dílse. Faoi cheann bliana bíonn cóta trom barrchonla ar an tsraith cloch. Bíonn timpeall le céad meáchain ar gach aon dá shlat chearnógacha. Bíonn toradh a shaothair le feiceáil ag fear plandála na gcloch. Is féidir leis lucht a bháid d'fheamainn a ghearradh san áit nach raibh ach trá lom bliain ó shin.

Sa tseanaimsir bhíodh an tiarna talún agus a lucht leanúna ag tafann ar dhaoine bochta ag iarraidh an cíos a ardú faoi obair den tsórt sin, go díreach mar a dhéanadh siad dá gcuirtí aon fheabhas ar an teach nó ar an talamh. Gí go mbíodh an tiarna formhór a shaoil ag éirí in airde i Londain agus in áiteacha galánta eile, ní raibh air a ghabháil go dtí aon chailleach feasa le fios a fháil céard a bhí a chuid tionóntaí a dhéanamh ar oileáin iargúlta uaigneacha i gConamara.

AN FHEAMAINN GHRUÁNACH

NÍL aon mhaith sa bhfeamainn ghruánach le haghaidh leasú ná ceilp. Mar sin féin, is minic a ghearrtar í nuair a bhíos sí ag fás i measc cineálacha eile; is furasta sin féin a dhéanamh ná bheith á dealú. Feamainn chrua gan mórán sú agus na dosáin dhonna breactha le bán de bharr a bhfuil de ghruáin i ngreamú díobh. Is iondúil gur in aice na trá a bhíos sí ag fás, ar cholbha na gcloch. Is cosúil le barrchonla í murach go bhfuil na bolgáin níos lú agus, rud eile, ní shnámhann sí mar bíonn na bolgáin tollta ag na gruáin. Níl sí ceart le haghaidh ceilpe mar gheall ar na gruáin agus dá n-éiríodh leo a bheith sa sampla bheadh an scéal go dona ag an gceilpeadóir. Níl sí go maith le haghaidh leasú mar ní leánn sí go maith agus dá bhrí sin ní bheadh aon éifeacht sna barraí aimsir a mbainte sa bhfómhar agus ní bheadh luach a shaothair ag an bhfeilméir bocht.

AN CHOS CHRUA

SAN áit a mbíonn ruathar agus síorbhualadh na mbristí in aghaidh na n-ailltreacha dána fiáine a fhásas an cineál seo feamainne, agus dá bhrí sin ná tógtar uirthi má tá sí gan mórán slaicht. Go deimhin ní bhíonn ann ach an chois gharbh dhubh gan craobh gan eile, ina seasamh chomh díreach le slat saileoige ar chraiceann crua an eibhir. Ní nach ionadh, ní fhásann sí ach timpeall chúig nó a sé d'orlaí, arae nuair a phléascas tonntracha tréana borba an gheimhridh isteach in aghaidh an chladaigh ní fhágann siad steamar di ar a cosa nach mbaineann siad, gan trua gan taise.

Is cosúil le chéile í féin agus na cosa dubha ach amháin go mbíonn craobhacha beaga ar na cosa dubha agus an áit a bhfásann siad ní bhíonn sé chomh hoibrithe.

Ní hé sin a fhágas nach mbíonn sé sách dona mar bíonn tonntracha fiáine na mara móire ag síorstealladh isteach san áit a mbíonn siad, ach na geadáin a bhfásann na cosa crua d'imir sé báire lena bhfaca tú riamh. Ní féidir leis an duileasc féin fás orthu de bharr chomh fiáin díbeartha agus a bhíos círíní na mullán.

Tá siad an-ghann. I gcás go ndeirtear gur togha ábhar ceilpe iad, is é sin le meáchan a chur inti, mar sin féin ní fhaightear aon trioblóid uathu — níorbh fhiú é, agus an scéal céanna le haghaidh leasú. An dream seo a bhíos ag méiseáil le feamainn is maith leo roinnt a bheith le feiceáil i ndiaidh a lámh. Maidir le bheith meata le cineál seafóideach neamhthairbheach nach mbeadh trí cléibh di bainte ag duine acu sa ló — arae sin scéal eile — ba chúis gháire an fear a d'fheicfí ar chírín carraige agus a scian aige á ngearradh; níorbh fholáir dó scian ghéar mar tá siad chomh crua le dair.

AN CHOS DHUBH

AR chladaí garbha oibrithe a fhásas an cineál seo. Ní bhíonn an áit chomh dona amach is amach leis an áit a bhfásann na cosa crua. Tá cosúlacht mhór acu lena chéile freisin, ach go mbíonn duilleoga ar na cosa dubha agus tá siad níos boige le láimhsiú. Togha ábhar ceilpe iad murach nach bhfuil siad sách maith le haghaidh an tsampla, mar cuireann siad meáchan maith sa gceilp. Níl mórán maitheasa iontu le haghaidh leasú; ar aon chor, níl siad fairsing le fáil. Fásann siad maith go leor blianta agus blianta eile nach bhfásann. Ach bíonn an scéal céanna ag gach cineál agus ós rud é go bhfuil gaoth agus goradh na gréine ag teastáil ón bhfeamainn a fhásas os cionn díthrá tá sé le tuiscint againn go mbeadh borradh agus tairbhe inti de réir chóiriúlacht na bliana.

AN MHÍORÁNACH

TÁ an mhíoránach maith go leor le haghaidh leasú i bhfás bliana, ach ní fhanann maith ar bith inti má bhíonn sí níos sine — gabháil in aois, ag gabháil i ndonacht. Fásann na dosáin dhonna mhantacha in aice le díthrá, ar an gcineáltas. Seargann sí go mór le triomú agus níl sé éasca aici lobhadh le drochaimsir.

AN MHÍORÁNACH

243

Sa ngeimhreadh ruaigtear go leor di i dtír le droch-aimsir. Fágtar trí na cineálacha eile í agus cuirtear amach ar an talamh mar leasú í. Má bhíonn aon fhad ná aon toirt mhór ag na dosáin níl aon phioc maitheasa sa leasú féin. Níl bolgáin ar bith uirthi, agus dá bhrí sin ní shnámhann sí, ach ag imeacht idir dhá uisce ar nós na gclaimhí agus na scothaí. Cineál crua neamh-shúmhar í ar nós na gcrúba préacháin. Cuir i gcás, má scarann tú ar an iomaire san earrach í faoi na scealláin feicfidh tú féin gur giortach na barranna a chuirfeas sí suas agus lá bainte na bhfataí sa bhfómhar beidh sí ina cumraíocht féin mar a scar tú í san earrach roimhe sin, go mór mór má bhí fás dhá bhliain uirthi.

Níl mórán maitheasa inti le haghaidh ceilpe, ach mar sin féin baintear í ar aimsir gharbh fhliuch mar go bhfuil seasamh mór aici le báisteach. Is fearr leis na ceilpeadóirí a bheith ag plé léi ná a bheith ag baint aon chineál atá éasca ar lobhadh. Thairis sin féin, cuireann sí roinnt meáchain sa gceilp, ach nach mbíonn aon mhaith mhór inti le haghaidh sampla.

Sa tseanaimsir, nuair a bhíodh báid ag rith feamainne go Contae an Chláir, chuirtí cuid den mhíoránach fás bliana tríd an mbarrchonla agus tríd an bhfeamainn bhuí agus má chuirtí féin ní bhíodh aon bhlas amháin loicht ag na ceannaitheoirí uirthi. Deirtear go bhfuil sí ceart go leor le haghaidh tailte áirid, is é sin le hí a bheith measctha trí chineálacha eile. Ní hé an cineál céanna feamainne atá feiliúnach do thalamh dúrabháin agus do thalamh gainimh, ná do thalamh sléibhe agus do thalamh cloiche bige. Tá coirleach níos fearr le haghaidh talamh cloiche bige ná le haghaidh talamh dúrabháin, agus tá míoránach níos fearr le haghaidh talamh dúrabháin ná le haghaidh talamh gainimh. Mar nach dteastaíonn an oiread leasaithe ón talamh dúrabháin is í an drochfheamainn a bhíos feiliúnach cóiriúil dó.

AN FHEAMAINN BHOILGÍNEACH

BÍONN na craobhacha beaga donnbhuí seo gann go maith, corrshlám anseo agus ansiúd idir an fheamainn bhuí agus an chasfheamainn. Níl sé deacair í a aithneachtáil mar tá go leor bolgáin bheaga uirthi agus cineál glóthaí mar a bheadh mil iontu istigh. Dá bhrí sin, níl sé éasca í a thriomú. Ceilp dhona a dhéanfadh sí ar aon chor, ach níl aon bhlas loicht uirthi le haghaidh leasú. Is é a locht a ghainneacht agus atá sí sa gcladach — "chomh gann le feamainn bhoilgíneach."

Deirtear go bhfuil sí go maith le haghaidh pianta cnámh. Níl baol ar bith nach maolaíonn tréata di an phian ach í a chur, chomh te agus is féidir fulaingt léi, idir dhá éadach leis an ngeadán a mbíonn bior na daighe. Bíonn muinín mhór ag na seandaoine aisti, nó an chuid sin acu a mbíonn sé de mhí-ádh an tsaoil orthu a bheith á gciapadh le scoilteacha.

AN CHASFHEAMAINN

FÁSANN an chasfheamainn go díreach níos íochtaraí ná an caisíneach. Níl ann ach go gclúdaíonn lán mara mallmhuireach í. Bíonn na dosáin catach donn agus timpeall le sé nó a seacht d'orlaí ar fhad. Is féidir ceilp a bhaint aisti ach nach mbíonn mórán maitheasa léi, i gcás go gcuirtear amach mar leasú í in aimsir ghann. Níl sí go maith le haon bhorradh a chur faoin bhfás, tá sí róchrua gan mórán sú.

Deir na seandaoine go mbruití í sa tseanaimsir le tabhairt do mhuca, "agus más ea féin," a deir siad, "is acu a bhíodh an dúil inti nuair a bhíodh fataí bruite agus meascadh tríthi." Is minic a bhaineas lucht déanta ceilpe í le haghaidh caipíní cocaí; is díon maith í le barr an choca a shábháil ar an bhfearthainn. Níl baol go bhfaigheann sí aon lascaine as ucht an coca a choinneáil tirim mar dóitear chuile bhlas di ar an tornóg mura gcinne sé air. Cuireann sé an t-olc

AN CHASFHEAMAINN

agus an mhaith trína chéile. Go deimhin, níl an chasfheamainn chomh fairsing le fáil sa gcladach agus go ndéanfadh sí aon dochar mór do cheilp ar aon chor. Is beag ar na cineálacha eile í.

NA CRÚBA PRÉACHÁIN

IS cineál crua neamhshúmhar iad na crúba préacháin. Níl aon mhaith iontu le haghaidh leasú ná ceilp. Dá bhrí sin, ní mórán trioblóide a fhaightear uathu le cladaí. Is féidir go leor acu a fheiceáil ag fás i locháin in aice le lán trá, dosáin mhóra dhonna ladhracha ar dhéanamh crúba éin, na craobhacha in aon mhangarae amháin in aimhréidh ina chéile. Bíonn siad an-fhairsing, i locháin a mbíonn gaineamh ar a n-uachtar, ar fhoscadh na n-oileán. Baineann an t-oibriú go leor acu sa ngeimhreadh agus ruaigtear i dtír iad ar dhrochaimsir. Bíonn ar lucht cur amach an leasaithe iad a phiocadh as an gcuid eile den fheamainn, obair nach dtaitníonn leo chuigint. Amanta cuireann na ceilpeadóirí mar dheasú ar a gcuid cocaí coirlí agus scothaí iad.

Úsáidtear iad freisin le haghaidh leapacha beithíoch sa ngeimhreadh mar nach bhfuil fraoch ná cíb ag muintir na n-oileán – i gcruthúnas nach bhfuil mórán rud ar bith nach bhfuil áirge eicínt le baint as. Is

NA CRÚBA PRÉACHÁIN

iomaí bláth agus planda ar íochtar na farraige nach bhfuil mórán eolais ag na daoine orthu go fóill, ach b'fhéidir le linn aimsire go mbeadh a mhalairt de scéal le n-aithris. Deirtear gur de réir a chéile a fhaightear gach eolas. B'fhéidir gur mar sin le feamainn agus plandaí atá faoi bharra na dtonn é.

AN CAISÍNEACH

SEO é an cineál feamainne is uachtaraí sa gcladach, agus dá bhrí sin ní mórán borradh a bhíos faoi. Is cosúil go bhfuil goradh na gréine uaidh ar feadh tamaill mhaith, mar ar mallmhuir is minic a bhíos sé ar feadh seachtaine gan aon deoir sháile a theacht ina ghaobhar agus gan aon bhlas mairge air ach oiread; na duilleoga beaga timpeall trí nó a ceathair d'orlaí ar fhad bíonn siad seargtha go maith de bharr an triomaithe ach tagann spreacadh agus cruth iontu ar bhlas an tsáile a fháil aríst ar ais. Tá sé chomh gann agus nach mórán gur fiú an tairbhe an trioblóid é a bhaint. Is maith an t-ábhar ceilpe é, is é sin le meáchan a chur inti mar tá sé lomlán le sú, ach deirtear nach mbíonn

aon mhaith mhór sa sampla. Is minic a d'fheicfeá ba
agus gamhna agus asail thíos sa gcladach á alpadh de
na clocha. Is dócha go dtaitníonn na craobhacha beaga
donna leo mar bíonn siad ag lí a mbéal i ndiaidh béile
caisínigh. Iompaíonn sé uaine le fearthainn agus tagann
go leor ramallae air. Sa tseanaimsir bhí an-tóir air le
haghaidh beathú muc; nuair a bhíodh sé bruite agus
brúite trí fhataí bhíodh an-dúil acu ann. Níl aimhreas
ar bith nach raibh sé breá folláin i dteannta an bolg a
líonadh.

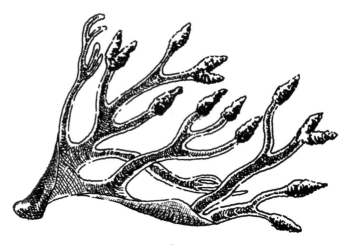

AN CAISÍNEACH

Sa samhradh, bíonn sé mar chaitheamh aimsire ag
gasúir a bheith á bhaint agus á thriomú agus á dhó i
dtornóga beaga ag aithris ar na ceilpeadóirí, agus ag
foghlaim a gceirde. Is minic a tharraingíos sé achrann
freisin. San áit a mbíonn bulc acu in éineacht bíonn
siad á ghoid óna chéile nuair a fhaigheas siad an deis.
An té a bhíos lag bíonn thiar air go mion minic. Ní
mhaireann an scléip sin i bhfad mar bíonn siad mór
le chéile aríst lá arna mhárach. Deirtear nach buan
cogadh na gcarad.

AN DRIOBALL CAIT

FÁSANN an drioball (eireaball) cait ar an domhain agus go deimhin is maith a fheileas an t-ainm é, tá cosúlacht chomh mór sin aige le drioball an chait, slat chrua chaol agus fionnadh mín liathdhubh ag fás go dlúth le chéile uirthi. Bíonn cuid acu mór go maith freisin. Ruaigtear roinnt acu isteach i dtír tríd an bhfeamainn sa ngeimhreadh. Bíonn ar na feamainn-eadóirí iad a dhealú as na cineálacha eile agus a bhfágáil ag an deachú. Níl pioc maitheasa iontu le haghaidh leasú ná aon sórt eile.

Tá cineál a thagas isteach ón muir a dtugtar gruaig na caillí mara uirthi. Dosáin mhóra leathana í sin ach is cosúil beagnach leis na drible í murach nach aon déanamh amháin atá orthu. Fásann siad araon ar an domhain san áit a mbíonn roinnt foscadh idir na háirsí sna stopóga in aice poill bheaga thrá.

AN RUÁLACH

IS cosúil le ríseach é seo murach go bhfásann sé an-fhada agus go mbíonn sé lán le huisce. I gcuanta cineálta is fairsinge atá sé le fáil agus fásann sé go hiondúil ar chlocha beaga agus ar shliogáin fholmha. Is minic a chasas na ruóga ar a chéile de bharr sruth coire guairdill agus go ndéanann siad mar a bheadh cáblaí ann a bheadh fiche feá ar fhad, sínte aníos ó thóin an phoill. Níl aon mhaith ann le haghaidh leasú ná ceilp. Is minic a thagas sé i dtír trí fheamainn eile agus go deimhin is aimhréiteach an mangarae é freisin. Mar sin féin, ní folláir é a dhealú ón gcuid eile agus a chaitheamh chuig an deachú.

Ní maith an áit le ghabháil ag snámh ina measc, mar dá dtéadh cuid de i bhfostú ar do chuid spreangaidí

bheifeá i gcontúirt mhór. Dá bhrí sin, fantar glan ar
an áit a mbíonn sé ag fás. Is minic a fhaigheas bádóirí
trioblóid uaidh freisin, mar téann sé i bhfostú idir
sáilín an chíle agus gob íochtarach na stiúrach, is é
sin mura mbeadh an bád glan, agus má théann rudaí
i bhfostú sa scoilteadh sin is é ceartchóir Dé é mar is
neamhshuim is ciontsiocair leis. Tá daoine ann atá
neamhghusúil agus a ligeas rudaí thar a gcluasa agus
ar an méir is faide, ach má choinníonn ruálach nó
téad pota gliomach ar ancaire ar feadh tamaill iad,

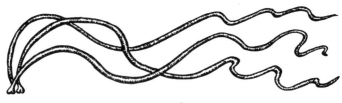

AN RUÁLACH

agus iad faoi dheifir mar is gnách le clann na farraige
a bheith, sin é an uair a bheadh an t-aiféala orthu nár
dhún an scoilteadh mallaithe roimhe sin. Rachaidh
mé i mbannaí nuair a bheas an deis acu aríst go
leigheasfaidh siad é le ruainne beag leathair a ghreamú
de sháilín an chíle le cúpla tairne i riocht agus go
mbeadh sé siar go gob biorach na stiúrach. Ansin
bheadh an bhearna dúnta go dlúth.

AN LEABA PHORTÁIN

FÁSANN an leaba phortáin i locháin in aice le díthrá.
Ní mór nach cosúil le carraigín na craobhacha beaga
dúdhonna murach go bhfuil siad níos crua agus níos
gairbhe. Is minic a bhain daoine neamheolacha iad
i leaba carraigín. Níl aon mhaith inti le haghaidh
leasú ná ceilp agus dá bhrí sin, ní mórán suime a
chuirtear inti.

Is minic a bhaineas portáin í le cur ina gcuid scailpreacha, agus deirim leat gur deas compordach na neadracha a níos siad dóibh féin. Go hiondúil bíonn péire i bpáirt á tarraingt ó chéile agus ag déanamh píosaí beaga di lena gcuid ordóg, i riocht agus go mbeadh sí feiliúnach dá ngnótha. Pé ar bith leisce a bhaineas leo am ar bith eile oibríonn siad crua go leor sa samhradh go síoraí ag soláthar ruainne le n-ithe agus ag tarraingt slámanna feamainne isteach sna díoganna i measc na gcloch, go mór mór an cineál a dtugtar leaba phortáin uirthi.

AN CHÁITHLÍNEACH

NUAIR a bhíos oibriú an gheimhridh ag sciúradh agus ag glanadh an ghrinnill agus leacracha agus stopóga ní fhágann sé ina dhiaidh an cháithlíneach. Caitear go leor de na craobhacha beaga dearga isteach trí chineálacha eile, nuair a bhíos an aimsir go dona. Tá cosúlacht mhór aici le carraigín ach nach bhfuil sí chomh ramhar ná chomh luachmhar. Ní fhaigheann ceilpeadóirí aon trioblóid uaithi mar nach bhfeileann sí dóibh. Tá sí go maith le haghaidh leasú agus dá dheasca sin, ní fhágtar sa gcladach í nuair a thagas an t-am le leasú a chur amach.

Bíonn an-tóir ag asail uirthi mar tá sí deas blasta le n-ithe acu agus mar gheall air sin bíonn siad sna sodair ón ngarraí go dtí an adhairt lena ngéaráin a choinneáil ag imeacht chomh fada agus a bhíos an malach á líonadh. Sábhálann sé an tiománaí ó bheith ag mallaíocht mar nach bhfuil aon ainmhí chomh spadánta má chaitheann sé ina cheann é. Is beag nach é an blas céanna atá uirthi leis an gcáithleach. Is dóigh go mbaineann siad le haon chineál amháin freisin.

AN MEILSCEÁNACH

MURACH an áit a bhfásann sé cheapfá gur féar fada uaibhreach é a bheadh ceathair nó a cúig de throithe ar fhad. Bíonn cuid de leis ar thrá mhór agus a lán eile de nár thriomaigh riamh. Baineann an t-oibriú sa ngeimhreadh go leor de agus seolann an ghaoth isteach ar chrioslach na mara é. Níl aon mhaith ann le haghaidh leasú ná ceilp, mar níl aon sú ann. Mar sin féin, ní fhágtar sa gcladach é; ní hé sin amháin ach roinneann na daoine le chéile é chomh maith le haon chineál eile. Cuireann siad suas ar an ionlach é le triomú. Tréigeann sé ó ghlas go bán le gaoth agus grian agus nuair a bhíos sé tirim stálaithe deirim leat gur maith bog an t-ábhar leapa é agus compordach freisin i gcomhair seanbhó nó seanasal, is ea, agus i gcomhair daoine dá dtéadh sé chuige sin.

AN MEILSCEÁNACH

De bharr na fréamhacha a bheith ag fanacht sa trá ó bhliain go bliain, ina línte os cionn a chéile, bíonn na geadáin a bhfásann sé ard seachas an chuid eile den trá. Dá bhrí sin fanann locháin uisce le linn lán trá idir na meallta meilsceánaigh. Is minic a théas daoine ag tóraíocht leathaí oícheanta rédhorcha sa bhfómhar. Sna poill idir na bainceanna glasa d'fheicfeá fir agus mná craptha suas thar a nglúine ag siúl thart go réidh aireach san uisce nó go seasann siad ar na leathaí a bhíos curtha go héadrom faoin ngaineamh. Ansin cuirtear an bior idir na cosa agus go cúramach agus go tapa tríthi, tógtar aníos í agus caitear sa gcliabh nó sa gciseán í. An té atá eolach ar an gcleas níl baol ar bith nach mbíonn roinnt éisc leis abhaile in am marbh na hoíche, le taoille tuile. Obair bhreá fholláin gan bhréag a bheith ag drubáil sa bhfarraige, agus má bhíonn a ghoile go maith ag an sleádóir ná tógtar air é. Is minic riamh a chonaic mé na leathaí ag leagan cuid againn mar is breac láidir an leatha mhór agus mura n-éiríodh leat seasamh ar a cloigeann bheifeá i mbaol treascairt a fháil nuair a léimfeadh sí amach ó do chosa de sciotán fuinniúil.

Cónaíonn ballaigh, láimhíneacha, roic agus éisc eile ann freisin, agus is acu a bhíos an áit dheas chosanta, á sníomh féin idir na seamaidí mar a bheadh coiníní nó luchain i bpáirc arbhair. Níl aon treibh amháin de na héisc sin nach mbíonn ar aon dath amháin leis an áit, sa gcaoi go bhfuil sé an-deacair ag an namhaid iad a fheiceáil má fhanann siad go socair, gan torann ná cliotar ar bith eile a dhéanamh.

AN TEANGA CHAIT

GO deimhin tá cosúlacht mhór féin ag an dosán garbh dearg seo le teanga ainmhí. Fásann siad ar shlata mara agus ar chineálacha eile feamainne i rith an tsamhraidh agus an fhómhair. Níl aon mhaith iontu le haghaidh ceilpe ach nuair a chaitear isteach i dtír trí chineálacha eile iad le linn drochaimsire scaoiltear an bealach leo sa leasú. Ní hé sin le rá go bhfuil maith ná brí iontu, ach ní furasta a bheith á ndealú ón gcuid eile úd. Ní mór nach cosúil le slobáin iad ach gur fearr an t-ábhar leasaithe na slobáin. Seargann siad go mór le grian mar tá go leor uisce iontu agus iad lán le poill bheaga. Is iomaí rudaí aisteacha ar grinneall ar deacair don té nach bhfuil ina chónaí cois farraige a chreidiúint go bhfuil a leithéidí

AN TEANGA CHAIT

ann chor ar bith. Ach má éiríonn leat a bheith in aice na farraige aon am buail síos sa gcladach ar díthrá agus feicfidh tú cuid de na hiontais seo.

AN CHÁITHLEACH

Is ar an domhain a fhásas an cháithleach idir na slata mara agus ar na slata. Ní mór nach cosúil le creathnach í ach tá a cuid duilleog níos leithne agus níos bríomhaire agus níl sí chomh blasta ná chomh maith le n-ithe agus dá bhrí sin ní fhaightear mórán trioblóide uaithi. Ruaigtear go leor di isteach i dtír sa ngeimhreadh agus san earrach de bharr oibriú na farraige. Bíonn tóir mhór ag faochain uirthi agus déanann siad greadlach uirthi le hiad féin a chothú. Lobhann sí tobann mar tá sí an-bhog agus níl sé éasca í a thriomú. Fágtar trí na cineálacha eile í nuair a chuirtear amach an leasú mar níl aon chailleadh uirthi le borradh a chur faoin bhfás.

Is maith an áit le haghaidh ballach an áit a mbíonn sí ag fás. Is dóigh, nuair a bhíos ocras orthu, go ndéanann sí beatha dóibh agus tá sí fóinteach freisin le cur ina gcuid neadracha aimsir shíolraithe, deas éasca le stróiceadh ó chéile agus a dhéanamh feiliúnach. Tá cosúlacht mhór aici le cáithlíneach ach gur craobhacha beaga an cháithlíneach. Is dóigh go mbaineann siad le haon chineál amháin plandaí mara. Níl ceachtar acu go maith le n-ithe.

AN SLOBÁN

TÁ go leor cineálacha slobán ann, ach is iad na slobáin bheaga liatha a fhásas ar fheamainn agus ar chlocha ar an domhain agus na cinn dhearga a fhásas ar shlata mara is fairsinge le fáil in aice chladaí Chonamara. Tá na slobáin liatha go maith le haghaidh leasú agus dá bhrí sin tógtar roinnt mhaith acu san earrach ar phoill dhoimhne chineálta le cineál dreidire. Amanta ar thránna móra, triomaíonn siad agus cuirtear isteach sa mbád iad le cléibh. Bíonn go leor uisce iontu mar tá na craobhacha beaga lomlán le poill agus dá bhrí sin tá siad an-trom. Níl aon mhaith iontu le haghaidh ceilpe. Na cinn dhearga a bhíos i bhfostú ar na slata seargann siad an-mhór i riocht agus nach mbíonn ann ach a gcumraíocht nuair a bhíos na dóiteoirí á gcur ar an tornóg. Tá cineál eile de na cinn liatha ann a dtugtar buirlíní orthu agus tá siad go maith le haghaidh leasú freisin. Go deimhin, níl aon difríocht mhór idir iad féin agus na cinn eile. Is beag nach mar a chéile ar fad iad.

Fásann siad ina mbaiscíní beaga cruinne ar dhéanamh na liathróide, beagnach, agus mar a bheadh cineál fionnadh ag fás orthu; sin iad na cinn liatha a fhásas ar an gcineáltas. Ach na cinn a fhásas ar na slata bíonn siad leacaithe tanaí le craiceann agus mórthimpeall na slaite in aice leis an bhfadharcán. Má bhaineann tú amach iad feicfidh tú gur déanamh fáinne atá orthu. Bíonn boladh trom aisteach le fáil uathu nuair a bhíos siad úr. Is minic a thagas cinn

255

mhóra isteach i dtír nach bhfeictear ag fás ar chor ar bith. Is dócha go bhfásann siad i bhfad amach. Ar aon chor, tá siad láidir bríomhar agus an-phollach. Is féidir le duine úsáid a dhéanamh díobh má theastaíonn uaidh a éadan nó a lámha a níochán, mar ní bhriseann siad ó chéile chomh héasca leis na cinn a luaigh mé cheana.

AN CAONACH MARA

FÁSANN caonach mara sna locháin agus ar chlocha sleamhna in íochtar an chladaigh; am áirid den bhliain fásann sé ar fheamainn freisin. Is iondúil gur dath uaine a bhíos air, agus timpeall le leaththroigh ar fhad. Chuirfeadh sé féar i gcuimhne duit.

Ní bhaintear aon úsáid as ar chor ar bith. An cineál donn is fairsinge mar fásann sé ar fheamainn faoi Bhealtaine. Bíonn an fharraige lán leis i dtús an tsamhraidh agus ní thaitníonn sé le hiascairí ar chor ar bith mar téann sé i bhfostú ina gcuid líonta nuair a bhíos siad curtha, go mór mór líonta ballach mar bíonn siad sínte ar grinneall. Tá sé an-deacair é a phiocadh astu mar tá sé mion agus cineál greamaithe sna mogaill. Go deimhin, ní mórán fonn a bhíos ar iascairí aon eangach a chur sna stopóga nó go ruaigtear i dtír é le drochaimsir. Bíonn na tránna agus na cladaí lán leis ansin agus gan aon mhaith ann le haghaidh aon rud.

AN CARRAIGÍN

IS dóigh liom go bhfuil go leor daoine ar fud na hÉireann nár chuala trácht fós ar charraigín — ní hé amháin a fheiceáil le radharc a súl. Tá a lán a chonaic é tirim, sábháilte, tuartha i bpacaí ag déanamh ar mhargaí Shasana agus Mheiriceá nár éirigh leo a fheiceáil ag fás ina chraoibhíní deasa dubha timpeall cheithre horlaí ar airde — ina lása thart le himeall-bhord an chósta ar dhíthrá rabharta i gcomharsanacht leis an gcoirleach — taobh thuas di — agus na ceanna slat ar an taobh thíos á cosaint ar thonntracha tréana borba fíochmhara na bóchna.

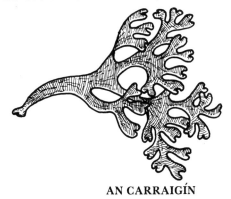

AN CARRAIGÍN

Theastaigh an claí cosanta sin ó na craoibhíní éidreoracha laga seo mar ar an taobh thiar d'Éirinn, ní nach ionadh, bíonn na feachtaí ag teacht i gcónaí i gcónaí le luas lasrach ón aibhéis choimhthioch le linn lán trá agus gaoth thiar nó thiar aneas. Cuireann an ghaoth crúba bána ar na feachtaí agus nuair a bhuaileas siad go tréan in aghaidh an chladaigh le teannadh, brí, agus fuinneamh, ansin, mura mbeadh na ceanna slat a bheith ina gcrann chosanta ag an gcarraigín bheadh a phort seinnte — is é sin le rá, bhainfí a chuid féitheacha as na gruáin agus ruaigfí den chladach ar fad é.

Ar an ábhar sin, mura mbeadh na ceanna slat níorbh fhéidir liomsa an dréacht seo a chur ar pháipéar mar ní bheadh an carraigín ann ar aon chor, agus ba dhíobháil thar gach díobháil an scéal é sin don chine daonna, go mór mór an chuid acu a bhfuil sé de chlampar agus de mhí-ádh an tsaoil i ndán dóibh a bheith á gciapadh agus á gcrá agus á lot le cársán, le casacht, le giorra anála agus le galair eile mar sin i gcóngar is i gcéin. Ola chroí dóibh sin an chraoibhín luachmhar fholláin seo a fhásas ó chroí crua na cloiche.

Le rabharta mór na Féile Pádraig is ea a thosaíos lucht an tseanchladaigh ag baint an charraigín. Bordáil ar dhá uair de lán trá is ea a d'fheicfeá na piocadóirí ag coimhlint chun an chladaigh le cléibh, le ciseoga, le málaí agus le buicéid. Ní hé amháin ar chladach na tíre a théas siad á bhaint ach téann siad amach i mbáid freisin ag déanamh ar na carraigreacha fiáine sa bhfarraige mhór.

CARRAIGÍN Á PHIOCADH

I bhfoisceacht uair go leith de dhíthrá a thriomaíos sé, ach ó thriomaíos an chéad dlaoi de bíonn na piocadóirí ag obair mar a bheadh tine ar a gcraiceann. D'fheicfeá mná, gasúir, agus seandaoine in aon líne amháin i gciumhaiseanna na farraige go bolgeasnacha ag gabháil timpeall ar mhulláin bheaga agus iad ag baint lena dhá láimh ar a lándícheall, agus ag líonadh a gcuid ciseog agus cliabh. Sin iad na seanbhuachaillí nach mbeidh á gciapadh le craipleacha ná le scoilteacha; ní hé fearacht go leor eile nach gá dóibh a gcraiceann a fhliuchadh ó cheann ceann na bliana.

Bíonn an trá charraigín thart le linn uair go leith tuile. Déanann siad ar an mbaile ansin agus deirimse leat mura mbíonn sclamhadh agus gearradh ocrais orthu tar éis a bheith ag drubáil agus ag drundáil agus ag obair i muinín a gcroí is a n-anam ar feadh na trá, ní lá go maidin é.

Piocadóirí maithe a bhfuil an cleas go maith agus go hoilte acu bheadh siad i riocht sé cléibh charraigín a bhaint an lá sin, ach amháin an trá a bheith buan agus an cladach réidh, gan a bheith ró-achrannach amach is amach agus fás maith a bheith air.

Tar éis a bhainte tá roinnt eile trioblóide le fáil uaidh sula mbí sé i gcóir le haghaidh an mhargaidh. Scartar amach ar an talamh é ar dtús. Dath dubh a

CARRAIGÍN Á SCARADH AR AN TALAMH

bhíos air ansin. Teastaíonn lá nó dhó triomaithe agus gréine ar dtús, cúpla cith, nó lá fearthainne nó cúpla oíche dhrúchta ansin lena thuaradh. Iontaíonn sé dearg agus bán ansin. Ina dhiaidh sin, baintear iontú eile as leis an taobh a bhíos faoi de a ghealadh. Ar a bheith sách geal ní mór lá maith eile lena thriomú mar is cóir: tá sé réidh le díol ansin.

Ní mór don díoltóir é a bheith tirim go maith aige. Seasann cliabh fliuch de dhá chloch mheáchain nuair a bhíos sé tirim. Ar nós gach dream bíonn cuid de lucht an charraigín féin glic go maith agus ní maith leo scarúint leis gan a 'bhaisteadh' — le dallamullóg a chur ar an gceannaitheoir.

Nuair a bhíos go leor de os cionn a chéile, tagann faoi agus téann sé i riocht is nach féidir leat a láimhsiú. Bíonn sé trí lasadh agus deatach as mar a bheadh as tornóg aoil.

Bhí an carraigín daor go maith in aimsir an Chogaidh Mhóir: bhí dhá scilling an chloch ag gabháil don phiocadóir. Is cosúil go bhfuil baint an charraigín ar bun le fada an lá, mar tá amhrán déanta dó. Seo ceathrú de:

Is fada mé 'cloisint caint ar charraigín ach níl a
fhios a'am céard é.
Dá mbeadh a fhios ag banríon Shasana 'mbeadh
dada ann mar é —
D'ardódh sí na tacsaí chomh hard leis an 'bpoor
rate.'
'S nach éard a dúirt an tseanbheainín a bhí bliain
le cois an chéad —
Feasta beidh tobac agam nó caillfidh mé leath na
méar.'

Tá sé ráite go bhfuil carraigín na hÉireann, ar a bheith gléasta mar is cóir, thar barr, agus nár chaith an duine rud níos folláine ná é riamh. Chuirtí go leor de in úsáid i Meiriceá agus i Sasana. Sin mar bhunús baint an charraigín i gConamara ach b'fhéidir go mbíonn idirdhealú idir an obair ansin agus áiteacha eile le cladach na hÉireann.

AN CHREATHNACH DHIÚILICÍNEACH nó AN DUILEASC

FÁSANN an chreathnach seo ina craobhacha beaga deargdhonna ar na diúilicíní atá i ngreamú de na carraigreacha ar chladaí garbha fiáine in aice le leath-thrá. Is beag nach cosúil le creathnach chosa dubha í murach go bhfuil sí níos milse agus níos fearr le n-ithe.

AN CHREATHNACH

Baintear go leor di sa samhradh agus sa bhfómhar cois cladaigh. Fágtar na diúilicíní uirthi gí go mbíonn sé deacair iad a thriomú tríthi mar gheall ar an iasc agus ar an uisce a bhíos sna sliogáin. Níl aon dabht nach maith leis na ceannaitheoirí na sliogáin a fheiceáil uirthi mar comhartha sin gurb í an cineál ceart í. Ní mór di cúpla lá triomaithe a fháil le hí a bheith sách stálaithe le coinneáil ar feadh an gheimhridh. Is deas blasta folláin an bheatha í nuair a bhíos sí bruite agus an chóir cheart uirthi. Níl aon bhlas loicht fuar féin uirthi. Tá nithe áirid inti atá ar iarraidh ó cholainn an duine le neart a chur sa bhfuil agus smior agus smúsach a chur sa gcnáimh.

Aon uair amháin chuaigh buachaill ó chladach go dtí teach faoi shliabh ag breathnú ar bheithígh mar is gnách a dhéanamh i gConamara. Is minic roimhe sin a thug sé máilín creathnaí mar bhronntanas chuig bean an tí. Ghabh sé a leithscéal féin an babhta seo agus labhair sé mar seo:

"tá aiféala orm, a bhean chóir, nach bhfuil aon bhlúire creathnaí liom inniu mar is mallmhuir atá ann anois."

"Muise, a mhic ó," a deir sise, "dá mbeadh ruainne beag den mhallmhuir féin againne ní bheadh aon bhlas loicht againn air. Is fearr an drochrud féin ná a bheith gan dubh gan dath."

Cheap sí gur cineál eicínt le n-ithe an mhallmhuir nó gur mhínigh sé an scéal di de bheagán, ach ní raibh aon mhaith ansin aici. B'éigean dó tuairisc chruinn a thabhairt uaidh ar mhallmhuir, meathrabharta, rabharta agus rabharta mór.

In aimsir an Ghorta nuair a bhí na daoine bochta ag fáil bháis thar a chéile leis an ocras agus leis an anó, chothaigh go leor iad féin ar iasc na farraige agus ar chnuasacht na trá agus an chladaigh. Ba mhaith ann í

CREATHNACH Á BAINT

an chreathnach san am sin agus ní do mhuintir cois cuain amháin ach do go leor eile a bhí ag rith rompu leis an gcall agus leis an riachtanas. Thriall go leor

lucht siúil agus seachráin anoir ar Chonamara le hiad
féin a choinneáil beo. Go deimhin is féidir iarsmaí
na haimsire móire úd a thabhairt faoi deara fós féin,
maidir le cnoic sliogáin agus cnámha éisc mhóir atá
le fáil agus le feiceáil in aice seanbhallaí tithe i Muínis
agus in áiteacha nach é. Bhí daoine sona macánta
cneasta ina gcónaí iontu tráth den saol nó gur chas
rothaí an tsaoil tuathal orthu agus chuir tiarnaí
talún agus lucht na ngróití iarainn scaipeadh fada agus
fán orthu mar a rinne siad le go leor nach iad, ach sin
scéal eile nach mbaineann leis an gcreathnach.

AN CHREATHNACH CHOSA DUBHA

FÁSANN an chreathnach seo ar chineál feamainne a
dtugtar cosa dubha uirthi. Ní hiondúil í le fáil ach ar
chladaí garbha fiáine agus timpeall le sé nó a seacht
d'orlaí ar fhad a shroicheas na craobhacha beaga
donndearga. Nuair a bhíos an fharraige cineálta le
linn aimsir bhreá sa bhfómhar téann báid luchtaithe
le fir, mná agus gasúir amach go dtí na carraigreacha
uaigneacha fiáine le hí a bhaint. Bíonn cléibh agus
buicéid agus málaí go leor acu agus an té a bhfuil
cleas an phioctha go maith aige nó aici is féidir leis nó
léi céad meáchain a phiocadh an tráth sin. Nuair a
bhíos siad á piocadh ní ligeann siad aon ocras orthu
féin, mar tá sí deas milis úr le bheith ag casadh na
ngéarán uirthi. Coinníonn siad na fiacla gnóthach
agus níl aimhreas ar bith nach bhfuil sin go maith
chun iad a choinneáil ó lobhadh, agus ar an mbealach
abhaile dóibh má bhíonn aon duine a mbeidh faitíos
mórghalair air nó uirthi coinníodh siad á cangailt agus
ní bheidh aon bhaol dóibh. Déanann pótairí anlann
di i riocht agus gur féidir leo braon maith a scaoileadh

263

siar agus gan aon aithne a bheith orthu. Nuair a bhíos sí tirim stálaithe faoi shalann sáile is íocshláinte í le cangailt idir deochanna.

Tá scéal beag i mbéal na seandaoine go fóill faoi chreathnach Charraig an Ghlainigh. Bhí an charraig i seilbh fhear ionaid an tiarna talún agus, ó tharla nach raibh aon dlí ag an riachtanas, b'éigean do chuid de na tionóntaí a ghabháil ag déanamh dó ar leath. Ba mhaith an cúntóir dó an t-ocras. Fuair an maor greim ar fhoireann báid agus iad ag baint creathnaí dóibh féin ar an gcarraig. Tugadh chun cúirte iad, ach is cosúil go raibh pointe eicínt sa dlí go gcaithfeadh féar a bheith ag fás ar an gcarraig seo, mar chuaigh an maor an oíche roimh an gcúirt chun farraige agus ní dhearna sé filleadh ná feacadh gur shocraigh sé scraith ghlas ar mhullach lom na carraige. Bhuail sé cúpla buille dá bhróg uirthi agus dhearc sé í le solas na gealaí agus dúirt: "is mise atá deas ar imirt leo faoi bhaint na creathnaí. Íocfaidh siad go daor aisti."

Chuaigh an aimsir thart agus tháinig lá na cúirte. Mhionnaigh an maor go raibh féar ag fás ar an gcarraig; daoradh agus cuireadh cáin throm ar lucht bainte na creathnaí. Ach ba é 'dlí leis an diabhal' acu é agus 'an chúirt in ifreann'.

Dream a bhí ag gabháil ag iascach lá arna mhárach go moch a chonaic an scraith agus bulc faoileán á hiompar go dícheallach ó mhullach na carraige gur chaith siad i bhfarraige í le fána na haille. Is cosúil nár thaitnigh leo aon chur isteach a dhéanamh orthu ina ríocht féin.

Is iomaí creathnach agus sleabhcán a baineadh ó shin uirthi, agus is mór an t-athrú a tháinig ar an saol. Tá sí go daingean ansiúd i gcónaí timpeall le míle soir aneas ó Mhuínis in aice Inis Múscraí, agus níor fhás seamaide féir fós uirthi gí go bhfuil sé suas le cheithre fichid bliain ó plandáladh an scraith ghlas uirthi le solas na gealaí.

AN FÍORSHLEABHCÁN

FÁSANN an fíorshleabhcán ar leacracha míne i gcladaí fiáine in aice le lán mara mallmhuireach. San earrach agus i dtús an tsamhraidh is fairsinge é le fáil agus tá na duilleoga beaga laga corcra chomh sleamhain le haon rud a chonaic tú riamh. Is an-deacair a bhaint nuair a bhíos sé fliuch mar go sciorrfadh sé as do mhéaracha, ach leis an lá breá is féidir é a tharraingt ina líbeanna de na clocha mar bíonn sé i ngreamú dá chéile leis an triomach ar fud na bhfud. Is milis blasta an t-anlann é nuair a bhíos sé bruite agus a chóir féin air agus tá sé folláin freisin, i gcás nach bhfuil sé éasca a shábháil ar nós na creathnaí mar tá sé an-bhog súmhar. Mar sin féin is féidir é a choinneáil úr ar feadh tamaill mhaith ach gan an iomarca de a bheith os cionn a chéile. Tagann dath uaine air le bruith agus ní mór nach cosúil le cóilis óg ghlas é a bheadh fiuchta go maith.

AN SLEABHCÁN

Is minic san earrach ar aimsir bhreá go seolann lucht seanchladaigh amach ina gcuid bád go dtí na hoileáin bheaga agus na carraigreacha fiáine, áit a gcónaíonn an chailleach dhubh agus an faoileán, agus más ea féin bíonn slám de abhaile leo tráthnóna. Fásann go leor de ar Charraig na Meacan. Go deimhin féin, fásann go leor de gach cineál dúilfheamainne uirthi, timpeall le leathacra d'ailltreacha arda agus duirling de chlocha móra atá chomh cruinn le huibheacha ar an taobh thoir aneas de. Tá go leor cuasanna a mbíonn rónta, ar an taobh thiar aneas agus poill dhoimhne trá ar an taobh thoir aduaidh a mbíonn feamainn dhearg ag fanacht. Is ar an taobh seo is éasca a theacht i dtír má bhíonn an fharraige cineálta. Go deimhin, is áit an-oibrithe é sa samhradh féin agus tá an diabhal go deo air sa ngeimhreadh agus is corrlá ar féidir a thaobhachtáil.

Nach uaigneach an áit atá ag an mairnéalach bocht atá curtha ann? Tá sé ansiúd leis féin leis na céadta bliain, chúig nó a sé de mhílte ó thalamh i lár na farraige idir Árainn Mhór agus Conamara. Is minic a chuireas daoine paidir lena anam, mar tá cloch chinn seasta fós os cionn a uaigh. Is iondúil go dtéann báid i dtír ann tar éis an gheimhridh ar lorg raice agus sin mar a tharla blianta fada ó shin an lá ar frítheadh an corp. Deirtear go raibh sé clúdaithe le feamainn agus ceapadh go mb'fhéidir gurb iad na héanacha fiáine mara a rinne an obair nó bruthanna na mara. Níl aon fhios céard a d'éirigh don long a raibh sé uirthi. Ar aon chor, tá áit iargúlta uaigneach aige san áit a bhfuil na tonntracha ag búireach agus ag pléascadh in aghaidh na n-ailltreacha, na rónta ag gártháil nuair a bhíos gá acu leis, na cailleacha dubha agus na faoileáin agus a gceol aisteach féin acu agus na daoine a thagas ag baint an tsleabhcáin cuireann siad beannacht Dé le hanam na marbh.

AN SLEABHCÁN CUIRCÍNEACH

FÁSANN an cineál seo níos íochtaraí sa gcladach ná an fíorshleabhcán mar ní bhíonn sé leis go leath-thrá. Níl sé ródheacair ar a bhaint mar tá na craobhacha beaga dúghlasa chomh catach agus gur féidir leis na méaracha greim maith a fháil orthu. Mar na cineálacha eile, san earrach agus sa samhradh a bhíonn sé i séasúr agus le linn an ama sin baintear go leor de, i gcás nach bhfuil sé chomh milis le n-ithe leis an bhfíorshleabhcán. Itear úr a bhunáite mar nach bhfuil sé éasca a thriomú agus nuair a bhíos sé bruite agus oinniúin agus im agus bainne tríd is deas séimhí blasta an t-anlann fataí é. Is dócha go n-airíonn na cailleacha dubha agus na faoileáin milis é mar is minic a líonas siad a mbolg leis nuair a bhíos siad róleisciúil le ghabháil ag iascach. Is minic a d'fheicfeá ina scuaidrín i mbéal na toinne iad ag faire go haimhreasach éadmhar ar a chéile, anois agus aríst ag tabhairt corrphriocadh nimhneach dá chéile. Amanta eile, thosaíodh an comhluadar ar fad ag pleancadh a chéile i riocht agus go mbíodh cith clúmhaigh ina dtimpeall.

Is dócha go bhfeileann goradh dó, le borradh agus fás a chur faoi, mar is ar aghaidh na gréine is fearr a mhéadaíos sé. Ach is mar sin atá an scéal ag go leor cineálacha eile, an chuid a bhíos ar an taobh ó dheas de na carraigeacha is furas a aithne a fheabhas seachas an méid a bhíos ar an taobh ó thuaidh.

AN SLEABHCÁN SLÁMACH

I locháin sa gcladach in aice leis an trá a fhásas an sleabhcán slámach. Bíonn gruáin agus gaineamh i ngreamú sna duilleoga agus dá bhrí sin níl aon mhaith ann le n-ithe. Ní mór nach cosúil leis an bhfíorshleabhcán é ach go mbíonn na duilleoga níos mó. Ní bhactar leis, ach na lachain nuair a théas siad ag soláthar dóibh féin sa gcladach. Ní fhaigheann siadsan aon locht ar an ngaineamh; is iad a bhíos deas ar a shlogadh.

Aon uair amháin tháinig fear ó shliabh ar an mbaile seo againne agus níorbh fhéidir leis aon chineál a aithneachtáil thar a chéile. Nuair a bhuail sé chun an chladaigh ní dhearna sé stad ná cónaí nó gur shroich sé an áit a raibh an sleabhcán slámach ag fás. Thosaigh sé á bhaint agus á chur ina mhála ar a mhine ghéire. Tháinig seanbhean an bealach a d'inis dó nach raibh aon mhaith ann le n-ithe, "ach siúil uait," a deir sí, "agus cuirfidh mise ar an eolas thú." Threoraigh sí é go dtí an fíorshleabhcán. Ghlac sé buíochas léi agus chrom faoi ag piocadh agus ag cur ina mhála. Go deimhin ní mórán láimhe a bhí sé a dhéanamh mar go raibh sé chomh sleamhain agus go raibh sé ag sciorradh idir a mhéaracha nuair a shíleadh sé a streachailt den chloch. Ach de réir a chéile mhúin an cleachtadh an cleas dó i riocht agus go raibh slám maith abhaile leis tar éis na trá. Deirtear gur namhaid an cheird gan a foghlaim.

GLUAIS

Seo gluais de roinnt focal agus leaganacha as an leabhar. Maidir le focail agus leaganacha eile a mbeidh léitheoirí fiosrach fúthu is mór an chabhair AN FOC-LÓIR GAEILGE BÉARLA le Niall Ó Dónaill agus LIOSTA FOCAL AS ROS MUC le T.S. Ó Máille.

áirgiúil: úsáideach
aithne: (aithne óil) comhartha óil
baol, 'bhfuil aon bhaol agat uirthi?: 'bhfuil tú críochnaithe ag obair uirthi?
bun, i mbun na gaoithe: i gcoinne na gaoithe
bunc: 'bung' an Bhéarla
canda: 'cant' an Bhéarla
cás, i gcás go: cé go, bíodh go
cheal nach: an ea nach
criotán: creathán
cuairt, faoi gcuairt na hordóige: timpeall siar isteach sa sliogán
cuid, trí chuid: trí cheathrú
domhain — gan infhilleadh an ghinidigh
éadan: paiste
eochraí, na heochraí: an eochraí
faisean, as an bhfaisean: as amharc
gabháil chun cinn suas ar na líonta: na líonta a fhágáil ina diaidh
gan é: go dtí é
glan: áit dhomhain san fharraige
gloine mheasa: gloine thástála
ith, ná hith é: ná creid é
itheallar: sábh
lag: stríoc
láimh, láimh aonraic: an lámh a bhfuil an t-aon fhaocha amháin inti. láimh a thógáil le: seasamh le. tús láimhe: an chéad chaitheamh

269

lántrá: an taoide imithe amach ar fad
leanúint, i leanúint: i ngreim
leathrach: clocha scartha (ar grinneall)
leathriasc: cliathán
mar a bheas: nuair a bheas
méadú ar a chéile: gach ceann acu a bheith níos mó ná an ceann roimhe
mearbhall: méarnáil
nár ba é amháin don ghaoth: nárab é sin an t-aon mhallacht amháin ar an ngaoth
neamhghusúil: gan treallús
pliobairt: preabadh
rónta: 'round' an Bhéarla
sáigh suas: stad (taobh le bád eile go hiondúil)
síoráil: luascán ('sheer' an Bhéarla?)
síos agus suas le chéile: baint, caidreamh acu le chéile
sleamhnú amach ar: 'smoothing out' an Bhéarla
tirim: 'beached' an Bhéarla

LIOSTA D'AINMHITHE AGUS DE PHLANDAÍ

Seo liosta d'ainmhithe agus de phlandaí nach bhfuil fáil orthu sna gnáthfhoinsí nó a bhfuil leagan canúnach orthu sa leabhar.

Báirneach Iascáin *Diodora Apertura* Keyhole Limpet

Ballach Buí
Ballach Fuarleice
Ballach Meilsceánaigh

Níl sé soiléir céard iad seo. Bíonn go leor cineálacha dathanna ar éisc den speiceas céanna; seans gur ag tagairt don áit a bhfaightear iad atá an t-ainm.

270

Breac Eitill = Iasc Eitilte
Claimhe = Claíomh
Congar = Eascann Choncair
Copóga *Laminaria Digitata (Typica)* Strapwrack
Cos Chrua *Fucus Vesiculosus* Bladder Wrack (cineál)
Cosa Dubha *Fucus Vesiculosus* Bladder Wrack (cineál)
Crosán Mín = Crosóg Ghréine
Drioball Cait = Eireaball Cait
Faocha Dhubh *Littorina Littorea* Common or Edible
  Periwinkle
Faocha Faoileáin = Cuachma Chon
Feamainn Ghruánach = Gruánach
Feamainn Mhín *Laminaria Hyperborea (Cloustoni)*
  Frond
Fíorshleabhcán *Porphyra (Géineas)* Laver
Garbhán Carraige *Chthamalus Stellatus* Acorn Barnacle
Leatha Leice *Lepadogaster Candolli* Connemara
  Sucker
Portán Clismín *Corystes Cassivelaunus* Masked
  Crab
Sleabhcán Cuircíneach *Porphyra (Géineas)* Laver
Sleabhcán Slámach *Porphyra (Géineas)* Laver
Sligín Slámach *Anomia Ephippium* Saddle Oyster
Troscán Stopóige *Trisopterus Luscus* Bib or Pouting

271

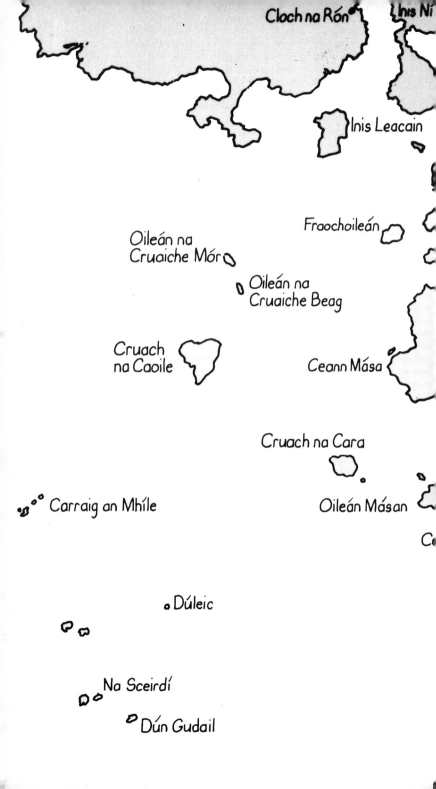

Cloch na Rón

Inis Ní

Inis Leacain

Fraochoileán

Oileán na
Cruaiche Mór

Oileán na
Cruaiche Beag

Cruach
na Caoile

Ceann Mása

Cruach na Cara

Carraig an Mhíle

Oileán Másan

Dúleic

Na Sceirdí

Dún Gudail